Para estar en el mundo

Sexo global

El ojo infalible

Sexo global

Dennis Altman

OCEANO

EDITOR: Rogelio Carvajal Dávila

SEXO GLOBAL

Título original en inglés: GLOBAL SEX

Tradujo, ajustó y corrigió el departamento editorial de Oceano de la edición original de The University of Chicago Press

Publicado según acuerdo con The University of Chicago Press

© 2001, The University of Chicago

D. R. © 2006, EDITORIAL OCEANO DE MÉXICO, S.A. de C.V.
 Eugenio Sue 59, Colonia Chapultepec Polanco
 Miguel Hidalgo, Código Postal 11560, México, D.F.
 ☎ 5279 9000   📠 5279 9006
 ✉ info@oceano.com.mx

PRIMERA EDICIÓN

ISBN 970-651-919-X

IMPRESO EN MÉXICO / PRINTED IN MEXICO

Para Anthony Smith otra vez
y para nuestros sobrinos y sobrinas:
Daniela, Eleanor, Francesca, Kate,
Meredith, Peter, Raul y Thomas

ÍNDICE

△

AGRADECIMIENTOS

Debido a que este libro se elaboró a partir de varios proyectos de investigación durante la última década, el número de personas que han contribuido en él es bastante considerable. Algunos hicieron contribuciones bastante específicas para el desarrollo del libro mismo: Doug Mitchell, de la University of Chicago Press, un editor siempre atento y dispuesto a apoyarme; Richard Parker, cuyo apoyo inicial y continuado fue muy significativo; David Stephens, buen amigo y buen asistente de investigación; y el personal de la Biblioteca de la Universidad de La Trobe, en especial Eva Fisch, siempre dispuesta a ayudar en la búsqueda de fuentes de difícil consulta. Muchas otras personas contribuyeron con su asistencia en proyectos asociados de investigación a lo largo de los últimos diez años. Quiero agradecer en particular a Peter Aggleton, Niko Besnier, R. W. Connell, Michael Connors, Peter Drucker, Stephen Gill, Mark Heywood, Jeff O'Malley, Maila Stivins y John Treat. El libro arrancó durante mi estancia de seis semanas en la Universidad de Chicago en 1997, y Jacqueline Bhaba, el personal del Humanities Research Center y Neville Hoad merecen las gracias por ayudar a hacer productiva tal estancia.

Los libros se escriben en contextos particulares, por lo que debo un agradecimiento especial a mis colegas de la School of Sociology, Politics and Anthropology de la Universidad de La Trobe, sobre todo al personal administrativo, Liz Byrne, Barbara Matthews, Nella Mete y Mary Reilly, sin quienes mi tiempo habría sido mucho menos productivo. Un agradecimiento especial para colegas y estudiantes en particular: especialmente a Tony Jarvis, Brendon O'Connor, Sanjay Seth, Geoff Woolcock y a mis compañeros de clase honorarios, del cuarto año generación 1999, con quienes discutí aspectos de este libro. El libro también refleja mi involucramiento personal en la lucha política internacional con la causa del VIH-sida, y van las gracias a los miembros de varias redes comunitarias, al personal del Programa Conjun-

13

to de las Naciones Unidas sobre el VIH-sida (ONUSIDA) y al Foro Internacional de Montreal, con quienes muchas de estas ideas fueron puestas en la mesa de discusión. Aunque resulta difícil individualizar, hago mención de Calle Almedal, Bai Bagasao, Stef Bertozzi, Roy Chan, Sally Cowal, Marina Mahathir, Shawn Mellors, Dede Oetomo, Shane Petzer, Peter Piot, Malu Quintos, Werasit Sittitrai y Paul Toh.

Por los generosos recursos para mi investigación estoy agradecido con el Australian Research Council, la Fundación Evans Grawmeyer (y el exministro de Relaciones Exteriores Gareth Evans) y la Fundación MacArthur. Una vez más mi agradecimiento particular va para Anthony Smith, quien no sólo leyó muchas versiones del manuscrito sino que me aguantó durante su redacción.

PREFACIO: SEXO Y POLÍTICA

△

Mientras escribía este libro, escándalos sexuales sacudieron a dos gobiernos muy diferentes, el de Estados Unidos y el de Malasia. Por supuesto, la naturaleza y gravedad de los escándalos fueron muy diferentes, pues mientras que la vida sexual del presidente Clinton se expuso al ridículo y la humillación, el exprimer ministro Anwar Ibrahim fue arrestado y golpeado tras acusársele de varios "delitos sexuales", que incluían el de sodomía, y en abril de 1999 se le condenó por intentos de corromper a la justicia buscando ocultar las acusaciones, y fue sentenciado a seis años de prisión.

En el caso de los ataques a Clinton, la hipocresía fue, como lo planteó Russell Baker, "lo más divertido, pues provino de los empleados de enormes imperios de medios masivos que florecen gracias a la explotación del sexo y la violencia".[1] Sin embargo, los ataques fueron lo suficientemente serios como para llevar al presidente a un proceso ante la Cámara de Representantes y a un prolongado juicio en el Senado. Mientras que sus oponentes argumentaban que el punto principal era que Clinton había mentido, el ambiente era tal que los medios se sentían capaces de exponer cualquier aspecto relativo al comportamiento sexual que indujera a mentir. Los ataques a Clinton pueden verse como una extensión lógica del creciente interés de los medios en el desprestigio de las celebridades. Después del tan difundido comentario del príncipe Carlos acerca de que él desearía ser el tampón de Camila Parker-Bowles, un vestido manchado de semen parecía casi anticlimático.

Los ataques contra Anwar fueron mucho más serios, y un duro recordatorio de que en muchas partes del mundo una conducta sexual "inadecuada" (según la interpretación de quienes detentan el poder) sigue siendo una arma poderosa para el control político y social. De manera irónica, al acusar en público a Anwar de sodomía, el primer ministro Mahathir rompió la prohibición no escrita de discutir públicamente la homosexualidad en Malasia, pese a su proclamada renuencia a hacerlo.[2] No fue Anwar el único político de alto nivel acusado de sodomía en 1998. Durante la mayor parte del año el expresidente Banana de Zimbabwe también fue sometido a juicio, acusado de sodomía y abuso sexual. Se decidió que era culpable a principios de 1999 y se le sentenció a diez años de prisión. Irónicamente, Banana, el primer presidente poscolonial del país, cayó penalizado por leyes que eran un legado del colonialismo; y la ironía fue aún mayor debido a que él era ministro de la iglesia metodista. Como en el caso de Anwar, el juicio y la consecuente discusión pública de la homosexualidad rompieron un gran número de tabúes.[3] Ambos casos ilustran también un "orientalismo" invertido, ya que "Occidente" fue señalado como la fuente de la decadencia sexual, misma que los colonialistas europeos habían asociado largamente con el "Oriente" o el "Sur".

Los ataques al supuesto comportamiento de Anwar se entienden con más facilidad como el oportunismo de un primer ministro hambriento de poder y dispuesto a deshacerse de un protegido convertido en rival, tal como ideólogos de derecha impulsaron las investigaciones sobre el comportamiento de Clinton en un principio, con el propósito de destruirlo. Al mismo tiempo, los ataques a Anwar por su supuesto mal comportamiento sexual reflejaron una peculiar versión malaya del mismo moralismo punitivo aplicado contra Clinton, un conjunto de puntos de vista a los que Jeremy Seabrook se refirió como "una alianza de congelada moralidad victoriana colonialista y retórica islámica, aliadas a un consumismo orgiástico".[4] A partir de la presidencia de Richard Nixon los republicanos han usado el lenguaje de los "valores familiares" para defender las políticas económicas que han ayudado a minar las mismas estructuras que hicieron posible la familia "tradicional". En un cierto modo, de manera similar Mahathir usó bastante sistemáticamente el lenguaje de la moral islámica para destruir a su rival, mientras defendía una determinación a favor de un mayor crecimiento económico e industrialización. La situación malaya se complicó porque los seguidores de Anwar incluían tanto a fundamentalistas musulmanes como a malayos comprometidos con una genuina democratización, y por la oposición de Mahathir a las demandas del Fondo Monetario Internacional (FMI) sobre mayores restricciones en los gastos del gobierno y la liberación del tipo de cambio.

Lo que vincula estos ejemplos es la invocación de ciertas normas de conducta sexual apropiada, que en la práctica no siguen grandes sectores de la población, y la presencia de medios de información globales. Las imágenes de una llorosa Monica Lewinsky o un ensangrentado Anwar Ibrahim circularon de manera instantánea entre audiencias mucho mayores que las que jamás habían existido, y se convirtieron en parte de la conversación diaria entre personas que ni sabían ni les importaba dónde está Malasia ni qué significaba el proceso de *impeachment*. El juicio a líderes políticos por cargos relacionados con sus comportamientos sexuales puede verse también como el final lógico del eslogan liberal "Lo personal es lo político", el cual, según John MacInnes, se ha convertido en el "aforismo político esencial" de los pasados cincuenta años, al remplazar "las luchas y conflictos públicos [...] en favor del derecho a votar, declararse en huelga o trabajar [con] crecientes conflictos por el derecho a una particular identidad o, inversamente, por la obligación social de desarrollar una forma particular de identidad".[5]

Estos dos ejemplos se relacionan con el itinerario particular personal que me guió a escribir este libro. Estados Unidos y Malasia son países donde he estado, en el caso del primero, siete años de mi vida. Uno de los aspectos más impactantes de la literatura sobre la globalización, parte de la cual aquí citaré, es la cantidad de veces que los autores igual acuden a la casualidad, la coincidencia, que a lo académico para elegir y emplear sus ejemplos. El solo hecho natural de escribir acerca de "lo global" implica que debemos sentirnos como en casa en todos lados; sin embargo, al mismo tiempo, nadie puede conocer más que una pequeña parte del mundo. De aquí que Thomas Friedman tome la metáfora que da título a su libro *The Lexus and the Olive Tree* a partir del contraste entre una nota sobre Palestina en un periódico y el tren bala japonés en el cual viajaba cuando leyó esa historia.[6] Salman Rushdie, sin sorprender a nadie, ubica en Bombay, Londres y Nueva York su novela de lo global, *The Ground Beneath Her Feet*. Otra versión de ese relato puede fácilmente moverse de Teherán a Berlín y Tokio.

Dos obstáculos agregados surgen al escribir acerca de la "globalización". El término en sí mismo es, después de todo, un intento por describir un mundo que está en cambio constante mientras uno escribe, haciendo que cualquier aseveración sobre él sea, en el mejor de los casos, provisional. Además, casi todos los que escriben acerca de la "globalización" son al mismo tiempo sus beneficiarios. Quienes utilizan el *mainstream* de los medios para articular sus críticas a las tendencias contemporáneas se encaminan a pertenecer claramente al mundo que Mary Kaldor describe cuando evoca la división entre "esos miembros de una clase global que saben hablar inglés, tienen acceso a faxes, correo electrónico y televisión por satélite, que usan dólares, euros o tarjetas de crédito, y que pueden viajar libremente" y aquellos "que viven de lo que pueden vender o cambiar o de lo que reciben de ayuda humanitaria, cuyos movimientos están restringidos por los bloqueos en carreteras, las visas y el costo de los viajes, y que son presa de estados de sitio, hambruna, minas terrestres, etcétera".[7]

Como Friedman y Rushdie, me he inspirado con intensidad en experiencias vividas en muchas partes del mundo para desarrollar mi razonamiento. Un lector perspicaz podría adivinar que mientras escribía este libro pasé algún tiempo en Manila y Johannesburgo, y no en Lagos y Caracas, aun cuando trato de prestar atención a estas últimas ciudades. Algunos de los ejemplos más ilustrativos que cito los hallé por casualidad al leer diarios, en particular a bordo de un avión

18

o al toparme con una novela poco conocida en una tienda de libros usados. Mientras traté de leer profusamente, usé de manera particular *The Economist* (al que veo como el órgano propio de una cierta clase de globalización liberal ilustrada), *The International Herald Tribune*, mi lectura favorita cuando viajo, y el menos conocido *The New Internationalist*, que ofrece un bienvenido antídoto contra el entusiasmo neoliberal de los otros dos. Pero el hecho de que lea abrumadoramente fuentes de lengua inglesa (y sea capaz de leer sólo en otra lengua, el francés), sugiere qué tan limitada será mi visión de lo global. Estoy particularmente consciente de la riqueza de la literatura latinoamericana sobre sexualidad y feminismo, a la mayoría de la cual no tengo acceso.

Este libro también se debe en gran parte a mi participación durante los últimos diez años en el mundo interconectado de la acción política internacional del VIH-sida y el movimiento lésbico-gay global. Esos mundos me han permitido conocer a gente extraordinaria y me han dado visiones particulares de un buen número de países diferentes a mi nativa Australia, por lo que estoy muy agradecido (para más detalles véase Agradecimientos). Pero aunque éstas son mis propias raíces activistas, que han influido inevitablemente en mis conocimientos y percepciones, he tratado de ir más allá al escribir *Sexo global*. Sobre todo, mis lecturas acerca de la política de desigualdad de género, salud reproductiva y violencia contra las mujeres me han hecho más comprometido con el feminismo.

Puesto que cumple con ciertas convenciones de la investigación y las referencias, éste es un trabajo académico, cuyo objetivo en parte es establecer una conexión entre los estudiantes de la sexualidad y los de economía política y relaciones internacionales, quienes en general han tenido poco que decirse unos a otros. Pero en la medida en que todo escrito debe ser autobiográfico, aun cuando se refugie detrás de apéndices de pies de página y citas, éste es también mi propio recuento de un conjunto muy complejo y problemático de relaciones que podrían describirse de muchas maneras. Tampoco tengo pretensiones de "objetividad", si por eso queremos decir el rechazo a

19

tomar partido o a escoger posiciones políticas y morales. Yo prefiero sumarme al comentario de E. L. Doctorow de que "[nosotros]... no nos afanamos por esa santurronería de la objetividad, la cual es finalmente una forma de construir una opinión para el lector sin dejarle saber que lo estás haciendo".[8] Espero que cualquiera que lea *Sexo global* sepa con exactitud dónde me ubico.

Introducción: Pensando en sexo y política

$\triangle$

¿Cómo —y por qué— conectamos dos de las preocupaciones dominantes de la actual ciencia social y el debate popular, es decir, la globalización y la inquietud respecto de la sexualidad? O, más concretamente, ¿la creciente globalización del mundo —entendida como "la compresión del mundo y la intensificación de la conciencia del mundo como un todo"—[1] está afectando las formas en que se extiende, experimenta y regula a la sexualidad?

El argumento de este libro es que cambios en nuestro entendimiento y actitudes hacia la sexualidad están siendo condicionados, y a su vez reflejan, por los propios cambios más grandes de la globalización. Es más, así como con la globalización misma, los cambios nos están llevando simultáneamente a una mayor homogeneidad y a una mayor desigualdad. Hasta los bolsillos más insignificantes de las poblaciones del mundo son conducidos a la esfera del capitalismo global; una cultura del consumidor que atraviesa fronteras y culturas, se desarrolla y universaliza por medio de la publicidad, los medios masivos y los enormes flujos de capital y de personas en el mundo contemporáneo. La sexualidad se vuelve, de manera creciente, un terreno en el que se libran amargas disputas alrededor del impacto del capital y las ideas globales.

Gilbert Herdt escribió sobre la prolongada indiferencia en torno a la sexualidad por parte de las ciencias sociales: "Hasta hace bastante poco, las ciencias sociales permanecieron preocupadas por el género, pero apenas habían empezado a conceptualizar el deseo, pese a los apremios de Foucault".[2]* Su planteamiento permanece válido, aunque debamos reconocer que a menudo el sexo tiene relativamente poco que ver con el deseo. Desde luego es verdad que en años recientes cierto tipo de estudios sobre la sexualidad, con frecuencia codificados en el misterioso lenguaje de la teoría literaria y cultural, se han vuelto modas académicas. También es verdad que en la naciente literatura sobre la globalización escrita por científicos de la política y economistas se ignora la mayoría de estos estudios. De igual manera, quienes se ocupan de asuntos de la sexualidad y el género a menudo ignoran los asuntos del poder material e institucional. Alison Murray se acercó a la verdad cuando advirtió que "la academia ha progresado desde los estudios sobre la mujer hasta los de género y sexualidad, acercándose al meollo del asunto, aunque continúa marginando clase, raza y las voces de sujetos alternativos",[3] un punto de vista que se refleja en las preocupaciones de Nancy Fraser con respecto a que "la diferencia" en el feminismo contemporáneo ignora a la economía política.[4] Un buen ejemplo, como veremos, es la escasez de material que analice la pornografía y la prostitución como industrias y no sólo como problemas de moralidad.

Al sexo lo contienen factores sociales, culturales, políticos y económicos, y permanece como un poderoso imperativo resistente a todos esos factores. Tal vez esto explique la resistencia a las teorías del construccionismo social, cuyos críticos ven como intentos para domesticar algo que sobrevive a todos los intentos humanos de control.[5] La tensión se resume en un pasaje de un artículo que Michael Ignatieff escribió acerca de los baños públicos en Budapest, un legado de la ocupación turca:[6] "El Kiraly no es baño público para homosexuales: el placer del lugar consiste precisamente en su disolución de los límites entre los sexos, en la aceptación de que homosexuales y heterosexuales pertenecen a este lugar en unión... Le pregunté a mi masajista mien-

---

* Michel Foucault (1926-1984), filósofo francés, autor, entre otras obras, de *Historia de la sexualidad.* (*N. del E.*).

tras trabajaba en mis pantorrillas, ¿hay más sexo ahora que durante el comunismo? Se encogió de hombros. La pregunta parece ridícula en este lugar. En la zona del tiempo de los baños públicos, los regímenes van y vienen, junto con sus estilos de censura moral. Sólo los placeres del cuerpo persisten".[7]

Pero con todo y lo seductora que suene la frase, "los placeres del cuerpo" no pueden separarse del mundo exterior. La gente desnutrida, enferma, embarazada, vieja o amenazada por la violencia potencial vivirá la experiencia de sus cuerpos de manera muy diferente; y sólo cuando las condiciones políticas y económicas lo permiten, podemos entregarnos a ciertos "placeres". De hecho, el placer del cuerpo con frecuencia está moldeado por las condiciones políticas y económicas; es probable que una trabajadora sexual de un burdel en Calcuta no experimente su cuerpo de forma similar a la de sus clientes (o de hecho como una "acompañante" de alta categoría de Manhattan). Beryl Langer ha observado que "conforme el cuerpo torturado es tan emblemático de la posmodernidad global como lo es el cuerpo vestido de licra y piel, mucho menos atención recibe de los exploradores teóricos de la 'condición posmoderna'".[8] Sin embargo, la tortura muchas veces conlleva implicaciones sexuales, lo cual se reduce y trivializa en algún tipo de pornografía.

La sexualidad es un área del comportamiento, la emoción y el entendimiento humanos, que a menudo se considera "natural" y "privada", aunque al mismo tiempo sea un escenario de constante vigilancia y control. Lo que se entiende por "natural" varía considerablemente según las culturas y se le vigila a través de un gran número de instituciones religiosas, médicas, legales y sociales. Asimismo, hay muchas formas de entender las relaciones entre sexo y política, que van desde la regulación del control natal y el aborto hasta el espionaje, en que el sexo ha sido central, o al menos así les gusta creerlo a los novelistas. (Aunque fue cabeza de la CIA, Allen Dulles fue quien dijo una vez: "Mientras exista el sexo será usado para el espionaje".)[9] Las sociedades regulan el sexo mediante prohibiciones religiosas y culturales, ceremonias y reglas; mediante políticas legales, científicas, de higiene y de salud; mediante restricciones y estímulos gubernamentales; y a través de toda una gama de prácticas que forman parte de la vida diaria y constituyen lo que Gayle Rubin acuñó como el "sistema de sexo-género".[10]

Casi todas las sociedades "tradicionales" (con lo cual me refiero a las preindustriales) parecen estar organizadas con fuertes componentes homosociales, de tal forma que hombres y mujeres a menudo existen en mundos muy separados, y el matrimonio y el sexo heterosexuales son altamente regulados por medio de ceremonias y rituales, que de ordinario involucran a las familias enteras. El mejor ejemplo de este tipo de organizaciones sociales se encuentra en esas sociedades tribales donde hombres y mujeres viven de manera separada, como en las famosas "casas largas" de Borneo, y las parejas casadas pasan sólo periodos relativamente cortos de tiempo juntos. A medida que las sociedades se "modernizan", las marcadas distinciones basadas en el género se desvanecen, y junto con estos cambios viene el desarrollo de la familia nuclear como la unidad central de organización social y el desarrollo de ideologías sobre el matrimonio de compañerismo basado en el amor y el respeto recíprocos. Hasta los setenta, más de la mitad de los matrimonios en Corea del Sur eran arreglados por intermediarios; ahora los "matrimonios por amor, no por asociaciones arregladas por las familias, se han convertido en la norma".[11] A medida que crecen las expectativas de matrimonio, también aumentan las probabilidades de que quienes estén decepcionados busquen terminarlos, incrementando las tasas de divorcios.[12] Éstas son, por supuesto, tipologías ideales, pero ayudan a entender cómo las grandes estructuras socioeconómicas enmarcan los supuestos sobre sexualidad y género. También explican la gran rapidez con que se han generado cambios en el sistema de género-sexo durante el último siglo, a medida que más y más gente se ve forzada a negociar la transición entre reglas muy diferentes. No es extraño que habitantes urbanos de la clase media se encuentren al cuidado de parientes del interior con quienes comparten muy pocos valores.

Aun así, la más "moderna" de las sociedades mantiene hipótesis particulares acerca de sexualidad y género derivadas de periodos anteriores, y a menudo reforzadas a través de ideologías religiosas y culturales. Piensen, por ejemplo, en las formas en que algunos deportes se construyen como pruebas esenciales de masculinidad, y en la larga batalla de las mujeres para que sus proezas deportivas les sean reconocidas con igual validez que las de los hombres, como ocurre en la lucha por establecer un circuito de tenis profesional de mujeres. Los deportes de equipo han desempeñado un papel principal en la creación de estilos nacionales e individuales de masculinidad, ya sea el cricket inglés o el futbol en Uruguay, cuyas victorias en las olimpiadas de 1924 y 1928 significaron momentos decisivos para la construcción nacional.[13]

Los deportes también son un escenario en el que se observa un rango de inhibiciones y restricciones sexuales; ¿será demasiado extravagante ver un elemento de sublimación homoerótica en los deportes de contacto, especialmente el futbol, combinado con los fuertes tabúes contra futbolistas que "salen del clóset"?[14] (Los futbolistas que se "descubren" ganan considerable notoriedad, como ha sido el caso de David Kopay en Estados Unidos; Ian Roberts en Australia; y, más trágicamente, Justin Fanashu en Inglaterra, quien se suicidó después de haber sido acusado de tener relaciones sexuales con un menor.) En el caso de las mujeres, los deportes de equipo son escenarios para establecer contactos lésbicos, y esto no sólo ocurre en países occidentales, como Kim Berman lo hizo notar en relación con el club de futbol femenil de Soweto en Sudáfrica.[15]

Como lo sugieren estos ejemplos, sexualidad y género están inseparablemente interconectados, y a menudo regulados por medios ideológicos e institucionales similares. Concuerdo con Spike Petersen y Jacqui True cuando escriben: "El género no es siempre la dimensión más evidente u opresiva en el trabajo en un contexto particular; nosotros creemos, en cambio, que siempre modela la expresión de otras dimensiones (por ejemplo, las políticas racistas también son de género); y como las identidades de género se integran al sentido del ser y la seguridad personal, con frecuencia moldean en profundidad nuestro compromiso con visiones particulares".[16] Ésta es una razón de por qué el comportamiento o despliegue transgresor fuera de espacios permisibles —ya sean éstos el papel *bedarche* en las sociedades nativas americanas o los carnavales de Nueva Orléans o de Sydney en la sociedad contemporánea— es tan inquietante.

Casi todas las sociedades establecen con mucha claridad las reglas de género y las expectativas alrededor de la sexualidad, de tal modo que mientras la mayoría de las sociedades, por ejemplo, le dan un particular valor a la virginidad femenina esto es raro en el caso del hombre. De hecho, en algunas sociedades una muchacha que ha sido violada es tratada como "deshonrada" y, por lo tanto, no apta para el matrimonio, aunque haya sido impotente para preservar su virginidad. De igual forma, en muchas sociedades una esposa violada es vista como apta sólo para el divorcio o, en el peor de los casos, para matarla. En un estudio realizado en siete países de África, América Latina y Asia-Pacífico, Gary Dowsett y Peter Aggleton comentan que "como el mejor indicador del doble amarre que ata a las mujeres jóvenes, todavía la virginidad se considera importante de dos formas: como garantía del valor de una pareja potencial para el matrimonio, y como prueba del carácter y la valía de cada mujer joven a los ojos de su compañero, familia y comunidad". Sin embargo, apuntan al abandono de la virginidad antes del matrimonio como una consecuencia de la modernización, la necesidad de ganar dinero y el impacto de la cultura juvenil, la cual "valida crecientemente la 'entrega por amor'".[17]

Es una sobresimplificación sugerir que todas las culturas organizan la sexualidad en torno a la intensificación del placer masculino a costa de la mujer, pero es raro encontrar culturas donde lo inverso sea verdad. En realidad, muchas culturas y religiones enseñan a la mujer que gozar el sexo es una señal de soberbia: un estudio cita a una nigeriana diciendo: "Por lo general, las mujeres de Hausa no muestran ningún signo de placer durante el acto sexual porque sus maridos pensarían que son descarriadas".[18] Anthony Giddens ha notado que la "doble norma" sexual es común a casi todas las sociedades no modernas,[19] pero parece persistir bien dentro de la modernidad. De esta manera, la estructura de "la relación entre psicología y sociología, entre nociones de honra femenina y nobleza masculina",[20] que utiliza Gail Pheterson para analizar el trabajo sexual, se aplica para la mayoría de las sociedades humanas, aunque adopte formas muy diferentes. La provisión de placer sexual masculino es parte de los regímenes sexuales en sociedades marcadas por el imperativo de producir —en especial aquellas de principios de la industrialización— así como en aquéllas dominadas por el imperativo de consumir. La prostitución y la pornografía florecen en ambas, y en gran medida se crean como medios para satisfacer los "deseos" masculinos, tanto en el ámbito de la fantasía como en el corporal, con servicios de mujeres. El reverso de esto es la práctica común de definir el deseo sexual como algo que las "mujeres decentes" no experimentan, y erigir a las mujeres ya sea como vírgenes o como putas, no importa que la realidad sea casi siempre más compleja. No parece existir una división equivalente para los hombres.

En realidad, el crecimiento de la "sociedad de consumo" ha tendido, por lo menos, a crear la posibilidad del sexo recreativo para las mujeres, así como para los hombres, con la proliferación de striptease masculinos dirigidos a audiencias exclusivamente femeninas, que es el tema de la muy popular película *The Full Monty*. Pero a pesar de todo, el desequilibrio continúa y lo simboliza el número de clubes y bares de "swingers" que permite la entrada gratuita a las mujeres para equilibrar el número de hombres.

Ambas cosas, el orden político-económico y los patrones dominantes de sexualidad y género, reflejan lo que R. W. Connell llamó "masculinidad hegemónica", es decir "la configuración de la práctica de género que personifica la actual respuesta aceptada al problema de la legitimidad del patriarcado, el cual garantiza (o así se supone que garantiza) la posición dominante de los hombres y la subordinación

27

de las mujeres".[21] Todas las sociedades tratan a hombres y mujeres de forma distinta, y en muy pocas instancias esta diferencia favorece a las mujeres. En la práctica, como lo demuestra Connell, la naturaleza de esta masculinidad puede variar, e incluso algunas mujeres bien pueden encontrar maneras de beneficiarse con éxito de tales estructuras, mientras que muchos hombres serán castigados con severidad o puestos en desventaja por fallar en mantener las premisas de la masculinidad hegemónica. La ventaja de esta conceptualización es que permite la existencia de las desigualdades estructurales que sugieren términos como "patriarcado", al reconocer también que estas desigualdades se crean mediante acciones humanas, y afectan de forma muy diversa a diferentes individuos.

La religión tiene un papel central en la regulación sexual en casi todas las sociedades, aunque su impacto se ha debilitado de manera constante en la mayoría de las democracias occidentales durante el último medio siglo, con la gran excepción de Estados Unidos. De hecho, bien pudiera ser que la función social primaria de la religión sea controlar la sexualidad y el género en provecho de los intereses de la masculinidad hegemónica. De manera irónica esos países que rechazaron la religión en nombre del comunismo tendieron a adoptar sus propias versiones de puritanismo sexual, frecuentemente igualadas a las de las religiones que reprimieron. Ya sea catolicismo, hinduismo, islamismo o comunismo, las religiones tienden a reclamar un derecho particular para regular y restringir la sexualidad, un derecho que a menudo les reconocen las autoridades estatales. Como Marta Lamas escribió en relación con México: "Todas las batallas locales y federales respecto de la sexualidad se han enfocado en el mismo tema de discusión: afirmar o cuestionar la moral católica tradicional".[22] A pesar de que la Revolución mexicana de 1917 estableció un Estado laico, la influencia de la Iglesia sigue siendo muy grande, y a menudo se ejerce a través de organizaciones religiosas como el Opus Dei y los Legionarios de Cristo. Comentarios similares pueden hacerse acerca de la tensión entre fuerzas seculares y religiosas en países tan diferentes como Israel, Irlanda, Turquía y la Polonia poscomunista.

Con demasiada frecuencia al sexo lo regula la violencia. "La violencia es lo fundamental, la expresión de la testosterona del derecho masculino",[23] escribió David Landes respecto de las culturas islámicas, pero sus palabras son claramente aplicables más allá de éstas. Hay evidencia de que la violencia doméstica está extendida en la mayoría de las sociedades, y es raro que la policía y los sistemas legales tengan recursos adecuados para prevenirla. Como Silvana Paternostro escribió sobre México: "Un promedio de ochenta y dos violaciones se cometen a diario en la ciudad de México. El miedo de las mujeres está más que justificado, puesto que los propios oficiales de policía han participado en delitos sexuales. En 1990, cinco policías alborotaron a la ciudad al violar al menos a diecinueve jovencitas".[24] Es tentador atribuir estas cifras al culto latino del machismo,[25] pero estas y otras cifras de Latinoamérica —en Argentina se reporta que 65% de las mujeres ha sido golpeada por un hombre al menos una vez, más de tres cuartas partes por sus propios maridos[26] — se repiten en diferentes sociedades. Las acciones para prohibir las golpizas a la esposa en Papua, Nueva Guinea fueron rechazadas por el (abrumadoramente masculino) parlamento con el argumento de que eran contrarias a la "vida familiar tradicional".[27] De la misma manera, sólo hasta hace poco y en un número limitado de países, la violación dentro del matrimonio ha sido reconocida como un delito.

Cuando los hombres manifiestan sus miedos sexuales, tienden a hacerlo de manera violenta, y hay cierta evidencia de que la violencia sexual es un elemento creciente de los actuales desórdenes globales.[28] De este modo, los hombres usan la violación bajo el argumento de preservar las tradiciones, al igual que para hacer la revolución. Así describe Lillian Ng la experiencia de una mujer en China: "El libro rojo de Mao sostenido enfrente de mis ojos era mi anestésico, mi apoyo moral, mi aliento, mientras ardía de dolor, reseca por los calambres, el fuego en el hueco de mi estómago que emergía del horno que era mi pasaje de yin".[29] Mientras tanto, a adúlteros, prostitutas, homosexuales —o sospechosos de serlo— rutinariamente se les viola, lapida, tortura y asesina en países con gobiernos tan diferentes como Guatemala e Irán. Quienes en público se burlan del orden género-sexo, parecen más vulnerables a la violencia, así que para trabajadores sexuales y transexuales a menudo la anticipación a la violencia es, como escribió Richard Parker sobre Brasil, "un potencial explosivo que permea la vida diaria".[30]

El triunfo del capitalismo liberal al final de la guerra fría también ha significado nuevos brotes de agitación y conflictos locales, a medida que los conflictos se convierten de manera creciente en luchas étnicas y de poder dentro de los países, con sus correspondientes pérdidas enormes de vidas de civiles. Bajo las condiciones de guerra civil, el sexo se convierte tanto en medio de tortura como de placer, como se muestra en las numerosísimas violaciones en Ruanda, la antigua Yugoslavia o Sierra Leona.[31] Manuel Carballo, del Centro Internacional para Migración y Salud, estimó que 40,000 mujeres fueron violadas en la guerra en Bosnia "y no creemos que estas cifras sean únicas o inusuales".[32] Hubo reportes posteriores de violaciones multitudinarias perpetradas por soldados serbios como parte de la "limpieza étnica" de Kosovo, con indicaciones claras de que uno de los objetivos era embarazar a las mujeres albanesas musulmanas. La violación, por supuesto, también puede usarse en contra de los hombres, y de hecho parece haber sido empleada de manera particular en las batallas étnicas de la antigua Yugoslavia.[33] Linda Grant ha sugerido que las violaciones en Bosnia estuvieron relacionadas con la accesibilidad a la pornografía en la Yugoslavia posterior a Tito, pero no tenía pruebas de ello, lo que por desgracia sucede con muchas de las quejas que se hacen acerca de la pornografía.[34]

Más convincente es la afirmación de Nikos Papastergiadis de que el carácter de las violaciones en Bosnia era diferente al de guerras anteriores porque, en este caso, era parte consciente de la política de "limpieza étnica" e involucraba "nuevos extremos de brutalidad".[35] Por desgracia, su argumento podría incluir algunas otras situaciones contemporáneas de conflictos étnicos y civiles. Aun sin guerra, las violaciones pueden estar incrementándose. Evidencias en países tan diferentes como Papua, Nueva Guinea y Sudáfrica sugieren que la violación (a menudo la violación colectiva) está volviéndose una respuesta común a las dislocaciones masivas de la vida contemporánea.[36] De hecho es ampliamente sabido que en Sudáfrica una mujer es violada cada cinco minutos. Como Graeme Simpson y Gerald Kraak argumentan, muchos hombres jóvenes que se sienten debilitados y marginados en un mundo de cambios rápidos recurrirán a la violencia, y la violación "se convierte en una reafirmación simbólica de su identidad masculina".[37]

Tales fenómenos son descritos a menudo como "consecuencias no intencionales" de la modernización, frecuentemente con la hipótesis implícita de que pasarán con la llegada del desarrollo. Tal vez ésta sea la ocasión de hacer notar mi intranquilidad frente a términos como "desarrollo", que implica algún tipo de progresión lineal hacia un futuro que ya existe en el primer mundo. He tratado de evitar hablar de países "desarrollados" y "subdesarrollados" por esta razón, y hablar más a menudo de "ricos" y "pobres". Esto, sin embargo, agrupa a países con antecedentes culturales y sistemas políticos muy diferentes —Dinamarca y Arabia Saudita son países "ricos", por ejemplo— y en algunas ocasiones he tenido que utilizar los torpes términos "occidental" y "no occidental", cuando el énfasis está en la cultura y no en la economía. Lo hago a disgusto, consciente de que las definiciones por oposición son tendenciosas e imprecisas: tanto el Japón contemporáneo como los poblados tradicionales de Papua, Nueva Guinea pueden describirse como "no occidentales", pero agruparlos implica privar al término de un significado real. De la misma forma, los conceptos como "modernización" tienden a implicar una progresión lineal hacia un solo punto final, usualmente asociado con el capitalismo estadunidense,[38] así que tales términos como "moderno" y "tradicional" necesitan entenderse como prototipos cargados de ideología.

31

De manera creciente, las instituciones y las ideologías que relacionan sexo y política están ellas mismas globalizándose, a medida que las preocupaciones alrededor de género, sexualidad y cuerpo desempeñan un papel central en la construcción de regímenes políticos, sociales y económicos internacionales. La complejidad de estas interconexiones es el tema central del presente libro.

LAS MÚLTIPLES CARAS DE LA GLOBALIZACIÓN

△

Bangkok 2000-Viena 1900

A finales del siglo XX Bangkok se había convertido en una ciudad importante, no sólo por su tamaño (alrededor de doce millones de personas en el área metropolitana) y por ser el eje del esplendor económico tailandés —cuyo dramático colapso en 1997 disparó una recesión masiva en toda Asia—, sino porque era el centro de la vida nocturna y los excesos sexuales que atraían a gran cantidad de turistas. En palabras de Bruce Rich: "En la era de la globalización [...] Bangkok se ha convertido en un burdel global".[1] Tal percepción se repite en un buen número de análisis feministas sobre la prostitución.[2] Hace un par de años, una referencia similar en el diccionario de inglés Longman causó un acalorado debate en Tailandia, la prohibición del libro con base en la Ley de Publicaciones, por ofensas a la moral, y su reimpresión con la entrada referente a Bangkok corregida.[3] Bangkok también ha cobrado fama por sus problemas de tráfico y la contaminación resultante —tanta que se han encontrado altos niveles de plomo en los cordones umbilicales de los recién nacidos—[4] y por su paisaje urbano de grandes rascacielos posmodernos que se elevan al lado de viejos barrios pobres. Como dijera William Greider: "Bangkok estaba prosperando y estaba decayendo".[5]

¿Cuán diferente era de las grandes ciudades del siglo anterior? ¿Hasta dónde podían verse las mismas fuerzas (crecimiento económico, migración a gran escala, grandes desigualdades, excesos sexuales, acelerados cambios culturales) en París, Londres o Nueva York en 1900? De la antigua Roma a la ciudad de Bangkok contemporánea, las metrópolis desempeñan un papel especial en la forma en que imaginamos la historia del sexo. Piense en el imaginario que evocan Berlín, Tánger y París durante el periodo de entreguerras; el "swinging London" o el "San Francisco hippie" de los sesenta; Río de Janeiro o Nueva Orléans y sus festivales de Mardi Gras; la prostitución de Amsterdam y Hamburgo. Estas imágenes crecen tanto por la cultura popular como por la realidad socioeconómica: la atracción sexual de estas ciudades no puede separarse de las industrias (prostitución, bares, salones de baile, discotecas) que fundamentaron su reputación. En algunos casos, el turismo fue un factor importante, como en La Habana de los años cincuenta[6] (un legado que no olvidó el gobierno de Castro). Probablemente en los treinta hubo la misma cantidad de prostitución en Turín o en Toronto que hoy hay en Berlín o en Shanghai, sin embargo, ello no forma parte de la imagen que se tiene de esas ciudades.

Muy pocas urbes pueden basar su economía en el sexo (como ocurre con los pueblos que se localizan cerca de bases navales o de campos mineros). Sin embargo, el sexo forma parte de la economía política de todas las grandes ciudades, y en especial de aquellas que crecen con rapidez y reciben a muchos emigrantes, desarraigados, desesperados o nuevos ricos, en épocas de levantamientos políticos o sociales. Bajo estas condiciones se revela lo que normalmente trata de ocultarse: esto parecería ser la verdad de las ciudades chinas y rusas a partir de los noventa, con su floreciente prostitución y sus relumbrantes nuevos ricos.

La imagen de Bangkok como "burdel global" surgió debido a su fama como el mejor centro de "descanso y recreación" para los soldados estadunidenses durante la guerra de Vietnam, cuando 700,000 de estos militares iban de permiso a Bangkok[7] (el momento más recordado del musical *Chess* es la canción "Una noche en Bangkok"). Al relatar en su irreverente biografía la visita de John Lennon a Bang-

kok en 1976, Albert Goldman dice: "Cuando John salió del mundial-
mente famoso Hotel Oriental [...] fue abordado por unos proxenetas
que le mostraban tarjetas falseadas con mucha gracia donde se leía:
'No sabrás lo que es una mamada hasta que una de nuestras chicas te
la haga' [...] Tener sexo con estas niñas es lo más cercano al abuso infantil permitido por la ley; por eso las prostitutas tailandesas son las
favoritas de los viejos libidinosos".[8] Hacia mediados de los ochenta,
una guía de turistas clandestina proclamaba a Bangkok como "la ciudad más abierta del mundo" y entonces comenzó una epidemia de
VIH a gran escala en algunas organizaciones de sexo-servidoras, particularmente en el grupo EMPOWER, ubicado en el distrito de entretenimiento de Patpong. Si el Sur hubiera ganado la guerra de Vietnam
es posible que Saigón (ahora Ciudad Ho Chi Minh) hubiera ocupa-
do el lugar de Bangkok. Veinte años después, Ciudad Ho Chi Minh y
Phnom Penh, en la vecina Camboya, están desarrollando con rapidez su propia versión aumentada del comercio sexual.

Pero ni la prostitución muy extendida ni el tráfico de sexo-servidoras son novedades. En su autobiografía, Stefan Zweig escribió sobre lo que era crecer en Viena: "La generación actual difícilmente tendrá una idea de la gigantesca difusión de la prostitución en Europa
antes de la [primera] guerra mundial [...] En esa época las prostitutas se ofrecían a la venta a cualquier hora y a cualquier precio, y a un
hombre le costaba tan poco tiempo y problemas comprar una mujer
por un cuarto de hora, una hora o una noche, como comprar una ca-
jetilla de cigarros o un periódico".[9] Hacia finales del siglo XIX la reputación de Buenos Aires era infame en Europa debido a su "trata de
esclavas blancas",[10] y en Río de Janeiro, por la misma época, la prostitución no sólo estaba ampliamente extendida, sino que muchas de sus
trabajadoras eran inmigrantes recién llegadas. Desde finales del siglo XIX hubo un comercio internacional especializado en mujeres judías de Europa del este, por lo que el término "polaca" se utilizó para
referirse a las prostitutas.[11] Así que hacia el cambio de siglo, existía
una "red global" de prostitución judía, basada en "las consecuencias

del fanatismo religioso europeo, la rigidez de las leyes judías y su impacto combinado con las estructuras familiares y la pobreza de muchas mujeres judías".[12] La indignación que provoca el crecimiento de la industria del sexo en ciudades modernas como Bangkok y Río por lo regular carece de cualquier noción histórica.

Es tentador utilizar los comentarios de Zweig para comparar a Bangkok con la Viena de hace un siglo, debido al papel que Freud les atribuyó a nuestras percepciones de la sexualidad como centro de la vida social —Freud publicó *La interpretación de los sueños* en 1900— y a las imágenes de Viena como una decadente ciudad de fin de siglo. (Peter Hall, quien incluye a Viena entre las seis ciudades que considera "crisoles culturales" se refiere a ella en términos de "la ciudad como principio del placer".)[13] No por nada Viena ha sido vista como la primera ciudad posmoderna[14] —o, quizá como escribió Callinicos, la ciudad donde "uno está tentado a decir que se inventó el siglo XX".[15] También era, indicó Callinicos, una importante ciudad industrial, y el centro de la democracia social. Claro que Viena era un centro de teorización sobre sexo y arte de vanguardia, teatro y música, mientras que Bangkok puede verse como un centro de consumo sexual: lo cerebral transformado en carne. Buena parte del arte vienés anterior a la primera guerra mundial involucró una exploración de la sexualidad, lo cual fue muy radical para la época; esto es evidente en las pinturas de Oskar Kokoschka, Egon Schiele (de quien John Updike escribió "comparte con su amigo vienés Freud un realismo sexual desapasionado y más bien melancólico, con un ojo en la psicopatología")[16] y Gustav Klimt.[17] Los vieneses estaban encantados por las obras de Oscar Wilde, lo que se refleja en la adaptación escénica de Richard Strauss de su ópera *Salomé*, y en la obra *La Ronde* (1903) de Arthur Schnitzler, donde los personajes estaban ligados por un círculo de infidelidad.[18]

Tanto Austria-Hungría al principio del siglo pasado como Tailandia al principio de éste, son casos de antiguas monarquías que avanzaron con dificultad hacia la democracia, y ambas eran los indiscutibles centros culturales, políticos y económicos de sus dominios, aunque

Viena era una ciudad cosmopolita, sede de un imperio que acogía docenas de lenguas y culturas, mientras que Bangkok es el centro de un reino que permanece notablemente homogéneo. La excepción más significativa es la de los chinos, a quienes muchos han comparado con los judíos de Europa; como los judíos de Viena, los chinos de Bangkok han sido asimilados y segregados. La diferencia obvia es que Viena era central para los desarrollos del mundo intelectual y artístico en formas como ninguna ciudad asiática contemporánea podría serlo, salvo, quizá, Tokio. Pero, al mismo tiempo, en Bangkok *existe* un fermento político e incluso intelectual reflejado en sus movimientos estudiantiles y quizá en su arquitectura.

Ambas ciudades crecieron rápidamente por la industrialización, pero en Viena se puso mucho más cuidado a la planificación urbana, la vivienda, el transporte público y la asistencia social. La población de Viena se duplicó entre 1840 y 1870, y a finales del siglo XIX tomó su forma actual, apenas cuando Bangkok empezaba a modernizarse. El reciente crecimiento de Bangkok entre 1960 y 1990 fue más rápido y menos bien planificado; reflejo de ello son las chozas que se levantan a orillas de canales y vías de tren, a la sombra de los grandes rascacielos posmodernos —los hoteles y centros comerciales despliegan el éxito arquitectónico más de lo que hicieron, hace un siglo, los edificios públicos y centros culturales.[19] Mientras que en la Viena del siglo XIX se construyó un gran boulevard que rodeaba la ciudad, por motivos militares;[20] a fines del siglo XX las vías rápidas de Bangkok se construyeron para lidiar con los inmanejables embotellamientos, y hubo mucha confusión y corrupción en torno a los intentos de edificar el sistema de vías elevado a través del centro de la ciudad, que finalmente se abrió al final del siglo.[21]

El crecimiento de Bangkok se debió al "auge de los tigres", en el que el capital extranjero desempeñó un papel mucho más importante que el Estado, y produjo el "desarrollo" desequilibrado que vemos en gran parte del mundo. Para mí las nuevas desigualdades de la economía global están simbolizadas por el infeliz elefante a cuyo dueño vi una vez pedir limosna en la entrada del almacén Robinson's en la próspera vía comercial de Sukhumvit. La brecha entre la burguesía y los trabajadores de Viena a finales del siglo XIX fue tal vez menor que la existente entre los nuevos ricos y sus condominios de gran estatus y los arrabales de Klong Toey.

No quiero exagerar la comparación, pero vale la pena mencionar que mucho de lo que consideremos nuevo, tanto en términos de globalización como de conversión del sexo en un bien mercantil, acompañó a los tempranos cambios sociales y la industrialización. El verdadero propósito de pensar en el Bangkok contemporáneo y en la Viena de fin de siglo es recordar que ni la globalización ni las preocupaciones ampliamente difundidas sobre la sexualidad son nuevas.

¿Qué hay de nuevo en la globalización?

Esta discusión sobre Bangkok trae a primer plano la relación entre el cambio económico y social y las diferentes expresiones de la sexualidad, pero también cuestiona la fácil afirmación de que la "globalización" no tiene precedentes en la historia mundial. Existe la tesis de que la globalización ya estaba en camino en el siglo XIX, debido a la rápida expansión del comercio mundial, las grandes migraciones del Viejo Mundo hacia el Nuevo, y el impacto de las nuevas tecnologías como el ferrocarril y el telégrafo. Otros la remontan hasta la expansión de Europa en el siglo XV, o incluso a las concepciones del mundo en Grecia y Roma.[22] Desde hace varios milenios el comercio y la religión aseguraron la dispersión y la mezcla de culturas. Las guerras, ya sean las guerras de conquista europeas o las grandes conflagraciones del siglo XX, han sido grandes fuentes para la exportación de nuevos patrones sociales y culturales.

La experiencia de la aglomeración de las ciudades recién industrializadas de la Europa del siglo XIX encuentra paralelo en lo que ahora está pasando en Bangkok, Mumbai y Lagos. Peter Beinart y otros han señalado que en 1913 el comercio mundial se encontraba en niveles similares a los que existían en 1992,[23] aunque ciertamente no era el caso del flujo de capitales (también lo diferencian las nuevas formas de comercio ahora posibles a través de Internet, y los rápidos medios que permiten transportar flores de invernadero —y órganos humanos— de un extremo del mundo al otro en menos de un día). La devastación causada en las sociedades africanas por el comercio de esclavos y más tarde por la expansión de la minería en colonias como el Congo, Rhodesia y Sudáfrica anunció una devastación semejante a la provocada en nuestro tiempo por el mucho "desarrollo económico". Hace más de ciento cincuenta años Marx escribió:

> La revolución constante de la producción, el trastorno ininterrumpido de todas las condiciones sociales, la perdurable incertidumbre y la agitación distinguen a la época de la burguesía de las épocas anteriores. Las relaciones fijas y congeladas de inmediato, con su tren de prejuicios y opiniones antiguos y venerables, son barridas, todas las formas nuevas se vuelven anticuadas antes de que puedan osificarse.[24]

Y en 1927, en una novela de ciencia-ficción francesa, Theo Varlet escribió: "El ritmo de vida se ha acelerado en nuestro planeta y la humanidad forma cada vez más un solo bloque, un organismo único que se mueve hacia el mismo lugar".[25]

"Globalización" se convirtió en una palabra clave muy en boga en los noventa y halló traducción en gran número de lenguas. (Se dice que el término se utiliza en Tailandia, donde se conoce como *lokaphiwat*, más que en cualquier otro lugar del mundo.)[26] Las explicaciones sobre el significado de la globalización hacen eco de la sobrecargada discusión acerca de qué es lo nuevo en la posmodernidad: por supuesto que lo que llamamos globalización tiene sus precursores en periodos previos, tal como "posmoderno" es un término irritantemente impreciso que puede usarse para abarcar un vasto rango de actividades humanas. Aun así estoy de acuerdo con David Held cuando afirma:

Lo que hay de nuevo en el moderno sistema global es la intensificación crónica de patrones de interconexión mediados por
fenómenos tales como la moderna industria de las comunicaciones, la nueva tecnología de la información, y la expansión
de la globalización a través de nuevas dimensiones de inter-
conectividad: tecnológica, de organización, administrativa y legal entre otras, cada una con su propia lógica y dinámica de
cambio.[27]

También deberíamos tener en mente que, en parte, la globalización significa que la modernidad, entendida en su sentido más
amplio como la variedad de supuestos sociales e instituciones conectada con el capitalismo industrial, está cambiando las experiencias
vitales de millones de personas precisamente cuando regiones del
mundo que han experimentado por mucho tiempo la modernidad
se mueven hacia una condición que algunos llaman posmodernidad.
Sin entrar en los grandes y complejas discusiones alrededor de estos
términos, la posmodernidad se entiende mejor, al menos para mi
propósito, como una etapa más allá del capitalismo, o lo que Ulrich
Beck llama una "segunda modernidad".[28]
En un mundo globalizante, con tecnologías muy distintas a la
de la expansión previa a la primera guerra mundial, el tiempo y el espacio toman diferentes significados,[29] y ningún aspecto de la vida permanece inalterado por las fuerzas globales. Aun así, la mayoría de las
personas todavía opera en sus particulares espacios locales, y hay una
constante tensión entre lo local y lo global.[30] Todavía experimento
una diferencia entre leer el *Age* de Melbourne durante el desayuno
en casa y leer sus encabezados en la Red en un café-Internet lleno de
humo de una estación en Ginebra. La diferencia no estriba sólo en la
forma del medio, se basa en la diferencia de mi proximidad física con
respecto al mundo que describe. Pese a la retórica sobre la aldea global, término acuñado por Marshall McLuhan a principios de los sesenta, y pese al "fin de la geografía", casi todos nos mantenemos ligados

a lugares particulares, incluso si podemos sentirnos parte de comunidades que no se definen principalmente por un espacio compartido.[31]

Aunque este libro se concentra en lo que algunas veces se llama el "mundo en desarrollo", el fenómeno de cambio rápido se encuentra en todos lados. Tony Judt escribió acerca de Francia, quizá la nación de mayor continuidad histórica entre todos los grandes países: "En tanto que la Francia de, por decir, 1956, ha sido, en los aspectos más importantes, muy similar a la Francia de 1856 —incluso hasta en una marcada continuidad de los patrones geográficos de las lealtades políticas y religiosas—, la Francia de 1980 no se parece siquiera al país de hace apenas diez años".[32] ¿Exagerado? Tal vez: ciertamente hay en Francia pequeños pueblos donde uno puede imaginarse en los días del Segundo Imperio, y los franceses tienen un genio peculiar para preservar su pasado de maneras que no se han alcanzado en otros lados. A medio camino en el mundo, en el territorio insular de Nueva Caledonia (ahora en vías de independizarse) puede encontrarse comida francesa tradicional servida por canacos con acento parisino. Aun así, ni siquiera Francia puede resistirse a la recomposición del mundo que la ha reducido de un centro imperial a una potencia de segundo nivel, integrándose cada vez más a una unión social, económica y política con sus antiguos rivales. De acuerdo con Judt, tampoco puede escapar a una de las más tristes consecuencias del cambio rápido y ubicuo: a saber, el generalizado declive del estudio de la historia narrativa, ligado a una creciente confusión acerca de lo que es y no es importante para la memoria histórica. Asimismo, Julian Barnes habla de la muerte de la *France profonde*, exterminada por "la guerra, la paz, la tecnología de la comunicación, el turismo masivo, el libre mercado sin traba alguna, la influencia de Estados Unidos, la europeización, la avaricia, la visión de corto plazo, el ahistoricismo pagado de sí mismo".[33]

El impacto de las empresas multinacionales —capaces de mover capital y fábricas alrededor del mundo en busca tanto de mercados como de mano de obra barata—, de los medios electrónicos y la Internet, o el vasto aparato de consumismo, significa que las fronteras nacionales son cada vez más incapaces de contener ideas, dinero e incluso personas. El imperio británico pudo haber llevado ideas y productos nuevos al subcontinente indio, pero existe una diferencia cualitativa con un mundo donde puede estimarse (en 1998) que en cinco años el número de casas en Paquistán con acceso a televisión vía satélite ha aumentado de 70,000 a algunos millones.[34] La descentralización del control sobre la televisión china y el crecimiento de la transmisión satelital ha significado un rápido incremento en la cantidad de programas extranjeros disponible para los chinos promedio, 80% de los cuales tiene algún acceso a la televisión.[35] De manera similar, el mayor crecimiento en asignaciones de portales de Internet se presenta en países de ingresos medianos, aunque Estados Unidos permanece a la cabeza. Ciertamente, la superioridad de la tecnología estadunidense está simbolizada en el hecho de que sus direcciones de Internet son las únicas que no llevan código de país, al igual que las estampillas británicas no llevan el nombre del país. En ambos casos, ser los primeros permite establecer las normas a las que los demás deben supeditarse.

La migración se ha vuelto más compleja que en periodos anteriores, ya que el fin de los imperios europeos significó el traslado de millones de personas de las antiguas colonias a las metrópolis, con amplios grupos que mantienen, de manera voluntaria o no, lazos con varios países durante toda su vida.[36] El movimiento a gran escala de personas del "tercer mundo" —de las Indias occidentales y Asia del sur hacia el Reino Unido; del norte y el oeste africanos hacia Francia; de México, Centroamérica y el Caribe a Estados Unidos— significa lo que Iain Chambers ha denominado "el desquite de los reprimidos, los subordinados y los olvidados en las poblaciones, poderes, literaturas y músicas del tercer mundo vino así a ocupar el tiempo de las economías, ciudades, instituciones, medios y ocio del primer mundo".[37] Son demasiado típicos del mundo contemporáneo los relatos de los campos de concentración virtuales en Lituania, donde "trece somalíes han pasado tres meses en la oscuridad, a tres metros bajo tierra en horribles condiciones. Jamás vieron la luz del día excepto por la ho-

ra diaria de ejercicio. Sufrieron problemas en los ojos. Hacía demasiado calor. El aire era pesado, irrespirable".[38] Lo que hace treinta años
hubiera parecido extraño —a saber, africanos del este refugiados en
un pequeño Estado báltico— se ha vuelto parte de la condición contemporánea.

Mientras tanto, la clase colonial que gobernó los imperios europeos desde sus reductos en Delhi y Argelia ha sido remplazada, hasta cierto punto, por una nueva clase de expatriados que sirven a compañías multinacionales o agencias internacionales más que a Estados
nacionales, y con frecuencia actúan como nuevos vectores de ideas y
modas. Estos "nuevos cosmopolitas" son muy visibles, pero la verdad
es que la gran mayoría de los que migran para escapar huyen de la
desesperación en busca de la posibilidad.[39] Ambos, los privilegiados
y los desesperados cruzan fronteras, así que tanto el ejecutivo bancario como su asistente de limpieza en Singapur o Los Angeles pueden
haber llegado de otro lugar, pero sus experiencias están separadas
por una división de clase que no es menor que la que había entre los
ricos y los pobres del colonialismo del siglo XIX.

De nuevo es difícil alegar que esto no tiene precedentes: las experiencias de refugiados de Eritrea en Italia, de trabajadores emigrantes de Bangladesh en el Golfo, o de los "ilegales" salvadoreños en Texas
y California tienen sus antecedentes en las grandes migraciones del siglo XIX. En un estudio sobre trabajadores filipinos en Medio Oriente,
Jane Margold sostiene que "la economía política internacional, que ha
interpenetrado en la vida individual, tiene efectos de fragmentación,
al preferir los músculos y la energía y negar la totalidad humana".[40] Eso
no se discute, pero ¿no fue la misma experiencia la de millones de africanos embarcados a través del Atlántico durante el comercio de esclavos, o incluso de jóvenes mujeres irlandesas o de trabajadores chinos
que emigraron a Estados Unidos en el siglo XIX? Tampoco es nueva la
enorme migración de campesinos a la ciudad que está produciendo
arrabales y colonias pobres en casi todas las grandes urbes del nuevo
mundo pobre; aunque en escala, es aún mayor que el crecimiento ur-

43

bano de la industrialización del siglo XIX. Hay que recordar que en 1920 más de la mitad de los adultos varones de la ciudad de Nueva York había nacido en el extranjero, y muchos de los nacidos en Estados Unidos eran inmigrantes negros pobres del sur rural.[41]

Lo que parece cierto es que cada vez menos lugares del mundo pueden aferrarse a cualquier sentido de homogeneidad racial o étnica, ya que la migración a gran escala ha reconfigurado las ciudades del mundo rico en los últimos treinta años. Ahora hay más residentes de origen extranjero en Suiza que en Argentina; e incluso Japón, quizá el país rico más cerrado del mundo, bien tiene más de cien mil inmigrantes al año, procedentes principalmente de otras partes de Asia. Tópicos como la ciudadanía y el multiculturalismo, por mucho tiempo centrales para la política de colonizador y las sociedades coloniales, se han convertido en temas clave de las metrópolis, con grupos políticos como el Frente Nacional de Francia y el Partido de la Libertad de Austria que apelan a recuerdos ilusorios de homogeneidad racial. Mientras países como Estados Unidos, Canadá y Australia han definido hace mucho la ciudadanía como algo que pueden obtener los inmigrantes, no fue sino hasta el final del siglo XX, y tras la elección de un gobierno socialdemócrata, cuando Alemania cambió sus leyes de inmigración para permitir que millones de personas nacidas ahí tuvieran derecho a la ciudadanía completa.

Se estima que hasta 100 millones de inmigrantes y 20 millones de refugiados cambian de países cada año; más de 35 millones de personas trabajan en ultramar y 10 millones han sido desplazadas de sus tierras a causa de la degradación ambiental.[42] También son enormes los movimientos temporales a través de las fronteras. La economía de muchos países pequeños, particularmente del Caribe, depende cada vez más del turismo para sobrevivir, del mismo modo que países como Bangladesh y Filipinas dependen cada vez más de las remesas de dinero enviadas por los trabajadores de ultramar.[43] Además, la gran migración interna, la que ocurre dentro de los países, puede cambiar el balance étnico y ambiental de áreas completas, como sucedió con el desahucio de tribus indias debido a la "colonización" del Amazonas o con el proyecto *transmigrasai* de Indonesia, que ha movilizado a tres cuartos de millón de personas hacia Papua Occidental (Irián occidental).[44] El resentimiento local ante estas situaciones se encuentra detrás de la violencia étnica que siguió a la caída de Suharto en 1998, como aquélla perpetrada contra los inmigrantes madureses en Kalimantan (Borneo).[45]

Según Appadurai, lo nuevo es que la "diáspora es el orden de las cosas": "Estados Unidos, que siempre se percibe a sí mismo como tierra de inmigrantes, se encuentra a flor de piel en esta diáspora global, ya no es un espacio cerrado para que el *melting pot* realice su magia, sino un proveedor de almacenamiento para la diáspora, al que llegan las personas para buscar fortuna, pero sin estar contentas de marcharse de su patria".[46] Millones de individuos se las arreglan para ir y venir de un país a otro, manteniendo su lealtad por ambos (uno de los hombres más ricos de Australia es el dueño del club de futbol de Melbourne y el principal donante a las causas de la derecha de Israel). Las tensiones y políticas étnicas ahora son parte de la experiencia de la mayoría de los países, aunque esto no necesariamente debería verse como algo negativo. El remplazo de las incuestionables presunciones de superioridad que acompañaron a las invasiones europeas en los pasados tres siglos por los muchas veces problemáticos debates sobre multiculturalismo y pluralismo es ciertamente una ganancia importante.

Appadurai pertenece a un grupo significativo de expatriados indios —académicos y escritores— cuya invención de un conjunto de formas para entender la experiencia de la emigración contemporánea ha dado vida tanto a la teoría poscolonial como a una de las fuentes más ricas de escritura imaginativa en la lengua inglesa contemporánea. Por supuesto que sería absurdo reducir el poscolonialismo a una empresa autobiográfica colectiva de los académicos sudasiáticos, pero también es imposible hacer caso omiso del grado en que este proyecto se relaciona directamente con sus experiencias para equilibrar su sensación de ser extranjeros tanto en Nueva York como en Mumbai, Karachi y Manchester. Mientras que la imaginería del emigrante que se ve dividido entre una tierra natal que lo rechaza y una diáspora donde su lugar es incierto solía hallarse en los textos judíos, hoy el imaginario dominante proviene de escritores del sur de Asia. Al mismo tiempo, "poscolonialismo" es un término que se usa para cubrir tres diferentes movimientos históricos: la expropiación de tierras indígenas, la colonización de sociedades existentes y el desarrollo de las sociedades de colonos. Por supuesto, las tres ocurrieron, por lo común, al mismo tiempo: así, en Sudáfrica, los europeos desposeyeron a los habitantes originales mientras impulsaban la migración, primero, de otros africanos y posteriormente de indios, cuya mano de obra podían utilizar en la creciente economía colonial. Cuando uno va a países como Malasia o Fiji, o a la mayor parte del Caribe, no es del todo claro cuál tiene más razones para hablar de poscolonialismo "real".

Sin embargo, hay un sentido en el cual la condición poscolonial, que Leila Gandhi ha caracterizado como una "relación de antagonismo y deseo recíprocos",[47] sigue siendo central para mi proyecto. Cuando escribo sobre globalización recurro a un imaginario semejante al de los escritores poscoloniales, así se trate de la extraña yuxtaposición de arquitectura posmoderna y chozas de asentamiento irregular en las crecientes metrópolis del mundo "en desarrollo" o del rápido cambio en la composición étnica y racial de mis propias ciudades, Sydney y Melbourne. La globalización, después de todo, se usa para describir lo que está sucediendo dentro del mundo rico, dentro del mundo pobre y entre ambos, y mi énfasis está puesto en esa interacción.

La mayoría de los escritores coincide en que la globalización involucra simultáneamente el debilitamiento y el fortalecimiento de las fronteras locales y nacionales. Las fronteras del sistema internacional de Estados permanecen, y ciertamente se han vuelto emblemáticas de un mundo que la tecnología unifica pero que los humanos se esfuerzan en segmentar. A veces uno cruza de un continente a otro con sólo responder apenas unas preguntas; otras fronteras —el túnel a través de los Alpes de Suiza a Italia, el alambre de púas y bloques de concreto entre San Diego y Tijuana, el lento ferry de Singapur a la isla Bataam de Indonesia— parecen diseñadas para demarcar los límites de culturas separadas, como si las pantallas de las computadoras y el control de pasaportes pudieran preservar las diferencias nacionales frente al flujo constante de información, ideas e imágenes a través del éter.

A medida que los poderes de la nación-Estado se erosionan —debido a las fuerzas económicas internacionales o a nuevas instituciones supranacionales—, grupos integristas y separatistas la amenazan desde dentro, como lo ilustraron trágicamente los sucesos que siguieron al final de la guerra fría en los Balcanes y el Cáucaso. La globalización remplaza el concepto de lo regional, a medida que la tecnología parece destruir todo sentido de distancia, y lo que alguna vez fue una preocupación local se vuelve universal. En 1998 hubo una enorme controversia sobre la entrada de varios competidores extranjeros en la carrera de caballos más importante de Australia, la cual genera tanta expectativa que el día de la Copa de Melbourne es de asueto oficial en el estado de Victoria. Sin embargo, dicha preocupación conllevaba cierto orgullo por el creciente prestigio internacional de la copa; un periódico reportó que un veterinario "voló alrededor de la mitad del mundo sólo para revisar los cascos de un caballo... y regresó el mismo día, en otro ejemplo del encogimiento global".[48]

Irónicamente, "globalización" es un término que a menudo se usa para referirse a cierta homogeneización de culturas, justo cuando la influencia del pensamiento posmoderno se enfoca en diferencias, hibridez y pastiches. Sin embargo, la globalización no elimina las diferencias, las redistribuye, de tal forma que algunos estilos y modas de consumo se internacionalizan mientras la división de clases se fortalece, a menudo a través de fronteras nacionales. La mujer de negocios yuppie de Kuala Lumpur o de São Paulo tiene más en común con su contraparte de Stuttgart o Minneapolis que con cualquier mujer pobre, urbana o rural, de su propia sociedad. Incluso los pobres saben

47

lo que está sucediendo en otras partes, y demandan cada vez más el acceso a productos globales.

Se puede argumentar que la globalización es sólo otro término para designar a la etapa posterior del capitalismo y a la incorporación (a través del neoliberalismo e instituciones internacionales tales como el Banco Mundial y la Organización Mundial de Comercio) de partes más grandes del mundo que nunca al sistema capitalista.[49] Por neoliberalismo quiero decir políticas que en nombre del mercado libre y la mayor competencia han promovido el fin de las restricciones a la inversión extranjera; privatización de empresas propiedad del gobierno; reducción del poder de los sindicatos; desregulación corporativa; reducción de los déficits; disminución del sector público, a menudo mediante un proceso de *out-sourcing* (personal que trabaja en esas instancias bajo contrato con terceros); y recortes constantes en el gasto público en salud, educación y bienestar social. En mayor o menor medida, estas políticas han sido adoptadas por casi todos los gobiernos occidentales desde los ochenta, aunque al momento de escribir estas líneas parece haber una resistencia creciente, al menos en algunos países, a medida que los supuestos beneficios de un mercado más libre son cada vez menos evidentes y a medida que el desempleo persiste de forma obcecada pese a las peticiones de liberar el mercado de trabajo. En particular, algunos de los antiguos países comunistas de Europa del este experimentaron un resurgimiento de las políticas de izquierda una vez que se hizo claro que la pérdida de algunos servicios y la reducción de bienestar antes garantizado acompañaron al cambio a una economía de mercado.[50] El peligro, como Zygmunt Bauman lo ha hecho notar, es que el papel del Estado se reduzca de modo paulatino hasta llegar a concentrarse sobre todo en ser proveedor de "ley y orden", "un asunto que en la práctica se traduce inevitablemente en una existencia ordenada —segura— para algunos, y en toda la enorme y amenazante fuerza de la ley para otros". Mientras que nosotros podríamos asociar tal situación particularmente con las recientes tendencias en Estados Unidos, Bauman la ilustra con ejemplos de Francia y Alemania.[51]

Estas políticas también se han impulsado en "países en desarrollo", y con el nombre de "ajustes estructurales" se han convertido en condicionantes para el apoyo del Banco Mundial y el Fondo Monetario Internacional (FMI) a economías pobres durante las pasadas décadas. Las resistencias a su impacto en los países ricos, el fracaso de las economías en desarrollo y los "accidentes" en países tan distintos como Indonesia, Brasil y Rusia, han provocado creciente hostilidad contra la idea de que el mercado desregulado podrá crecer sin problemas. En realidad, el "ajuste estructural", resultado de la intervención de agencias internacionales en respuesta a las "crisis de la deuda" de los setenta y ochenta, fue un mecanismo crucial en la globalización económica. Como condición para la asistencia financiera, el Banco Mundial y el FMI presionaron a los gobiernos a poner énfasis en la producción para la exportación, la privatización de empresas paraestatales, la liberalización de importaciones y la reducción del gasto interno para controlar la inflación y pagar la deuda externa.[52] No es extraño que los manifestantes de muchos países agitaran pancartas con la consigna "FMI = estoy despedido" (IMF* = *I'M Fired*). Richard Cornwell del Instituto Sudafricano para Estudios de Seguridad afirmó que:

> Las contradicciones entre los imperativos de democratización y el ajuste estructural se han hecho evidentes: en el momento en que la democratización estimula una demanda popular de mejores servicios sociales y de bienestar, el ajuste estructural exige que éstos se nieguen. En términos amplios esto ha desempeñado un papel primordial en el debilitamiento de la pretensión de legitimidad del Estado ante sus propios ciudadanos.[53]

En 1998 el Programa de las Naciones Unidas para el Desarrollo (PNUD) estimó que "la carga del pago de deuda y su servicio es tan grande para muchos países que los incapacita para lograr avances en el desarrollo humano y hace mella en el combate a la pobreza".[54] Como

---

* Fondo Monetario Internacional por sus siglas en inglés.

ejemplo, en 1999 Mozambique estaba pagando 275,000 dólares diarios por el servicio de la deuda, casi tres veces su gasto en servicios de salud,[55] a pesar de haber recibido ayuda a través de la Iniciativa del Banco Mundial para los Países Pobres Altamente Endeudados. No debe sorprendernos que haya una presión internacional para desaparecer la deuda de los países más pobres, en 31 de los cuales (sobre todo en África y América Central) la deuda per cápita *excede* al producto interno bruto per cápita.[56]

El proyecto neoliberal puede lograr impresionantes cifras económicas, pero acarrea un conspicuo desgaste y crecientes desigualdades, a medida que el mercado global genera una riqueza cada vez más distante de las necesidades humanas reales, que recuerda las advertencias de Marx acerca de los bienes convertidos en fetiches. El capitalismo ya no genera empleos para todos; en el mundo rico el crecimiento económico ocurre por incrementos en el consumo, mientras que cada vez pierde un mayor número de empleos para trasladarlos a las nuevas zonas industriales del mundo pobre. Tales transferencias de trabajo no necesariamente traen consigo los beneficios enarbolados por los exponentes del desarrollo neoliberal. Jeremy Seabrook cita a un académico que afirma: "Todo Bangladesh se ha convertido en una zona de procesos de exportación [...] La población no participa porque no son ciudadanos de su propio país, son súbditos de una estructura de poder global [...] nuestras vidas están gobernadas por decisiones tomadas en algún otro lugar por los programas de ajuste estructural del Banco Mundial, el GATT, el FMI".[57] Este traslado del empleo de manufactura a los países pobres provoca un rápido incremento de la fuerza de trabajo femenina, especialmente en industrias como la del vestido y la del ensamblaje de electrónicos.

Las críticas a este aspecto de la globalización sirven de base a la propuesta de William Greider en *One World, Ready or Not*, cuando escribe:

> El proceso de mercado es, como sus defensores pretenden, una fuente de vastas energías creativas —el incentivo ventas-bene-

ficio que guía a los individuos y a las empresas a inventar y multiplicar el rendimiento. Sin embargo, este mismo mecanismo también genera los virajes brutales y los excesos maniáticos —las manadas de inversionistas temerarios, las falsas esperanzas de productores, la implacable búsqueda de maximizar las ganancias— que producen tanta destrucción y sufrimiento humano, dependencia e inseguridad.[58]

Que Greider parezca hacer eco al lenguaje marxista del siglo XIX sólo indica que tal análisis es más relevante en nuestros días de lo que muchos posmarxistas quisieran reconocer. Después de todo, Paul Smith apunta que: "El marxismo está constituido fundamentalmente sobre el análisis del capital, y en la coyuntura actual el 'triunfo' del capitalismo y su fundamentalismo debe estimular un reforzamiento de las formas de análisis marxista".[59]

Al mismo tiempo, dejar de ver al Estado como entidad central para garantizar la equidad y como proveedor de una gran cantidad de servicios, también ha sido un proceso de naturaleza global. Hay obvias conexiones entre los ataques de Reagan y Thatcher al sindicalismo, la ola de privatizaciones que ha afectado a casi a todos los países de la tierra y las presiones del Banco Mundial y el FMI sobre los países pobres para que recorten sus gastos en educación, salud y servicios públicos bajo la aparente creencia de que así se generaría mayor eficiencia económica y crecimiento. La ideología dominante de la globalización ha significado un aumento cada vez más consistente en la brecha entre ricos y pobres, que es asombrosamente uniforme —una de las pocas características que, digamos, Chile, Hungría y Nueva Zelandia comparten desde las últimas dos décadas. Los partidarios de la globalización ven las calles llenas de rascacielos y nuevos restaurantes y tiendas que han reconstruido ciudades como Londres desde Thatcher, o Toronto en los noventa; mientras sus críticos, en las mismas calles, ven el creciente número de personas forzadas a sobrevivir en las alcantarillas. Hay algunos ejemplos indudables de crecimiento económico de-

51

bido a reformas de mercado que han beneficiado a la gran mayoría de la población, pero los ejemplos son más difíciles de citar después de las caídas económicas masivas en la mayor parte del mundo desde 1998. (Hasta entonces, uno ciertamente podía haber citado a Corea del Sur y Malasia; algunos países de Europa del este como Polonia, Estonia y Eslovaquia; y algunas provincias de varios países latinoamericanos, como Ceará en el generalmente pobre noreste de Brasil.)[60]

El repliegue de una economía regida por el Estado y de la provisión estatal de servicios no se detiene aun en países nominalmente socialistas. A principios de 1999 visité Vietnam, donde el gobierno está tratando de alcanzar un capitalismo con cara de comunismo, más que en China. *Doi Moi*, las políticas reformistas adoptadas en los últimos años, implican el desarrollo de una economía de mercado y el fortalecimiento de la inversión extranjera sin ningún relajamiento del control del aparato de partido. En el norte esto es defendible, pero en Ciudad Ho Chi Minh, donde cualquiera mayor de cuarenta años recuerda el control precomunista, hay mayor descontento. Ciudad Ho Chi Minh es una mala copia de Bangkok, con motocicletas en vez de autos que congestionan las calles y contaminan el aire. El índice de construcción se ha ralentizado: varios hoteles nuevos permanecen sin inaugurarse debido a la disminución de los viajes a esta área, pero de noche las calles están llenas de gente que come en cafés al aire libre, pasea y acude en gran número a las mesas de boliche que parecen ser el punto de reunión de la vida nocturna.

Pero no todo mundo vive bien en la calle. El boom económico de los últimos años produce su propia clase baja, compuesta por las víctimas de la caída del apoyo estatal y de la desintegración de la vida tradicional de los poblados. Las trabajadoras sexuales recorren las calles en motocicletas en busca de clientes y de noche realizan rápidas masturbaciones en el parque por unos cuantos dongs (unos veinticinco centavos de dólar). Los niños de la calle acosan sin descanso a los extranjeros para venderles tarjetas, mapas o estampillas —un muchacho me siguió por varias cuadras y al final me esperó un "fuck you, mister" cuando se dio cuenta que no pensaba comprarle más tarjetas. El consumo de drogas duras se está incrementando; en los últimos años el opio ha sido ampliamente remplazado por la heroína, que viene de lejos, del continente del Triángulo Dorado. Visité un centro de rehabilitación de drogadictos en las afueras de Ciudad Ho Chi Minh, donde a cientos de jóvenes y algunas mujeres se les incorpora a programas intensivos de abstinencia y readaptación, a veces por solicitud de sus familias. Era menos represivo de lo que imaginé —por las tardes, los muchachos jugaban pelota en el patio, mientras escuchaban música más bien incongruente: una sinfonía de Beethoven— pero el equipo de trabajo fue sincero al admitir que en un año hasta ochenta por ciento de ellos estaría inyectándose otra vez. Muchos se infectarán de VIH subsecuentemente.

No debe sorprendernos que tantos escritos futuristas pinten un siglo XXI similar a los recuerdos más siniestros del siglo XIX, con megaciudades marcadas por la violencia, el crimen, la contaminación y el miedo,[61] muy distintas al futuro optimista de los escritores convencionales de ciencia-ficción como Isaac Asimov. La imagen de la megaciudad también refleja la rápida urbanización de casi todas las regiones del mundo; así que incluso en países del tamaño de China e India el campesino del pueblo pequeño ya no representa la mayoría de la población[62] y el número de conglomerados urbanos se incrementa de manera continua. Michael Dutton nos recuerda que este proceso está perturbando la constante industrialización y urbanización de Inglaterra desde hace varios siglos.

> Es en *El capital* donde Marx explica los efectos generales de las tendencias desatadas como resultado de las leyes inglesas acerca de vagancia y confinamiento. Al entender estas [...] modificaciones legales uno puede empezar a ver el significado del colapso de las leyes de registro de propiedad de las casas y el endurecimiento de las leyes contra la vagancia en China. En otras palabras, para entender las dinámicas clave que produ-

cen los abusos en contra de los derechos humanos en la China de hoy, es necesario seguir el consejo de la reina Victoria: "cerrar los ojos y pensar en Inglaterra".[63]

Para algunos de sus defensores, la globalización está ligada inextricablemente al triunfo de la democracia, y la política estadunidense, en particular después de la guerra fría, ha adoptado un carácter triunfalista que ve al capitalismo y a la democracia como mutuos prerrequisitos, con el argumento de que las políticas y economías liberales no pueden estar separadas. Éste es un punto de vista que han cuestionado con vigor los regímenes autoritarios de las llamadas economías "tigre" de Asia; si la caída dramática en su crecimiento al final del siglo es un hecho que prueba uno u otro caso, la pregunta permanece abierta. Es tan plausible argumentar que la apertura de la economía china llevará a una mayor democracia, como sugerir que la afluencia creciente mantendrá a la mayoría de los chinos contenta con un sistema político autoritario. Ciertamente, si algo ha significado el fin del apartheid en Sudáfrica y las indudables ganancias para la democracia ha sido un mayor abismo económico, con un desplazamiento de negocios de blancos desde el centro de Johannesburgo a las plazas comerciales y fraccionamientos resguardados en el norte de la ciudad. Asimismo, el fin de los regímenes militares en la mayoría de los países de América Latina en la década pasada, que fue sin duda un paso importante en el avance de los derechos humanos, no ha estado acompañado en realidad de una mayor igualdad. Algunos críticos de América Latina argumentan que "la democracia y el capitalismo han probado varias veces no ser buenos compañeros porque evaden cuestiones de justicia social".[64] Desde el principio de este siglo hay signos de que las hipótesis del neoliberalismo están siendo cuestionadas en los altos escalones del Banco Mundial, si no es que ya también en el FMI.

En su artículo (del que después se hizo un libro) "Yihad versus McWorld", Benjamin Barber advirtió que hay dos posibles futuros que gran parte del mundo tendrá que encarar. Uno de éstos subraya la retribalización, y el otro, el triunfo de "una Red global comercial homogénea"; ambas son "desoladoras y de ningún modo democráticas".[65] Recordé el pesimismo de Barber al leer el suplemento publicitario patrocinado por el gobierno de un periódico tunecino, el cual proclamaba que su "competitiva economía está basada en una sociedad abierta, tolerante y moderna": "El distrito moderno de la capital está limpio y a reventar, con cafés en las aceras, tiendas que venden marcas internacionales, paseantes vestidos con ropa de mezclilla e inclusive ofertas de hamburguesas caseras".[66] Sin mencionar —no es necesario decirlo— a la policía secreta o el grado en que, por lo general, se reconoce a Túnez como uno de los países menos democráticos de África. Las economías de libre mercado pueden producir crecientes tensiones políticas y sociales, de lo cual hay un creciente número de ejemplos.

Es fascinante observar cómo McDonald's se ha convertido en un indicador de globalización.[67] En una variante, Thomas Friedman usa al Kentucky Fried Chicken para ejemplificar la americanización de Malasia, aunque también pregona haber creado la tesis de que "jamás dos países que tengan McDonald's irán a la guerra uno contra otro" (o, como él la llama, la "teoría de los arcos dorados de la prevención de conflictos").[68] Esta particular pieza de sabiduría folclórica neoliberal terminó con la guerra en Kosovo, cuando tener McDonald's no protegió a Serbia de los bombardeos de la OTAN. Está probado que el consumismo compartido no garantiza nada acerca de resultados políticos. Es, por supuesto, una formulación particular que elude de modo conveniente el origen estadunidense de McDonald's, lo que en muchos países simboliza aquello que el principal periódico canadiense de negocios llamó "el devoramiento de las corporaciones canadienses": "Hablemos de la unicidad. Una tienda de autoservicio (Wal Mart), una moda (Gap), una comida (McDonald's), una bebida (Coca-Cola), un entretenimiento (Hollywood), un lugar para pasar el rato (Starbucks). Estar en armonía con el mundo es estar en armonía con Estados Unidos. Y esto no puede ser más cierto que en Canadá. Inundado de la cultura estadunidense y sus productos, Canadá va un paso adelante y está vendiendo la última de sus preciadas posesiones —sus compañías que mejor se cotizan en la bolsa— a Estados Unidos".[69]

Hace un par de años Tuathail, Herod y Roberts escribieron: "Los traumas inducidos en México por la política neoliberal, con crisis del peso, déficit financiero internacional, corrupción política endémica, asesinatos, bancarrotas, mala distribución del ingreso, narco-capitalismo y convulsiones políticas, bien pueden ser paradigmáticos del futuro de muchos Estados en el actual orden mundial".[70] La globalización rompe fronteras y sale del alcance del Estado, pero el rápido avance hacia un orden liberal global —liberal tanto en el sentido económico como político— es más complejo de lo que creen sus impulsores. En muchas sociedades, desde China hasta Egipto, los gobiernos están apostando a una mezcla de aumento de riqueza y represión persistente; en otras, particularmente de África, pero también en Asia central y partes de Centroamérica, al fracaso económico acompañó un colapso del orden político y social. En el mejor de los casos —algunas partes, tal vez, de Sudamérica y Europa del este en los últimos años— se obtiene un incremento de la riqueza acompañado de una creciente libertad, pero la ruta más común parece ser una combinación de gobiernos autoritarios con crecientes desigualdades y cada vez mayor anarquía. Tales condiciones son la receta perfecta para el (re)nacimiento de movimientos fundamentalistas religiosos y nacionalistas, y para lo que Kevin Bales ha llamado "la nueva esclavitud": el trabajo forzado, ligado con deudas y contratos fraudulentos.[71]

El empuje neoliberal significa decremento en el apoyo a los servicios de bienestar, mientras los inversionistas internacionales están protegidos por lo que Stephen Gill llamó el "nuevo constitucionalismo" de la economía política global. Al final no hay ruta inevitable hacia la democracia y la prosperidad. Anatol Lieven advirtió que

Rusia ha repetido en los noventa la experiencia de muchos otros Estados débiles bajo el látigo del libre mercado: no se han reformado, se han desmoronado; y el colapso del orden tradicional no los ha guiado ni a la democracia ni al progreso económico, sino al gobierno de elites corruptas cuyo efecto ha sido precisamente sofocar la democracia real y la eficiencia económica.[72]

Cualquiera que sea el punto de vista que se adopte, críticos y seguidores de la globalización están de acuerdo en que ésta ha cambiado casi todos los aspectos de la vida de manera irreversible. Como dice Lester Thurow: "De una forma muy concreta la economía global se ha incorporado físicamente a nuestros puertos, aeropuertos y sistemas de telecomunicaciones. Pero, más importante, se ha incorporado a nuestros 'paquetes de pensamiento'" (*mindsets*).[73] En el nivel de lo que Thurow llama paquetes de pensamiento también está la cuestión de si la globalización es sólo otro nombre de la "americanización", ya sea que se refiera a la influencia militar y económica estadunidense o a la presunta hegemonía cultural de Estados Unidos, la cual se extiende incluso a los Estados más hostiles a él, como Irak y Serbia.[74]

Un mundo democrático, neoliberal, protegido por una *pax Americana*: esto es presumiblemente lo que George Bush padre tenía en mente en los días posteriores al colapso del muro de Berlín, cuando acuñó la frase "el Nuevo Orden Mundial". La frase está menos de moda de lo que estuvo a principios de los noventa, cuando Harold Pinter la usó en una obra corta acerca de la tortura.[75] Algunos analistas pronto la desecharían calificándola de "una quimera [...] equivocada bajo cualquier consideración",[76] mientras el optimismo de Bush dio paso a una sensación general de pesimismo sobre el futuro de Estados Unidos, reflejado en el comentario que hizo Neal Stephenson en su novela futurista *Snow Crash*: "Hay sólo cuatro cosas que hacemos mejor que cualquier otro: música, películas, códigos de microcomputadoras [programas], entregas de pizza a alta velocidad".[77] El libro de Stephenson reflejó el miedo dominante entonces a Japón como una fuerte amenaza económica para Estados Unidos, y unos años después William Greider postuló la decadencia de este país, en parte aunada a la caída del dólar.[78] Más o menos un año después, este pronóstico parecía innecesariamente pesimista, y las crisis financieras de Asia oriental subrayaban el papel del Banco Mundial y el FMI, en los que Estados Unidos tiene papel dominante.

"Nunca desde que Roma proclamó su dominio espiritual e imperial —escribió Martin Walker— una sola entidad política se las ha arreglado para alcanzar esa doble preminencia."[79] En efecto, es discutible la probabilidad de que el siglo XXI sea más "un siglo estadunidense" que el anterior.[80] Ningún otro país posee en forma absoluta el poder económico y militar; y los escenarios optimistas sobre el crecimiento de la unión europea o la recuperación de las economías de los "tigres" asiáticos son menos convincentes que el constante dominio tecnológico, agrícola y mediático estadunidense. Es tan fácil postular un mundo cada vez más moldeado por el poder estadunidense como lo es postular la constante decadencia de Estados Unidos. En un mundo cada vez más descentralizado, Nueva York, Washington y Los Angeles aún son centros dominantes del bienestar, el poder y de lo imaginario sin rival alguno.

¿Hacia una cultura global?

> En la calle, los estudiantes palestinos aún queman ocasionalmente una bandera estadunidense cuando Estados Unidos bombardea Irak. Pero dentro del Flamingo's, los carteles en la pared son un monumento a la cultura pop de ese país —James Dean, Elvis Presley, Marilyn Monroe, Clint Eastwood y Charles Bronson.
>
> Lee Hockstader, *West Bank Jazz*, 1999

Conforme una mayor parte del mundo es arrastrada hacia la economía global, otros siguen la moda cultural estadunidense; la ropa puede producirse en masa en China o Bangladesh, pero el estilo imita a Los Angeles.[81] Uno ve el dominio de la imaginación estadunidense en la proliferación mundial de bares, restaurantes y discotecas con nombres estadunidenses. Una guía gay enlista a la Disco Hollywood en la avenida Ghengis Khan, en Ulan Bator; y mientras que sería un evidente error asumir que el lugar es el equivalente a una discoteca de nombre similar en Los Angeles, la denominación nos recuerda que ser "estadunidense" en muchos lugares es ser "moderno". Me acuerdo de un guía que me condujo en 1996 por la ciudad de Casablanca que estaba realmente emocionado porque un McDonald's había abierto sus puertas cerca de la mezquita más famosa de la ciudad. Un ejemplo más siniestro del simbolismo del predominio cultural estadunidense fue la explosión del Planet Hollywood de Ciudad del Cabo provocada por terroristas desconocidos en agosto de 1998.

El impacto de Estados Unidos puede estar, por supuesto, en un nivel mitológico, como en el caso de los *bantut*, los hombres transexuales que estudió Mark Johnson en la isla filipina de Sulu, quienes se relacionan con un Estados Unidos que ninguno de ellos experimentó de primera mano.[82] Hay un eco de esto en los *mashoga* (u "homosexual pasivo") de la tribu swahili, quienes dijeron a Deborah Amory que si él/ella pudiera escoger ser alguien elegiría a Madonna.[83] Otra vez esto no es nuevo; la imagen de Estados Unidos como la "tierra prometida" tiene una larga historia, y la idea sobre ésta como un modelo de modernidad ya era importante en la Europa del siglo XIX. Para el narrador de la novela de Salman Rushdie, *The Ground Beneath Her Feet* (*El suelo bajo sus pies*), Estados Unidos es el "ábrete sésamo [...] que se deshizo de los británicos mucho antes que nosotros".[84] Aun donde otras influencias culturales parecen importantes, puede verse la influencia estadunidense; al discutir el impacto japonés en Taiwán, Leo Ching hace notar que "la cultura de masas japonesa en sí misma todavía está conectada con todas las tendencias de Occidente, en especial con la cultura pop estadunidense".[85] Uno de los programas de televisión chinos más populares en los noventa fue la serie *Beijingers in New York*, filmada en dicha ciudad, y que muchos críticos consideraron como "un buen libro de texto de economía de mercado", aun cuando el Ministerio de Cultura se preocupaba por el excesivo materialismo mostrado de la cultura estadunidense.[86]

Por supuesto, otras culturas populares florecieron: películas hindúes, música africana, radio egipcia, telenovelas mexicanas. Las telenovelas se exportan con éxito a más de cien países, y se dice que son el mayor artículo mexicano de exportación.[87] De la misma manera, Brasil tiene una enorme industria televisiva, y TV Globo es la cuarta red de televisión comercial más grande del mundo. En realidad, en casi todos los países la mayoría de los programas de televisión son producciones locales, aunque a menudo éstos retoman temas y valores de producción estadunidenses. Las caricaturas japonesas circulan ampliamente en Asia, y por lo menos en Corea del Sur se las ha atacado como corruptoras de la moral.[88] *Por supuesto* que la cultura pop estadunidense se nutre cada vez más de influencias externas, ya sea la historia de Eva Perón o juegos como Nintendo y Pokémon. Al pensar de nuevo en la moda, uno puede notar la importancia de París, Milán y Tokio; pero sólo cuando Hollywood toma sus estilos éstos se difunden con efectividad por el mundo. Ningún otro país está tan aislado del resto del mundo y es, a la vez, capaz de exportar sus imágenes. El concepto popular estadunidense sobre México, una extraña mezcla de miedos exóticos y fantasías, es mucho más cercano a la visión que mantiene el resto del mundo (al menos el mundo no hispanoparlante) que cualquier cosa que México mismo pueda crear, a pesar del éxito comercial de sus telenovelas. Como les ocurre a todos los niños del mundo mi primer acercamiento a la vida de México llegó por medio de los crudos estereotipos de las siestas y los sombreros de las caricaturas de la Warner Brothers.

De igual forma no es necesario que los acontecimientos —la muerte de la princesa Diana, la elección de un papa, la copa del mundo— ocurran en Estados Unidos, pero la forma en que éstos se perciben refleja el dominio estadunidense en las comunicaciones en el nivel mundial. Esto se refleja cada vez más en las formas en que los juegos olímpicos se han convertido en grandes acontecimientos cuyos derechos de transmisión y patrocinios publicitarios, sobre todo en Estados Unidos, son cruciales. Al menos dos terceras partes de los derechos de transmisión para los juegos de verano, y un porcentaje mayor para la contienda de invierno, se venden a cadenas estadunidenses y, en consecuencia, Estados Unidos tiene mayor influencia dentro del Comité Olímpico Internacional. Llevar a cabo las olimpiadas en una ciudad fuera de Estados Unidos puede ser una forma muy significativa para incorporar a esa ciudad a la economía global de las comunicaciones. Como fue evidente cuando los juegos olímpicos de Seúl en 1988 marcaron el nacimiento de Corea del Sur como una importante economía "desarrollada".[89]

Al hablar de "cultura mundial" —y la evidencia de los préstamos constantes que Estados Unidos toma de diferentes fuentes— es cierto que, a diferencia de los flujos de capital, las rutas de influencia cultural tienden a favorecer cada vez más a ese país, y las corporaciones trasnacionales a menudo contribuyen a esto. O, como lo expresa Beryl Langer: "Los productores de cultura popular 'canadiense' confrontan una audiencia socializada por las películas, el género de ficción y la música *estadunidenses*. Cualquier cosa que produzcan sólo podrá ser una 'versión canadiense' de lo 'verdadero'".[90] En los sesenta, la mitad de los cines del mundo no comunista estaban dominados por películas estadunidenses;[91] tres décadas después, según estimaciones de *The Economist*, Hollywood provee 80% de las películas vistas en el mundo y 70% de las series de ficción transmitidas por la televisión.[92] (De manera inversa, sólo 1% de las películas exhibidas en Estados Unidos son producciones europeas.)[93] Al final del siglo pasado, Arnold Schwarzenegger (austriaco de nacimiento y ahora estadunidense por carrera y matrimonio) fue proclamado la estrella de cine más popular del mundo,[94] y su remplazo con seguridad provendrá de Hollywood. En los otros centros de producción fílmica de siempre, como Francia e Inglaterra, y en el grueso del mundo "en desarrollo", las películas estadunidenses dominan la cultura de masas, en parte debido a la maquinaria masiva de mercadotecnia que incluye la posesión de salas de cine en todo el mundo y complejos comerciales conexos que permiten a las tiendas Warner Brothers y Disney proliferar en los centros comerciales de todo el planeta.[95] La cultura "pop" promueve de manera descarada los bienes de consumo producidos por grandes corporaciones, ya sea mediante etiquetas en la ropa de diseñadores, promociones relacionadas con las películas, "infomerciales" televisivos, o música rap que exalta sus vínculos con el mundo comercial.

Con todo, *The Economist* planteó hace no mucho que "vender la cultura estadunidense alrededor del mundo ha resultado ser más difícil de lo que las grandes compañías pensaron al principio", y señala como evidencia la necesidad de MTV (que llega a 320 millones de hogares en todo el mundo) de incrementar su contenido local[96] —mucho de ello, uno presume, es una versión vuelta a armar, híbrida, de la programación de MTV Central. La compañía Walt Disney, argumenta Wayne Ellwood, "puede que sea la fuerza individual más poderosa e influyente en la globalización de la cultura occidental",[97] y Maio declara que hizo ex profeso la película animada *Mulan* —cuya protagonista es una legendaria guerrera china— como un recurso para entrar en el mercado chino.[98] Mientras que las culturas regionales y locales llegan a florecer algunas veces, aunque deban coexistir de manera creciente con una cultura global en la cual el inglés está convirtiéndose en la indiscutible *lingua franca*,[99] los intentos gubernamentales para proteger a las industrias televisora y fílmica locales, como en Francia y Corea del Sur, no han sido particularmente efectivos. (Sin embargo, lo que es aceptable en la mayoría de las estaciones de televisión europeas todavía es marginal en Estados Unidos. La televisión estadunidense tiene una plétora de personajes homosexuales en sus comedias, pero es menos propensa a representar el verdadero comportamiento homosexual que los holandeses, españoles o británicos.)[100] Al comentar un intento del gobierno malayo de promover las películas locales mediante tiendas con ofertas de videos, un vocero de la industria fílmica dijo: "No hay suficientes películas locales para vender. Además, nadie quiere rentarlas".[101]

Es poco sorprendente que Mahathir pueda preocuparse al mismo tiempo por las influencias occidentales y por el deterioro en el dominio del habla inglesa en Malasia, la cual da a los malayos una ventaja competitiva al tener acceso a un mundo mayor. Los extranjeros, ya sean estrellas de cine o miembros de la realeza británica, adquieren un grado de mayor celebridad al convertirse de alguna manera en estadunidenses. Es revelador que después de que el diseñador de modas italiano Gianni Versace fue asesinado en Miami, *The Economist* se haya referido a él como "un buen estadunidense".[102] Pero ¿por qué no? Antes de su muerte, se rumoraba que la princesa Diana, madre del futuro rey de Inglaterra, consideraba mudarse a Estados Unidos, y su antigua cuñada, la duquesa de York, ya se había convertido en una presencia habitual en la televisión estadunidense. (Una de las rarezas de escribir este libro es el número de veces que se hace referencia a los "nobles" ingleses pues parece que ilustran mucho de lo que está cambiando en la regulación global de la sexualidad.)

La sexualidad es un campo útil para probar la hipótesis del dominio estadunidense. Christopher Hitchens identifica a la "libertad sexual" como el primero de una lista de ingredientes de lo que constituye el Nuevo Mundo en la imaginación europea.[103] Robert Kaplan describió así un viaje en autobús en el Uzbekistán postsoviético: "En el panel que hay detrás del asiento del chofer, frente a los pasajeros, había un cartel de una modelo estadunidense desnuda cuyos turgentes y enormes pechos parecían llenar el autobús a medida que brincaba los baches del camino. *La promesa de Occidente*, pensé".[104] Es un hecho, como lo discutiremos más adelante, que Estados Unidos permanece como un modelo que ha influido fuertemente en algunas tendencias globales en cuanto a sexualidad, ya sea que pensemos en cuestiones de identidad, investigación sexológica o políticas moralistas. Pero, al mismo tiempo, necesitamos cuidarnos de creer que la creciente homogeneización del consumo contribuye a erradicar las diferencias culturales nacionales o locales.

El antropólogo Arjun Appadurai afirma sobre el impacto de

los medios en los Estados-nación: "En muchos países de Medio Oriente y Asia los estilos de vida representados en la televisión y el cine nacionales e internacionales abruman y debilitan por completo la retórica de las políticas nacionales".[105] Pero lo que es impresionante acerca del mundo contemporáneo es que cada vez un mayor número de nosotros coexiste con contradicciones, así que el público que ve *Baywatch* (*Guardianes de la bahía*) en Chennai o en Asunción no lo entenderá necesariamente de la misma manera, ni llegará a las mismas conclusiones basadas en sus propios comportamientos y creencias como lo harán espectadores en Los Angeles o Lexington. Cynthia Enloe señala las diferentes formas en que la película *Rambo* fue entendida, asimilada y rechazada en varios países cuando se convirtió en un éxito mundial en los ochenta y fue vista "por público tan diferente como guerrilleros filipinos y finlandeses opositores a la guerra fría", además de que se utilizó como el apodo de un comando ruso.[106] Adoptar el estilo no significó necesariamente adoptar las políticas asociadas con el original.

La cultura y la religión siguen moldeando los valores y comportamientos sexuales en formas que no son evidentes si sólo vemos el consumo habitual de bienes e imágenes. Por supuesto, debemos tener cuidado de hacer este comentario sin olvidar que más de la mitad de la población mundial jamás ha hecho una llamada telefónica y que en muchas partes del mundo no se tiene acceso a la radio, por no mencionar a la televisión o Internet. De nueva cuenta, por más que la tecnología contribuya a la democratización genera su propia división de clases. Los centros comerciales de Milán, Taipei o Caracas pueden tener cada vez más las mismas marcas, pero esto no erradica por sí mismo las diferencias culturales, como Appadurai lo plantea en su análisis sobre la globalización. Además, esto puede conducir a lo que el politólogo tailandés Kasian Tejapira ha llamado "esquizofrenia cultural".

De esta manera, el seudosublimado (desde el punto de vista químico) tailanismo regresa a nosotros de una forma sólida, pero irrelevante y fosilizada o momificada, directamente del templo, teatro o museo... Así, aparte de la Coca-Cola —promotora de los valores del tailanismo—, tenemos, en este Año Oficial de Campaña para la Cultura Tailandesa [1994], campañas publicitarias de tipo tai-tai, como "Cerveza Singha, el orgullo de la nación", "Seguros de vida Tai, la compañía de seguros de vida de, por y para los tailandeses"... No importa cuán espurios resulten bajo escrutinio estos reclamos de tailanismo; el hecho de que estos bienes y servicios, se quiera o no, se hayan convertido en signos de tailanismo ha transformado al tailanismo, se quiera o no, en una opción de identidad entre muchas otras en el mercado libre que ofrece una ilimitada pluralidad de bienes y/o nombres de marcas.[107]

SEXO Y ECONOMÍA POLÍTICA

△

Uso el término "economía política" para referirme a la sexualidad en el contexto de amplios factores socioeconómicos que crean las condiciones dentro de las cuales se verifican los actos y las identidades sexuales. Estos factores incluyen los de tipo *económico* —a medida que el aumento de la riqueza permite (y obliga a asumir) nuevas formas de organizar la vida "privada", y la sexualidad se convierte cada vez más en un bien de consumo—; los de carácter *cultural* —ya que las imágenes de las diversas sexualidades se difunden rápidamente en el mundo y, con frecuencia, desafían movimientos religiosos y nacionalistas—; y los *políticos*, pues las regulaciones del Estado desempeñan un papel crucial para determinar las posibles formas de expresión sexual. Por ejemplo, hay mucha mayor apertura del mundo "gay" en Manila que en Singapur, pese a la considerable brecha en cuanto a bienestar, debido en parte a sus diferentes regímenes políticos. Un ejemplo más radical viene de España que, después de la muerte de Franco y la democratización resultante, vio un rápido aumento en la aparente permisividad sexual, reflejada en las películas de Pedro Almodóvar. En ocasiones pudiera añadirse una cuarta categoría, la *epistemológica*, como las formas particulares de entender a los seres humanos y la difusión global de los mundos que crean.

Una perspectiva de economía política significa que tenemos que reconocer clase, género y raza, *pero también* el papel del Estado; esto es, necesitamos pensar en términos de estructuras más que en temas o identidades específicas. Mientras las estructuras políticas y económicas mantengan a la mayoría de las mujeres subordinadas en la mayor parte de las áreas de la vida, como lo están en la mayor parte del mundo, no podemos escapar al hecho de que cualquier discusión sobre sexualidad debe reconocer las diferencias de género que son una mezcla insondable de lo biológico y lo social. Digo insondable porque, a pesar de la moda actual de dar mucho peso a influencias genéticas, no podemos salir de la sociedad humana y decir que ésta es la esencia de ser "hombre" o "mujer": hay claras diferencias biológicas, la más obvia, la capacidad de dar a luz, pero los significados atribuidos a esas diferencias son inevitablemente sociales. La biología impone algunos límites dentro de los cuales el ser humano construye sus mundos, pero éstos también están cambiando, para volverse menos significativos debido a avances como la fertilización in vitro y la clonación.

Otros han buscado relacionar la economía política con la sexualidad; Nancy Folbre ha manifestado que la sexualidad fue un tema de discusión para los fundadores del pensamiento económico moderno.[1] El renacimiento de una segunda oleada de feminismo vio cierto interés en aplicar el análisis económico a la sexualidad,[2] a menudo alrededor de temas como el cuidado de los niños y el trabajo en el hogar. Sin embargo, en general las teorías actuales alrededor de la sexualidad tienden a poner gran énfasis en cuestiones como el discurso, la representación y la identidad, a menudo a costa de la realidad. El enfoque de este libro es, en cierto modo, una tentativa de regresar a los primeros intentos de este siglo por vincular las lecturas marxistas y freudianas sobre la vida social, aunque en un contexto muy diferente al de la Escuela de Francfort y de teóricos como Herbert Marcuse (cuyo trabajo posterior tuvo una gran influencia en mis primeros escritos). Soy menos utópico ahora de lo que era Marcuse durante los levantamientos de finales de los sesenta;[3] las experiencias del movimiento gay y la epidemia de sida han producido sus propias consideraciones pragmáticas, de las cuales hablaré más tarde. Al principio del siglo XX el pesimismo de Freud acerca de la "naturaleza humana" parecía, por desgracia, bastante bien justificado. Tampoco es fácil reconciliar las tradiciones freudianas y marxistas; Joel Kovel expresa esta dificultad cuando escribe: "Cada uno afirmaba una terrible verdad en sus teorías —y cada uno negaba la otra".[4]

Sin embargo, hay en Freud un intento de vincular una búsqueda de lo personal con fuerzas históricas más amplias, para encontrar formas de explicar la mezcla de egoísmo e irracionalidad que es la razón fundamental de la vida social. Si estamos preparados para entender conceptos tales como "libido" o "superego", o grandes mitos históricos como los de *El malestar en la cultura* como metáforas y no como verdades literales, éstos ofrecen caminos para iluminar las formas en que la economía política se entrecruza con lo psicológico para crear regímenes particulares de sexualidad y género. Lo que hace posible relacionar las teorías de Freud con las de Marx es que ambas comprenden la manera en que una gran parte de lo que se da por hecho es una construcción humana; para Marx, a través de las relaciones de las fuerzas económicas y sociales en la historia; para Freud, a través de su impacto en el inconsciente. Ambos pensadores eran hostiles a la religión, pero una lectura freudiana nos hace entender mejor cómo ésta puede operar a menudo como "el opio de los pueblos", para usar las palabras de Marx.

Mi enfoque tiene algo en común con el trabajo de dos antropólogos estadunidenses, Michaela di Leonardo y Roger Lancaster;[5] con las feministas que estudian las relaciones internacionales de género (en particular Jan Pettman[6] y Cinthya Enloe) y con escritores como R. W. Connell, Nancy Fraser, Richard Parker y Jeffrey Weeks, cuyas obras citaré a menudo. Es un enfoque que podría llamarse neomarxista, y comparte mucho de la crítica de la teoría posmoderna, por su inclinación a concentrarse en lo textual y discursivo, y su interés insuficiente en las instituciones y las estructuras políticas y económicas.[7] Al mismo tiempo, reconoce que no todas las relaciones de poder se basan en conflictos económicos, y que la sexualidad y el género son áreas en las cuales necesitamos tener un conocimiento más matizado de la acción y los acuerdos humanos de lo que se tiene en los análisis discursivos del marxismo ortodoxo o del posmodernismo. Esto no niega los intentos de algunos estudiosos por encontrar los caminos para incorporar las viejas teorías críticas marxista y freudiana dentro de la posmodernidad. En su notable estudio sobre la política del cuerpo en Guatemala, la antropóloga Diane Nelson desarrolla la idea de "fluidaridad", que ella ve como "'pink'* en el sentido marxista, con una cercana atención a las relaciones de clase, pero también 'freudiana', respecto al trabajo del deseo y el inconsciente".[8]

La alusión al marxismo no significa, sin embargo, que crea que toda forma de opresión y explotación pueden reducirse a relaciones económicas, y aquí recurro a la diferencia muy útil que Nancy Fraser establece entre "injusticias de distribución e injusticias de reconocimiento"; ella asegura que ambas tienen consecuencias materiales y que ambas deben combatirse para alcanzar la justicia social.[9] Afirma que las primeras injusticias requieren una restructuración política y económica, mientras que las segundas requieren un cambio cultural o simbólico: "También podría involucrar reconocimiento, y tal vez valoración, de la diversidad cultural. Más radicalmente aún, podrían involucrar la completa transformación de los patrones sociales de representación, interpretación y comunicación en formas que podrían cambiar *en cada uno* el sentido del yo".[10] El análisis de Fraser es particularmente útil porque va más allá de la cruda idea de que necesitamos escoger entre políticas distributivas y de identidad, y sugiere que cada una tiene su lugar en el proceso de desarrollar sociedades mejores y más justas.

El presente periodo tiene que entenderse por marcar una enorme expansión del capitalismo, en términos de geografía y de vida diaria, pero no por ello debemos asumir que todo se reduce a cuestiones de poder económico. Sin embargo, la moda posmoderna de reducir cuestiones de desigualdad y de poder a material discursivo es aún más desorientadora. Al discutir esto en relación con el trabajo de Judith

* Rojillo, de izquierda. *(N. del E.)*

Butler, Teresa Ebert dice: "[Ella] provee un análisis de poder en el que *no* tenemos que confrontar las relaciones globales y la sistematicidad del poder; en el que *no* tenemos que tratar con las consecuencias más graves del poder que operan en una relación dialéctica con el modo de producción y la división del trabajo —las consecuencias... de la explotación".[11]

El sexo siempre ha estado presente en los intercambios entre los pueblos; uno puede ver a los precursores de la globalización en el comercio de jóvenes esclavos del imperio romano o en los intercambios sexuales que acompañaron a los primeros exploradores chinos, árabes y europeos. La introducción de la sífilis en Europa tras el "descubrimiento" de Colón del Nuevo Mundo nos recuerda que el contacto sexual va casi inevitablemente de la mano con otras formas de contacto intercultural, y es parte integral de la colonización y la explotación. Algunas autoridades coloniales británicas asociaron los brotes de sífilis en Uganda durante la primera parte del siglo XX con el impacto del colonialismo y del cristianismo en la sociedad tradicional de Buganda.[12] El fin de la guerra fría significó un rápido cambio en las actitudes respecto a la sexualidad en Europa del este.[13]

En la versión de Leonard Bernstein de *Cándido* de Voltaire hay una magnífica canción, interpretada por el doctor Pangloss en la Lisboa del siglo XVIII, acerca de la transmisión de "un querido recuerdo" que pasó de "un escocés que se hizo a la mar" por la vía de "una dulce aventura en París... un hombre de Japón... y un moro de Irán" y de regreso a Westfalia y a su dulce Paquette.[14] Con la gran expansión imperial de Europa, que comienza en el siglo XVI, sobrevino un despliegue impresionante de diferentes convenios sexuales, todos basados, a fin de cuentas, en el mantenimiento de la doble superioridad (raza y género) del macho imperial; ese macho por lo común era blanco, aunque no siempre. Japón estableció prostíbulos en todo el este de Asia para dar servicio a la expansión de los negocios japoneses después de derrotar a China en 1895, triunfo que lo condujo a la conquista de Corea y Taiwán.

La sexualidad es un dominio enormemente influido por fuerzas globales, tanto económicas como culturales, pero también muy poco se ha teorizado e investigado al respecto. Heme aquí hablando de comportamiento y emociones; mientras que es imposible decir gran cosa acerca del cambio global en cuanto a comportamiento, habrá algunas veces evidencia de cambios a través de un cuidadoso estudio de encuestas, reportes policiacos, cifras sobre enfermedades infecciosas transmisibles, etcétera. R. W. Connell asegura que al menos en Estados Unidos hay evidencia convincente del incremento en la tasa de relaciones heterosexuales fuera del matrimonio y de una tendencia en el patrón de comportamiento sexual de las mujeres a acercarse más al de los hombres.[15] En forma similar, la investigación sugiere que el comportamiento sexual parece estar cambiando del mismo modo en Japón, que tiene la cifra más alta de uso de condones en el mundo (en parte debido a que la píldora anticonceptiva no estuvo disponible sino hasta 1999, haciendo de Japón el último país importante en aprobar su uso).[16] La decisión dio pie a un extraordinario artículo del comentarista conservador Francis Fukuyama, quien aseguró que [el uso de la píldora] debilitaría la estabilidad social japonesa por el hecho de que "en el contrato social en que ha descansado tradicionalmente la sociedad japonesa, los recursos del hombre se intercambiaban por la fertilidad femenina".[17] El argumento resulta extraño, pues los condones son muy accesibles en Japón, y los países que no sólo han permitido sino promovido el uso de la píldora han tenido muchos más nacimientos que ese país.

La evidencia reunida como consecuencia de los programas de prevención del VIH muestra un incremento en el uso de condones en un gran número de países,[18] así como reportes sobre la disminución en la práctica de sexo entre adolescentes en un par de países, uno de ellos Uganda. Sin embargo, los reportes de Tailandia sugieren un incremento en el sexo premarital entre las chicas adolescentes y a la vez una disminución de la confianza de los varones adolescentes en las prostitutas.[19] Mientras que uno podría esperar varias fluctuaciones en el comportamiento sexual como resultado de campañas específicas, es casi seguro que el ímpetu de la globalización rompa con los tabúes

72

existentes (por ejemplo, la gran estima de la virginidad premarital en las mujeres) y conduzca a una convergencia gradual del comportamiento sexual en diferentes sociedades.

La moral y los valores sexuales han cambiado de manera constante a medida que las sociedades han entrado en contacto con influencias extranjeras y nuevas tecnologías. Aunque el énfasis de este libro se halla en los cambios más recientes y algunas veces radicales, éstos pueden entenderse mejor como continuación de un proceso histórico muy largo que involucra siglos de comercio, esclavitud, colonización y transformaciones a gran escala en la naturaleza de las estructuras económicas y tecnológicas. Hablar de "valores tradicionales" significa a menudo adoptar una actitud totalmente ahistórica con respecto al comportamiento humano, la cual presupone una continuidad estática que sólo es plausible en sociedades pequeñas y muy aisladas. No es del todo claro que los cambios de la sexualidad en, digamos, la Rusia poscomunista o la China rápidamente industrializada, sean de alguna manera mayores que los provocados por el comercio de esclavos en el siglo XVIII o la urbanización masiva de Europa durante el XIX. Lo diferente es el sistema de difusión de ideas, valores y percepciones mucho más denso y rápido, de modo que una cierta autoconciencia y entendimiento de la sexualidad se universalizan de una forma nueva por completo.

Hay varias encuestas trasnacionales que intentan medir los cambios de actitud frente a un rango completo de temas sociales a través del tiempo y el espacio, y en una revisión de éstas, Ronald Ingelhart manifiesta haber encontrado evidencia de un giro de los valores "materialistas" hacia los "posmaterialistas", como él los llama, en varios países. Una discusión completa sobre este argumento va más allá del alcance de este libro, pero es interesante su señalamiento de cambios significativos hacia puntos de vista más permisivos en cuanto a aborto, divorcio, homosexualidad y sexo extramarital en todos excepto dos de veinte países encuestados entre 1981 y 1990.[20] Las dos excepciones son Sudáfrica y Argentina, pero supongo que sus circunstancias políticas particulares durante los dos años en que se efectuó la encuesta pueden explicar esto, y que seguramente se hubiera tenido un resultado muy diferente si el límite posterior se hubiera fijado años más tarde. Los veinte países fueron en su mayoría democracias del Atlántico norte, aunque se incluyó también a México, Hungría, Japón y Corea del Sur, así como a Sudáfrica y Argentina. Lo relevante es el rápido cambio de los valores "tradicionales" sobre el sexo en países católicos como México y España. (Dejo a un lado por el momento el escepticismo extremo con el que debemos leer tales datos de la encuesta, en especial porque incluso preguntas aparentemente equivalentes cambian de significado con las traducciones, y porque existen problemas para asegurar muestras representativas, etcétera.) La evidencia sugiere que en los países ricos hay por lo menos una tendencia convergente hacia un conjunto de actitudes más permisivas en las cuestiones sexuales, aun cuando las diferencias nacionales sigan siendo significativas.

De igual manera, es difícil comprender por completo las formas en que la vida emocional e "interna" se altera debido a los cambios mayores forjados por la economía política. Si Giddens tiene razón, "la globalización" es un "[término] taquigráfico para una serie de influencias que están alterando no sólo sucesos a gran escala sino el mismo tejido social de nuestra vida diaria".[21] Esto hace eco de la descripción menos sociológica de Don de Lillo:

> Pero como aun el deseo tiende a especializarse, volviéndose íntimo y sedoso, la fuerza de los mercados convergentes produce un capital instantáneo que se dispara a través de los horizontes a la velocidad de la luz, en busca de una cierta igualdad furtiva, una planificación de los detalles que afecta todo, desde la arquitectura y el tiempo libre, hasta la forma en que la gente come, duerme y sueña.[22]

Estos cambios son parte de la vida diaria de cada vez más personas. En una ocasión me preguntaron en un seminario donde había hablado de la supuesta universalización de las identidades homosexuales si el aparente incremento de los romances homosexuales en algunos países era un producto de "las telenovelas o de la ópera china". El énfasis de poner en primer plano "lo personal", muy obvio en la televisión y las revistas estadunidenses, se disemina por medios globales que llevan *El show de Oprah Winfrey* o la revista *Who* a cualquier sitio donde haya televisión y puestos de periódicos. Con esto llega una particular manera de entender la identidad y las relaciones, que desde el punto de vista de la cultura es tan específica del capitalismo consumista de principios del siglo XXI como lo fueron los análisis de Freud para la Viena burguesa de principios del siglo XX, y se refleja en fenómenos como el rechazo a los matrimonios arreglados y el reclamo de las mujeres del derecho al placer sexual.

Uno puede ver estos cambios en los testimonios de la vida japonesa, que durante las últimas décadas ha experimentado cambios revolucionarios en cuanto a la disposición de las mujeres para aceptar su tradicional papel de subordinación. Estos cambios son evocados por la narradora de la novela *Memoirs of a Geisha* (*Memorias de una geisha*), quien dice del hombre a quien ama: "nada en la vida me importaba más que complacerlo".[23] Las mujeres japonesas contemporáneas rechazan los matrimonios arreglados, son más frecuentes los divorcios promovidos por ellas que por los hombres y están cada vez más dispuestas a poner demandas por acoso sexual y violación.[24] (De hecho se han inventado nuevos términos para casos como los de parejas casadas que viven separadas o con un matrimonio de fin de semana.) Sin embargo, esto no significa que la vida sexual en Japón simplemente se esté occidentalizando. Las hipocresías en torno al sexo en Japón más bien siguen un curso distinto, es decir, la brecha entre lo que puede decirse y lo que es aceptado en la práctica parecería impactante para la mayoría de los occidentales. Nicolas Bornoff da el ejemplo del "moppet cheesecake":* "En Occidente el concepto de pornografía para

---

* Literalmente "pay de queso de muñequitas". Cheesecake, en el habla popular inglesa, es un término que se utiliza para referirse a fotografías, en carteles, revistas y calendarios, de jóvenes atractivas que muestran partes de su cuerpo, en especial las piernas; beefcake es el vocablo empleado para las imágenes de varones. (*N. del E.*)

75

adolescentes sería casi tan ultrajante como la pornografía infantil. Sin embargo, en Japón, donde las actitudes fundamentales hacia el sexo se basan en la realidad pese a las formalidades paradójicas y las leyes oficiales que las limitan, tales revistas sólo hacen levantar las cejas a los más puritanos".[25] De la misma manera, hay un gran mundo homosexual cuya existencia, no obstante, tiene un muy escaso reconocimiento del tipo que se le da en los países occidentales.

No es verdad, por supuesto, que la globalización de las emociones corra en una sola dirección, o que el norte sea siempre la fuente del cambio. En su formulación de la "economía mundial de la pasión", Marta Savigliano argumenta:

> De manera paralela a la extracción de bienes materiales y mano de obra del tercer mundo, los países del sistema capitalista mundial, carentes de pasión, se han venido apropiando de las prácticas emocionales y afectivas de sus colonias desde hace varios siglos [...] Las acciones emocionales y expresiones artísticas del tercer mundo se han categorizado, homogeneizado y transformado en bienes accesibles para el consumo del primer mundo.[26]

Aunque no estoy de acuerdo con la hipótesis simplista de la falta de pasión de los países del norte, sus comentarios me recuerdan que la globalización siempre involucra influencias recíprocas y a menudo contradictorias. De hecho, el mundo rico ha buscado desde hace mucho imágenes sexuales en las zonas cálidas del mundo, ya sean las pinturas polinesias de Gauguin, las aventuras sexuales de varias generaciones de artistas y escritores franceses en África del norte, o lo vistoso de la samba y el tango latinoamericanos. José Quiroga hace eco de Savigliano al escribir que "Cuba siempre ha estado ligada al mundo exterior por los hilos del deseo".[27]

En los años veinte, la cantante afroamericana Josephine Baker se hizo famosa por un show basado en la asociación en las audiencias blancas entre la negritud y el sexo: "Entraba ella en un escenario que simulaba una jungla en penumbras (por supuesto), y se trepaba en cuatro patas a lo largo del tronco de un árbol caído; ahí, al sonido de tambores nativos, encontraba el cuerpo de un joven blanco dormido, para quien daba comienzo su danza".[28] El atractivo de la, en apariencia, salvaje piel oscura fue reiterado por la cubana Alicia Parla, quien se volvió famosa en los años treinta por sus bailes de rumba cargados de erotismo, y por la brasileña Carmen Miranda en los cuarenta y cincuenta. Desde los sesenta la música reggae jamaiquina ha sido una tremenda influencia en el mundo exterior,[29] al unirse a otras culturas en los centros comerciales del mundo bajo la etiqueta de "World" (es decir, no occidental) Music. Aun hoy los empresarios teatrales de Occidente promueven a bailarinas africanas por encarnar una peculiar sensualidad salvaje.

Más recientemente estos patrones se han multiplicado hasta cierto punto, de manera que en la imaginación de mucha gente del mundo pobre las regiones del norte son las que representan el exotismo sexual. Tal exotismo puede considerarse, ya sea como una maldad contra la cual debe invocarse la protección tradicional, o como una fantasía que ha de buscarse, como la presencia de mujeres del este de Europa en los prostíbulos de Bangkok y Dubai. (Ya había elementos de tal visión del norte en el tiempo del imperio europeo, cuando algunos de los colonizados construyeron a la mujer blanca como un objeto deseable e inasequible.)

Es tentador escribir acerca de la globalización como si el guión fuera en una sola dirección, pero la realidad es que el contacto humano y la conquista siempre han cambiado las percepciones sobre lo que es un comportamiento natural, y mucho de la actual teoría poscolonial puede usarse provechosamente para revisar la larga historia de imaginarnos a nosotros mismos mediante el contacto con quienes podemos definir como diferentes. La empresa colonial cambió tanto a los colonizadores como a los colonizados, como ha dicho de manera convincente Neville Hoad al discutir la invención de la homosexualidad como una categoría en el pensamiento científico del siglo XIX.

"La percepción de la homosexualidad masculina entre los súbditos del imperio —escribió— es impulsada lo mismo por grupos que buscan estigmatizarla más aún, que por quienes desean despatologizarla y despenalizarla." Como apunta Hoad, el nexo entre la invención de la categoría homosexual y la expansión de los imperios se involucra en discursos sobre la inquietud por el declive de la moral que se hallan en escritores como Josephine Butler y en la muy elegante invención de sir Richard Burton de una "zona sotádica", es decir casi cualquier lugar con un clima no británico que, él aseguraba, facilitaba la existencia del "amor patológico".[30]*

Las ideologías sexuales no pueden ser independientes de contextos políticos, sociales y culturales mayores, y cualquier posición liberal que tenga sentido debe reconocer de manera simultánea los vínculos con ciertos privilegios en esta posición que a menudo son inaccesibles para la mayoría de las mujeres y los niños. A la frase "placer y peligro", que Carole Vance tomó como título de una antología sobre sexualidad,[31] Jill Matthews le ha añadido el concepto de "obligación", con el argumento de que para las mujeres el sexo casi siempre está "envuelto en una red de relaciones de poder, y que su posición en ésta es por lo general incoherente".[32] Para la mayoría de las mujeres del mundo el sexo y la reproducción acarrean considerables peligros —enfermedad, embarazos no deseados, esterilidad y severas complicaciones obstétricas— los cuales bien pueden sobrepasar los posibles placeres; y de nuevo subraya hasta qué punto la experiencia de la sexualidad depende del género.[33] No es sorprendente que los movimientos feministas a menudo hayan sido asociados a campañas en pro de una mayor moralidad sexual, lo cual muchas veces se ha equiparado

---

* En un apéndice a su traducción de las *Mil y una noches*, fechado en 1885, Richard Burton propuso su hipótesis sobre la existencia de una zona geográfica donde la homosexualidad prosperaba especialmente y era tolerada: la zona sotádica, llamada así en recuerdo de Sotades, un poeta de la Grecia helénica cuyos versos homoeróticos se preservan en la *Antología Griega*. Más allá de su dudoso valor científico fue esta observación uno de los primeros intentos por entender a la homosexualidad como un fenómeno natural. *(N. del E.)*

con forzar a los hombres a aceptar mayor responsabilidad por sus acciones. Al mismo tiempo, muchas feministas han advertido del peligro de separar la reproducción del sexo: "El deseo sexual está ligado a cuestiones de placer más amplias, con la estética del cuerpo, con los placeres en torno a una sensualidad más difusa y a la sociabilidad colectiva y, algunas veces, con los placeres de la fecundidad".[34]

Ciertos regímenes de género se están globalizando como lo ha demostrado Cynthia Enloe en su recuento de las "repúblicas bananeras" de América Central, donde tanto las ideologías sexistas como una división del trabajo según el género ayudan a mantener bajos los salarios y a conservar el dominio de las compañías extranjeras. Sin embargo, la literatura tradicional sobre economía política y relaciones internacionales elude en gran medida esta dimensión. Ignora, como dice Enloe en su introducción al estudio de las relaciones internacionales: "[...] lo que debían ser las conexiones entre deuda internacional, inversión extranjera y militarismo por un lado y, por el otro, violación, prostitución, trabajo doméstico y esposas golpeadas. El mensaje que uno se lleva de esos libros es que los primeros son asuntos inherentemente 'serios' y 'políticos'; los segundos, 'privados' y probablemente triviales".[35]

Hay que considerar también el papel de la globalización en el surgimiento de nuevas estructuras de familia y género. R. W. Connell, cuyo trabajo ha influido en el mío por más de veinte años, argumenta que debemos ver "los mercados globales y las corporaciones multinacionales como lugares clave en la conformación y cambio de un orden global de género".[36] Por supuesto, al aceptar estos cambios debemos recordar que en muchas partes del mundo las ideologías sexuales dominantes son en sí mismas productos de expansiones imperialistas anteriores, y de los misioneros que acompañaron a los comerciantes y soldados. Los puntos de vista "tradicionales" sobre sexualidad y género en gran parte de África, el Caribe y el Pacífico deben tanto al colonialismo como a la cultura precolonial. La idea de tradiciones precoloniales es, a menudo, un concepto problemático para los millones de personas que descienden de las migraciones masivas de los imperios del siglo XIX. Esclavos africanos en América, trabajadores indios en Fiji y Sudáfrica, trabajadores chinos en Malasia y California. ¿De qué tradiciones estamos hablando en países que han llevado a cabo reformas radicales a su demografía debido al dominio extranjero? ¿Es la cultura africana o el cristianismo imperialista el que continúa penalizando la homosexualidad en Zimbabwe y mandó a juicio al presidente Banana?

Género y sexualidad llegan juntos a través de la familia, y las propias estructuras familiares están lejos de ser fijas o "naturales", como insisten los moralistas conservadores y en cambio dependen de las estructuras sociales y económicas. Tal vez la transformación más significativa para millones de personas, causada por un mayor crecimiento, urbanización e influencias extranjeras es la decadencia del matrimonio basado en arreglos económicos y sociales entre familias, frente a los puntos de vista mucho más individualistas acerca de ese vínculo como una forma de alcanzar el amor y el desarrollo personal. Con estos cambios en el matrimonio, a su vez se ha reducido la familia extensa, lo cual está causando grandes problemas en la mayoría de los países que no tienen sistemas de bienestar social y dependen de las familias para el cuidado de jóvenes, ancianos y enfermos. Aun un Estado tan rico como Singapur, requiere que los hijos se responsabilicen de cuidar de sus padres al envejecer como una forma de mantener los valores "tradicionales" (o "asiáticos").

John MacInnes argumenta que "la modernidad debilita de forma sistemática el patriarcado",[37] y de hecho una de las características de los movimientos fundamentalistas opuestos a la modernidad (los talibán, los amish, los lubavitchers) es su rígida actitud patriarcal hacia las mujeres y los niños. Al mismo tiempo, la "ilusión del compromiso" por parte del hombre, que Barbara Ehrenreich hizo notar con respecto a Estados Unidos hace algún tiempo,[38] está ocurriendo en todo el mundo, a medida que las economías neoliberales llevan al colapso de más y más familias bajo las presiones por dificultades económicas y migraciones de la provincia a la ciudad. Un reporte de Chile afirma que: "A nivel nacional, 25% de los hogares está dirigido por una mujer, pero están concentrados en áreas pobres como Reneca, donde la cifra se eleva hasta 50%. La mayoría de los compañeros de estas mujeres desapareció durante los años de Pinochet o las abandonaron como consecuencia de la cultura del machismo latinoamericano que permite a los hombres tener varias amantes".[39] Pienso que esta explicación pone muy poco énfasis en las implicaciones de mayores cambios socioeconómicos del régimen de Pinochet, pero las cifras subrayan el doble riesgo de la globalización: una vez que el impulso económico se reduce, no sólo deja a millones sin trabajo, sino también fuera de las redes de seguridad informal provistas en el pasado por la familia extensa y las comunidades en los pueblos. Bajo tales condiciones de desintegración social florecen la corrupción y el crimen.

Tal como ocurrió en Europa y Estados Unidos en el siglo XIX, las formas "tradicionales" de familia se derrumban con la urbanización, la industrialización y el crecimiento, pero el ritmo del cambio significa que en algunos casos la gente puede pasar en una sola generación de la familia ampliada del precapitalismo a la familia posnuclear del capitalismo de consumo. (El mayor porcentaje de hogares encabezados por mujeres no está en el próspero Occidente, sino más bien en Botswana y Barbados.)[40] Hace algunos años fui a la Isla Bataam, un fuerte indonesio localizado a corta distancia por ferry de Singapur. Durante el trayecto hacia el pueblo en la noche, me impresionó el gran número de adolescentes que acudían en tropel a las discotecas. Adolescentes que se habían alejado de sus pueblos y sus familias debido a las oportunidades de empleo en las nuevas fábricas. La escena del club, con todo y sus drogas de "diseñador", de ninguna manera está reservada a los países occidentales; ha surgido una fuerte controversia acerca del uso del *éxtasis* en países asiáticos en los últimos años. Runganaga y Aggleton señalaron que en las discotecas y clubes nocturnos zimbabwenses "los jóvenes también aprenden uno del otro cómo excitar sexualmente a las mujeres por medio de besos y escarceos, comportamientos rara vez vistos en otros tiempos, y que con ello ofenden a algunas personas del medio rural de hoy".[41]

Los viajes cada vez más frecuentes al extranjero en busca de libertad sexual, o al menos la ilusión de ésta... tal vez la versión contemporánea de los turistas homosexuales franceses y británicos del siglo XIX en el norte de África y el sureste asiático son los homosexuales chinos retratados en películas como *The Wedding Banquet* (*El banquete de bodas*) o *Happy Together*,[42] o las turistas solteras japonesas en Bali o en Hawai, a las que llaman "taxis amarillos".[43] Algunos países occidentales han comenzado a aceptar la persecución de la homosexualidad como una razón para otorgar la condición de refugiado. Hay otra clase de viajes en busca de libertad sexual, los de las mujeres que cruzan las fronteras para abortar; tal es el caso de miles de irlandesas que, debido a lo estricto de las leyes, han tenido que ir a Gran Bretaña, o del gran número de mujeres europeas que buscan abortar en Holanda.[44] En años recientes, algunas mujeres han huido de China por el temor de que se les obligue a abortar debido a la política de "un solo hijo"; en un caso ampliamente difundido en Australia en 1997, una mujer con ocho y medio meses de embarazo fue deportada a China y al parecer se le obligó a abortar diez días después.

Tales ejemplos sólo demuestran que los movimientos entre y dentro de los países tienen muy distintos significados para el rico y para el pobre. El "desarrollo" económico significa que cientos de miles de personas se vean obligadas a recurrir al trabajo sexual. Esto es evidente en las ciudades chinas, donde en 1991 las cifras oficiales sugerían que 200,000 personas habían sido *arrestadas* por ejercer la prostitución, aunque las cifras reales de personas trabajando es mucho más alta.[45] Tales cifras reflejan a su vez un colapso general del puritanismo de la China de Mao, como el crecimiento y sus consecuentes nuevas oportunidades e interés en cuanto a sexo, tal vez algo moderado de acuerdo con los niveles occidentales, pero revolucionario al lado de las costumbres de hace apenas quince años.[46] De manera similar, a finales de los noventa se estimaba que Vietnam tenía 60,000 prostitutas, aunque "puesto que la prostitución es ilegal y ocurre frecuentemente en sitios velados, como hoteles y bares karaoke, otros creen que el número es mucho mayor".[47] Las mujeres que por las noches, ya tarde, ofrecen masturbaciones rápidas en los parques de Ciudad Ho Chi Minh están ahí como consecuencia directa de la liberalización económica —pero no política— de los últimos años.

Un artículo publicado en *Asiaweek* a principios de 1999, acerca de la ciudad de Nanjing, en China central, sugiere que existe una liga cercana entre la liberalización y los grandes cambios en el comportamiento sexual. Allí las autoridades locales han preservado una versión temprana de la austeridad comunista:

> No hay contaminación de la decadencia occidental como las discos y los bares karaoke, y los líderes del pueblo insisten en que no hay crimen, prostitución, sexo premarital y bebés no planeados. "Hubo sólo un divorcio el año pasado. Nosotros vivimos estrictamente de acuerdo con los pensamientos del presidente Mao", dice Wang Jinzhong, vicesecretario del partido. Parece como si Nanjing fuera un parque temático comunista.[48]

Al considerar los particulares puntos de vista de los articulistas —es extraño ver al karaoke descrito como "decadencia occidental"—, el informe sugiere que tal vez sea imposible mantener la rigidez sexual de la China revolucionaria una vez que se promueva la liberación económica. En un país con una población transitoria de entre 80 y 120 millones, en su mayoría hombres jóvenes, la confusión social parece inevitable.[49] Para fines del siglo las enfermedades de transmisión sexual crecían rápidamente, y las autoridades chinas lo atribuían al impacto de las reformas del mercado.[50]

Se podría argumentar que los cambios en las estructuras familiares y los valores han sido más lentos en la mayor parte de Asia —comunista y no comunista— de lo que uno esperaría, pero están ocurriendo, y se reflejan en cierta inquietud asiática con respecto a la globalización: "Cuando los voceros asiáticos (al menos los hombres) dicen que no les gustan los valores occidentales, lo que frecuentemente quieren decir es que a ellos no les gustan los roles sexuales occidentales; el individualismo, que es problemático para ellos, incluye no sólo protestas políticas libres, sino libertad de protestar dentro de la familia".[51] Con el presidente Suharto, el Estado indonesio trató sistemáticamente de mantener los "valores tradicionales" mediante reglas explícitas de conducta sexual entre sirvientes civiles[52] y continuó con la oposición del primer presidente de Indonesia, Sukarno, a la "decadente" música occidental: "En el exNuevo Orden, el punk, el death metal y otros géneros adoptados de la escena euro-estadunidense que golpean la cabeza han significado un gesto de oposición generacional al anticuado régimen dirigido por un anciano".[53] No es sorprendente que los nuevos movimientos políticos en la Indonesia posterior a Suharto incluyeran a un considerable número de mujeres que no estaban dispuestas a continuar con el papel subordinado que les asignó el nuevo orden. De manera similar, las reglas de modernización de Malasia adoptaron políticas con una fuerte intervención en las estructuras de la familia y el género para promover el crecimiento económico y la tranquilidad política.[54]

Hay un debate continuo sobre cuán marcada y rápidamente el cambio económico está conduciendo a un cambio social, sobre todo en términos de familia y estructuras de género. Existen importantes revisiones al respecto en la literatura sobre VIH-sida —aunque éstas sugieren que hay considerables variaciones entre países. Así, un reporte del Programa Conjunto de las Naciones Unidas para el VIH-sida (ONUSIDA) en Tailandia señala que la familia numerosa está desapareciendo y subraya el papel central de la madre en el cuidado del hogar.[55] Por otra parte, en el caso de África, Carael, Buve y Awusabo-Asare dicen que "a menudo los cambios que se perciben después de la modernización son menos radicales de lo que se suponía en un principio. Los resultados de una investigación multicultural mostraron que las disparidades en el comportamiento sexual entre las áreas urbanas y rurales, después de ser divididas por edades y estados civiles, fueron considerablemente menores de lo que se esperaba".[56] Es probable que se requieran nuevas formas de presión social para mantener las formas "tradicionales" de comportamiento, a medida que cambia el medio ambiente en el que se desarrollaron; de ahí la preocupación de toda la gama de fundamentalistas porque éstas se conserven, mediante controles sociales draconianos. Es posible también que el mayor bienestar y "modernidad" de Tailandia sea la diferencia crucial, más que cualquier tradición cultural particular.

Tales controles sociales crean nuevas víctimas, por lo general mujeres y niños, a quienes se castiga por haber sido violados. Por ejemplo, se reporta que en Jordania una cuarta parte de los homicidios son "crímenes de honor", castigos que se imponen a las mujeres por haber manchado, supuestamente, el honor de sus familias por un inadecuado comportamiento sexual.[57] En la actualidad hay una campaña para revocar la sección del código penal de ese país que dice: "Quien descubra a su esposa o a una parienta femenina cometiendo adulterio, y mate, hiera o lastime a uno o a ambos está exento de cualquier pena".[58] Un número cada vez mayor de niños —a menudo nacidos de mujeres que han sido violadas u obligadas a tener relaciones sexuales— es abandonado, por lo que la población ha crecido en los orfanatos de Moscú y Casablanca.[59] En muchos países los gobiernos no proveen de servicios a madres solteras o hijos ilegítimos y en algunos, en particular de América Latina, no es raro que la policía los considere aptos para su exterminio. Aunque es difícil obtener cifras confiables, las mujeres con niños dependientes constituyen una gran parte de la población más pobre del mundo. Como ocurrió con la industrialización de los países del Atlántico norte en el siglo XIX, los rápidos cambios de la economía contemporánea están originando exigencias que muchos gobiernos no están ni listos ni dispuestos a aceptar.

En los países occidentales, no casarse se está convirtiendo en norma, mientras crece la aceptación de una amplia variedad de estructuras familiares, que incluyen la paternidad o maternidad de personas solteras, los hogares comunales y las parejas de homosexuales. Los cambios son rápidos: hasta los setenta "el amancebamiento" era ilegal en la mayoría de los estados de la Unión Americana. La situación actual se refleja en la popularidad de programas de televisión que presentan nuevas formas de relaciones (por ejemplo, los solteros sin compromisos de *Seinfeld* o *Friends*), y en la ansiedad con respecto a la familia que se refleja en las políticas sobre "valores familiares". De la misma manera, existen informes de las partes más ricas de Asia de que un mayor número de mujeres considera la posibilidad de vivir sin casarse o sin tener hijos,[60] aunque la aceptación de madres solteras o de parejas que viven juntas sin casarse aún es mucho menor que en la mayoría de los países occidentales.

Excepto para algunos enclaves ricos fuera del "primer mundo", el acceso a la vivienda es una restricción significativa para el desarrollo de un creciente número de hogares de padres y personas solteras comunes en la mayor parte del mundo occidental. Sin embargo, las mujeres educadas y de clase media en los "países en desarrollo", que sin duda son una minoría, pueden contar con la disponibilidad de servicio doméstico barato, lo cual hace que sus carreras sean más fáciles de manejar que para la mayoría de las mujeres occidentales con las que pueden compararse. Vale la pena recordar que tomó alrededor de cien años de industrialización para que los países occidentales reconocieran la posibilidad de que una mujer soltera pudiera ser algo más que una figura de diversión o lástima.[61] (Según algunas lecturas, no hay gran diferencia entre la familia Bennet de la autora Jane Austen —que espera en casa las propuestas de matrimonio— y las mujeres solteras en busca de amor y relaciones de la serie *Sex and the City*.) Tal desarrollo requiere cambios en el orden económico, para permitir que las mujeres tengan trabajos bien remunerados, así como en el orden ideológico, que define a la mujer en relación con la familia.

Los debates alrededor de la familia posnuclear son más evidentes en Estados Unidos, pero no se limitan de ninguna manera a ese país. El primer reconocimiento nacional de las parejas del mismo sexo se dio en Dinamarca en 1989 y las discusiones sobre el reconocimiento estatal de las relaciones homosexuales se han extendido ahora a casi toda Europa.[62] En 1998 apareció una nueva revista en Francia, *Le Mensuel des Nouvelles Familles* (*La Revista Mensual de las Nuevas Familias*), cuyo cartel promocional mostraba a dos hombres de mediana edad observando con adoración lo que parecía una carriola vacía. Para los noventa, en Francia la tasa de nacimientos fuera del matrimonio era mayor que en Gran Bretaña o en Estados Unidos, y en 1998 se suscitó un amargo debate sobre la propuesta conocida como Pacto Civil de Solidaridad. Dicha propuesta de ley reconocía a parejas que cohabitaban (tanto heterosexuales como homosexuales) "que no pueden o no desean casarse", y la derecha se opuso severamente a ella:[63] a principios de 1999, cien mil personas salieron a protestar a las calles de París. Poco después, el senado enmendó la propuesta para incluir sólo a parejas heterosexuales, pero en noviembre de 1999 una votación en la Asamblea denegó la petición de los opositores y la ley respectiva se promulgó en beneficio de "dos personas mayores del mismo sexo o de sexos diferentes". En ese mismo año, la Suprema Corte canadiense reglamentó que la definición de "esposa" en la ley familiar de Ontario, que la designaba como una persona del sexo opuesto, era anticonstitucional. Como un eco a las reacciones estadunidenses, la Cámara de los Comunes pronto declaró que "el matrimonio es y debe permanecer como la unión de un hombre y una mujer".[64]

En 1996, la idea de "matrimonio homosexual" se convirtió en el tema de moda en Estados Unidos, a partir de un caso de la Suprema Corte de Justicia de Hawai, la cual parecía estar pronta a reconocer el carácter constitucional del matrimonio entre personas del mismo sexo. En respuesta, el congreso envió —y el presidente Clinton la firmó— el Acta de Defensa del Matrimonio, que habría rechazado el reconocimiento de tal legislación de Hawai en otros estados. (La decisión hawaiana estuvo antecedida por una enmienda constitucional, apoyada por 70% de los votos en un referéndum, que concedía a la legislatura el poder "para reservar el matrimonio a las parejas de sexos opuestos".[65] La pelea se ha extendido a otros estados; Vermont es probablemente el mayor campo de batalla en este momento.) Pero mientras la idea de "matrimonio homosexual" ha sido el tema central tanto para ambos sectores de los movimientos lésbicos-gay como para la derecha cristiana de Estados Unidos, éste ha tenido un impacto en otros lugares. Existen datos de matrimonios homosexuales en países tan diferentes como Japón, Argentina y Vietnam, y en extraña concordancia con los fundamentalistas estadunidenses, la Asamblea Nacional Vietnamita legalizó el matrimonio gay en 1996 después de tener noticias de un par de ceremonias efectuadas en Ciudad Ho Chi Minh sin ningún sustento legal. En Filipinas ha habido un intenso debate respecto al estatuto legal de las parejas del mismo sexo, mientras que el desfile del orgullo homosexual de 1998 en Johannesburgo tuvo como lema "Reconozcan nuestras relaciones". Uno podría preguntar, por supuesto, si esto amenaza con poner el movimiento demasiado lejos de los sentimientos viscerales de la gran mayoría sudafricana.

Sue Willmer hace este comentario sobre México:

> La importancia que se le da al tema del matrimonio ha proporcionado tierra fértil al derecho religioso para organizar la oposición al movimiento lésbico-gay. ¿Hasta qué punto el movimiento en pro de los matrimonios del mismo sexo ha beneficiado a las lesbianas en el contexto de un país donde la religión, la tradición y los valores familiares han sido tan claramente una fuente de su marginación y donde la dependencia económica es una realidad para la mayoría de las mujeres?[66]

La Coalition on the Right to Sexual Orientation (Coalición para el Derecho a la Orientación Sexual), una organización no gubernamental de Fiji, ha hecho comentarios del mismo tipo, apuntando que el miedo al matrimonio homosexual es una gran táctica de amenaza usada por los conservadores moralistas para ejercer presión en relación con la posibilidad de eliminar de la constitución de ese país la discriminación basada en la preferencia sexual.[67] Sin embargo, cuando discutí el tema con gente de Sudáfrica quedó claro que la demanda era importante para un gran número de homosexuales negros y mestizos, quienes la consideraron necesaria para obtener la aceptación de sus familias y comunidades, con frecuencia profundamente religiosas. La campaña para "el reconocimiento de nuestras relaciones y el derecho a una vida familiar" no fue, como lo supuse al principio, una copia de la retórica estadunidense, sino más bien la extensión lógica de posiciones ya obtenidas con la inclusión de la igualdad basada en el comportamiento sexual dentro de la nueva constitución sudafricana. Material producido por la National Coalition for Gay and Lesbian Equality (Coalición Nacional Para la Igualdad Lésbica y Gay) para las elecciones sudafricanas de 1999 recalca la importancia de que la completa igualdad incluye la posibilidad de adopción, custodia y paternidad de niños, así como el reconocimiento total de las relaciones lésbicas y gay.[68]

De manera más sorprendente, en 1999 la Suprema Corte de Namibia, a partir de un caso de inmigración, determinó que las relaciones homosexuales deben gozar de igualdad legal. Esto era particularmente controvertido ya que el gobierno había declarado antes su intención de penalizar la homosexualidad por considerarla "perjudicial para la verdadera cultura de Namibia, la cultura y la religión africanas".[69] El antagonismo entre conceptos universales de derechos humanos y los puntos de vista esencialistas de la tradición africana reflejan algunas de las contradicciones básicas de la globalización.

Sin embargo, el comentario de Wilmer nos recuerda que incluso donde el mismo fenómeno parece existir, en este caso los matrimonios del mismo sexo, las diferencias sociales y culturales hacen que presente muy diversos significados e importancia en distintos escenarios. En este debate subyace la constante tensión entre el énfasis antropológico en la continuidad cultural y el énfasis en el cambio de la economía política. Piénsese, por ejemplo, en las diferentes explicaciones sobre el predominio del trabajo sexual en Tailandia; en la afirmación de que es una parte integral de la cultura tailandesa existe el peligro de esencializar una "sexualidad tailandesa" e ignorar las contingencias socioeconómicas que moldearán las formas en que las normas culturales se imaginan y transforman de manera constante. Es igualmente tonto ignorar la forma en que los factores culturales, religiosos e históricos cambiarán la manera en que las fuerzas globales inciden en sociedades particulares: la prostitución tiene una historia diferente en Tailandia que, digamos, en Irlanda o Paraguay.

La globalización hace cada vez más difícil considerar a las sociedades autosuficientes, o ignorar la forma en que todos somos producto de influencias exógenas, como la botella de Coca-Cola que cae del cielo, y que afecta a todos, en el filme sudafricano *The Gods Must Be Crazy* (*Los dioses deben estar locos*). Peter Drucker escribe sobre la idea de una "construcción social combinada y desigual", argumentando que "diferentes perspectivas originales, diferentes relaciones con la economía mundial y diferentes contextos culturales y políticos pueden combinarse para producir resultados muy diferentes [...] Esto puede ayudarnos a entender cómo algunas formas de sexualidad tradicionales pueden preservarse dentro de una economía y cultura globales, cambiando hasta cierto punto sus formas o funciones; cómo pueden surgir nuevas formas, y cómo pueden combinarse las antiguas y las nuevas".[70]

Específicamente, hay varios desarrollos contemporáneos que afectan a la sexualidad, todos son temas de capítulos posteriores: la rápida transformación del sexo en un bien de consumo, el impacto de las nuevas tecnologías, la globalización parcial de la "industria del sexo", el descubrimiento académico del sexo como discurso y campo de estudio, el impacto de la epidemia de VIH-sida, la universalización de algunas identidades y la emergencia de asuntos de género y sexualidad como temas centrales en los debates políticos contemporáneos sobre derechos humanos y relaciones internacionales. La globalización debe entenderse como algo que ocurre tanto en niveles institucionales como discursivos, lo cual será examinado con cierto detalle en el análisis sobre la epidemia de sida.

90

EL (RE)DESCUBRIMIENTO DEL SEXO

△

Durante las últimas décadas ha habido una marcada politización del sexo en las sociedades ricas. Esto es producto del capitalismo de consumo y de los movimientos políticos, aunque sea difícil desentrañar cuál de los dos factores es más importante. Durante casi una generación el *double standard* (según el diccionario el "código moral que aplica normas más severas de comportamiento sexual a los hombres que a las mujeres") ha pasado de ser algo que "se da por hecho" a una preocupación central en las relaciones entre mujeres y hombres, a medida que ellas han demandado el derecho a la igualdad social y económica y con éste, la libertad para disfrutar de la sexualidad y la protección ante el acoso. La rapidez de los cambios está ejemplificada de nuevo en las historias maritales de la realeza británica: si en 1955 la princesa Margarita tuvo que renunciar a su deseo de casarse con un hombre divorciado, cuatro décadas después ella y tres de los hijos de la reina Isabel han tenido divorcios ampliamente publicitados. Al mismo tiempo, la expresión abierta de la homosexualidad dejó de ser un gesto político radical para convertirse en un fenómeno asociado con mercadotecnia de colocación, al grado de que algunos teóricos hablan de un mundo "posgay", por referirse a un mundo donde la identidad sexual no tiene un significado político.[1]

Por supuesto, "la política del cuerpo" es más antigua de lo que algunas veces reconocemos, como las campañas de finales del siglo XIX contra el vendaje de pies en China y las de principios del siglo XX contra la circuncisión femenina en Kenia.[2] Los intentos por regular el comportamiento sexual y de género fueron parte integral del colonialismo, como la proscripción británica del *sati*, o sacrificio de las viudas, en la India en 1829. Desde finales del siglo XIX ha existido un importante esfuerzo en el pensamiento científico occidental que ha intentado desarrollar una "ciencia" de la sexualidad que va desde el desarrollo del psicoanálisis hasta la moda contemporánea de la genética y la biología social. Kenneth Dutton atribuye el inicio de la exploración social del cuerpo al sociólogo francés del siglo XIX, Émile Durkheim,[3] y desde finales del siglo XIX el sexo ha sido una preocupación principal para la ley, la medicina y la ciencia, que a menudo crearon, como dijo Foucault, nuevas categorías y conclusiones a través de la vigilancia oficial. Como parte de esos cambios, la regulación del cuerpo salió de la esfera religiosa y comenzó a ser controlada cada vez más por la ciencia; ejemplo de ello es la primera legislación (de 1919) sobre la "terapia cosmética" en Estados Unidos.[4]

En 1961 Dennis Wrong se quejaba de que "tan pronto como se menciona el cuerpo, el espectro del determinismo biológico levanta la cabeza y los sociólogos se retiran con miedo. Y sus puntos de vista sobre el hombre son tan incorpóreos y no materialistas como para satisfacer al obispo Berkeley,* y lo suficientemente desexualizados como para complacer a la señora Grundy".**[5] Pero poco después de que Wrong escribiera esto, la contracultura condujo hacia un nuevo interés en el sexo y el cuerpo, y hacia un movimiento juvenil dispuesto a desafiar los tabúes sociales. Este interés se manifestó de maneras algo diferentes en hombres y mujeres; mientras que los varones vieron la contracultura como una forma de escapar de las restricciones convencionales sobre su apariencia y comportamiento, al experimentar con

---

* George Berkeley (1685-1753), filósofo irlandés que hizo depender la realidad de los objetos de nuestra capacidad para percibirlos. *(N. del E.)*

** Persona preocupada por parecer virtuosa, educada y modesta; expresión originada en el personaje muy convencional, de ese nombre, que aparece en la obra teatral *Speed the Plough* del dramaturgo inglés Thomas Morton (1764-1838). *(N. del E.)*

sexo y drogas, las mujeres aprovecharon los cambios para politizar sus vidas personales.

La "segunda ola" del feminismo occidental fue en parte una reacción contra el supuesto masculino de que, si bien todo debería cambiar, nada debería alterar sus derechos sobre las mujeres, ello simbolizado por el supuesto comentario del líder del Black Power, Stokeley Carmichael, de que la única posición para la mujer en la revolución era postrada. La publicación en 1973 del popular *Our Body, Ourselves* (*Nuestro cuerpo, nosotras*) por parte del Boston Women's Health Collective (Colectivo de Boston para la Salud de la Mujer) marcó un nuevo paso en la conciencia femenina respecto del cuerpo como un terreno central de la política. La existencia de un grande y poderoso movimiento feminista abrió un espacio a las lesbianas —aunque algunas veces tuvieran que pelear por su inclusión—, que no estaba disponible para los varones homosexuales tras los movimientos contraculturales. Aun en la actualidad los "movimientos masculinos" se sienten incómodos al explorar la homosexualidad.

Desde finales de los sesenta, la literatura sobre sexo ha crecido mucho, y abarca desde el erotismo suave de autoayuda hasta los altos estudios teórico-académicos sobre "el cuerpo", construyendo nuevos estilos de estudios culturales, historia y antropología que crecieron de manera simultánea al desarrollo de la mayoría de las ciencias sociales y humanas, y recibieron la influencia del nuevo estilo de la política y los teóricos posteriores a los sesenta como Barthes, Foucault, Deleuze y Guattari (por mencionar sólo a los más famosos). Foucault, en particular, introdujo dos conceptos clave en nuestra comprensión del cuerpo: la idea de "biopoder" y la de "cuerpo inscrito": "El cuerpo es la superficie inscrita de sucesos (marcado por el lenguaje y disuelto por las ideas), el lugar de un yo disociado (al adoptar la ilusión de una unidad sustancial) y un volumen en perpetua desintegración".[6]

A menudo, los teóricos como Foucault se citan sin ninguna referencia, ya sea a las cambiantes circunstancias materiales o a los movimientos políticos que influyeron en su trabajo y los hicieron tan populares entre una nueva generación intelectual. Parece probable que el nuevo énfasis en la "lectura" del sexo y el cuerpo en los países occidentales represente una respuesta al crecimiento económico y al consumo masivo, así como a la politización en torno a los temas sexuales a finales de los sesenta y durante los setenta. De alguna manera es extraño que el interés por el cuerpo —algo material por definición— vaya acompañado tan a menudo por un énfasis en la "representación", en la que parecen fusionarse las imágenes de la cultura popular con la experiencia material del mundo vivido.[7] También es probable que la moda del análisis de la representación y el discurso sea, en parte, la reacción de una generación que se sintió excluida de la actividad política por el aparente triunfo del conservadurismo, al menos en la mayor parte del mundo angloparlante durante los ochenta.

El interés contemporáneo que se concede al cuerpo, sugiere Bryan Turner (quien ha sido en parte responsable de tal interés en los círculos académicos), proviene del "énfasis en el placer, el deseo, las diferencias y el goce que son características del capitalismo moderno".[8] Otros han expresado puntos de vista similares de manera más cruda. El crítico suizo Jean Starobinski proclama que es "sólo una banalidad [concluir] que el actual furor por las diversas modalidades de conciencia corporal es un síntoma del considerable componente narcisista que caracteriza la cultura occidental contemporánea".[9] Rosalyn Baxandall sugiere que el cuerpo puede percibirse "como el único reducto con posibilidades de control y autonomía en una sociedad cada vez más invasora y precaria".[10] Y Emily Martin indica que "una razón por la que tantos de nosotros estamos estudiando el cuerpo de manera enérgica es precisamente porque estamos sufriendo cambios fundamentales en la forma en que nuestros cuerpos se organizan y se experimentan". Continúa sugiriendo que existe "un cambio radical en la percepción y la experiencia del cuerpo, que se ajustan y conciben en los términos de la era de la producción en masa de Ford hasta el cuerpo preparado y concebido en los términos de la era de la acumulación flexible".[11] Hay aquí un paralelismo con los argumentos de John D'Emilio y los míos acerca de este cambio de una economía marcada por el énfasis en la producción a una dominada por el consumo en relación con el surgimiento de las identidades y comunidades lésbico-gay desde los años sesenta.[12]

Turner ignora los análisis homosexuales, tendencia que se ha visto reflejada en gran número de las teorías feministas contemporáneas acerca del cuerpo, las cuales ignoran o desdeñan la experiencia y la teoría del hombre homosexual; así que escritoras como Gayle Rubin y Judith Butler son leídas frecuentemente por feministas sin tener idea alguna de la forma en que el movimiento lésbico-gay de los años setenta y ochenta influyó en su trabajo.[13] Las feministas teóricas *sí leen* a Foucault, pero sin reconocer que su homosexualidad no fue un hecho biográfico incidental. La influencia que recibió Foucault del movimiento homosexual radical francés, surgido tras los sucesos de mayo del 68, fue mayor de lo que aparentan sus escritos más académicos. El hecho de que en un momento dado negara que su trabajo estuviera relacionado con la liberación homosexual,[14] sólo enfatiza hasta qué punto escribió en respuesta a los trabajos intelectuales neofreudianos del movimiento francés de los setenta. Desde luego que en épocas más recientes, tanto posmodernistas como feministas se han interesado en la "teoría queer", a menudo sin reconocer su origen, fincado dentro de los movimientos lésbicos-gays de los años setenta.[15]

Dada la disponibilidad de nuevas tecnologías de reproducción, cirugía y comunicación, no es sorprendente que el cuerpo nos fascine de nuevas maneras: un mundo que ha conocido la inseminación artificial, los cambios de género, las cirugías plásticas de rutina y el sexo cibernético, es un mundo donde el cuerpo parece mucho menos inmutable que en ninguna otra época. Al menos una rama de la segunda ola del pensamiento feminista, representada por el libro de Shulamith Firestone *The Dialectic of Sex* (*La dialéctica del sexo*), hoy casi en el olvido, vio la posibilidad de usar la tecnología para "liberar" a la mujer de su papel biológico en la reproducción;[16] aunque no pudo prever las nuevas técnicas genéticas que pueden lograr que un niño nazca

95

de los cromosomas de dos mujeres o, por supuesto, ser clonado de una sola. Las enormes ventas de Viagra cuando entró al mercado en 1998 indicaron que los hombres también estaban deseosos de usar la tecnología para contrarrestar lo que las generaciones anteriores habían aceptado como parte inevitable del envejecimiento.

Al mismo tiempo, el culto contemporáneo al cuerpo es, de alguna manera, una reacción contra los excesos del consumismo capitalista; de ese modo vamos a los gimnasios que han adoptado una apariencia de hoteles de lujo, y muchos hombres de negocios sedentarios corren por las calles de la ciudad, inhalando aire contaminado. El tipo de condición física que se obtenía con la actividad cotidiana se ha convertido ahora en otro bien que puede comercializarse mediante clases de ejercicios, programas de televisión y la creación de una nueva industria de entrenadores personales, dietistas, instructores de aeróbicos y, si todo falla, cirujanos plásticos. Ahora hay que negar las marcas de la vejez y el sobrepeso, venerados en algunas sociedades en otros tiempos; de modo que, como escribió Agatha Christie en uno de sus últimos libros: "Las tías abuelas ya no parecen serlo en estos días [...] ni las abuelas, ni las bisabuelas, si a esas vamos. La cara de la marquesa de Barlowe, una bisabuela, es una máscara rosa y blanca y su pelo, rubio platinado; supongo que su figura es completamente falsa, pero se veía maravillosa".[17] Hoy en día la marquesa podría sacar ventaja de los implantes de silicón, la liposucción, el peeling químico, los implantes de mentón y pómulos, y un creciente número de otras intervenciones quirúrgicas.

Así como la bioquímica y la ingeniería genética están rompiendo con los límites tradicionales del cuerpo "natural", también las relaciones entre los humanos y las máquinas han empezado a alterar nuestra comprensión del límite entre lo "natural" y lo mecánico. La celebrada discusión de Donna Haraway sobre el cyborg, al que definió como un "organismo cibernético, un híbrido de máquina y organismo, una criatura de realidad social y de ficción", trajo dicho término de la ciencia-ficción a la teoría social. (También reconoció implícitamente que estábamos tratando con algo más complejo y menos mecánico que un robot, la metáfora central de la ciencia-ficción más temprana.)[18] Uno de los problemas con el trabajo de Haraway es que no define nunca "cyborg" para aclarar los límites: ¿el capitán Garfio de *Peter Pan*, con su prótesis primitiva podría entrar en esta categoría? En su artículo de 1985 "A Manifesto for Cyborgs" ("Un manifiesto para los cyborgs") escribió que: "La biopolítica de Foucault es una endeble premonición de la política del cyborg, un campo demasiado abierto".[19] Qué puede ser con exactitud esa política, resulta menos claro. En este artículo, Haraway se opone a algunas ramas del feminismo esencialista: "Preferiría ser un cyborg que una diosa", dice en la conclusión, y llama a abarcar las posibilidades de la ciencia y la tecnología, aun cuando reconoce las formas en las que éstas son ampliamente controladas por las fuerzas económicas dominantes. (Uno de sus críticos ha apuntado que "el mito de Haraway se dirige a una audiencia de primer mundo capaz de hacer realidad, de manera individualizada, el placer del cuerpo en la tecnología".)[20] Sin embargo, el artículo fue de gran influencia en el desarrollo de nuevas formas de pensar acerca de la relación entre tecnología, género y economía política.

Es interesante que la representación de Arnold Schwarzenegger de un cyborg en la película *Terminator* de 1984 —¿quién mejor que el fisicoculturista más conocido del mundo para hacer el papel de una máquina semihumana?— haya sido la que introdujo el término en la conciencia popular. Tres años después, Michael Jackson recurrió al tema del cyborg, como si hubiera preparado el futuro escándalo alrededor de su sexualidad, en el video de la canción "Smooth Criminal", donde "se transfigura en un transformer metálico gigante parecido a Robocop durante una guerra galáctica contra un villano secuestrador de niños, y después de derrotarlo vuelve a ser 'Michael' en un baile de cuento de hadas con los niños".[21] Para el final del siglo XX podía afirmarse que "desde los fetos escaneados mediante ultrasonido hasta los hackers de computadoras bajo cuidado durante el día, los niños contemporáneos están transformándose cada vez más en cyborgs por su inmersión en la tecnocultura".[22]

Hay un creciente debate sobre cómo la "realidad virtual" permite nuevas formas de sexo, con libros como el de Carole Parker, *Joy of Cybersex*, que proclama un nuevo mundo de sexo virtual:

> La libertad y anonimato de Internet han sacado ya el sexo de nuestras recámaras y lo han puesto en la pantalla, donde puede jugarse con él, experimentar, cambiar por completo sus formas y entonces, si queremos, traerlo a casa e incorporarlo a nuestras vidas reales. Hemos encontrado una alternativa más segura que el sexo seguro que retomamos en el punto donde lo dejó la generación del amor libre. Hemos sustituido encuentros físicos potencialmente peligrosos por encuentros virtuales menos complicados y tal vez más experimentales.[23]

Creo que este argumento confunde la fantasía con el contacto real; lo único que ofrece el mundo virtual del que escribe Parker no es más que masturbación acentuada, y aunque mucha gente alcanza sus orgasmos más intensos por medio de la masturbación, ello no remplaza la necesidad de interacción humana que acompaña incluso a la relación sexual más mediocre. Detrás de la exagerada publicidad del sexo cibernético está, como Ziauddin Sardar lo ha señalado, la ilusión de que el cuerpo es "poco más que una máquina" y, por lo tanto, "aun el sexo y el misticismo son reducidos a una comunicación binaria".[24] Por supuesto, no todos opinan así: hay un gran número de clubes sexuales donde la sala más concurrida resulta ser la que ofrece máquinas con acceso gratuito a Internet. Y el tema es cada vez más recurrente en la ciencia-ficción, donde la realidad virtual se fusiona cada vez más con la experiencia corporal.[25]

Tal vez la mejor forma de comprender el impacto del espacio cibernético en el sexo es reconocer su capacidad para expandir el campo de la fantasía en formas que derriban casi cualquier barrera conocida, de modo que una mujer blanca de sesenta años en Des Moines puede aparecer en el espacio cibernético como una yegua negra de veinte años. Con ello es probable que se expanda y al mismo tiempo se universalice una verdadera experiencia sexual —al menos para la minoría privilegiada que tiene acceso a la Red. La escena más impactante de la obra *Closer* de Patrick Marber, que fue un gran éxito en Londres a fines de los noventa, representa a dos hombres que tienen sexo virtual; uno de ellos se hace pasar por mujer. Cuando se conocen después, el hombre que se compenetró con su fantasía experimenta una fuerte sensación de enojo y traición. Aquí el papel del mercado resulta dominante; como describió un crítico: "Dado que la soledad es una epidemia contemporánea, tiene sentido que exista una plaga de negocios que venden amoríos vía computadora".[26] El estreno de la muy popular película *You've Got Mail* (*Tienes un e-mail*) en 1998 sugirió que el correo electrónico se convertiría en un elemento central de la aventura amorosa cinematográfica tanto como el teléfono lo fue para Doris Day y Rock Hudson.

La proliferación de la pornografía (de la cual hablaré después) refleja la sexualización generalizada de la mercadotecnia. El uso de "cuerpos sexys" —masculinos y femeninos— en la publicidad y las páginas centrales de los periódicos ("las modelos de la página 3" de los tabloides de Murdoch para el mercado de nivel bajo de Inglaterra) se ha vuelto omnipresente, y con ella la creación de una homogeneidad del deseo a través de campañas de publicidad globales y revistas elegantes intercambiables, lo cual nos lleva de nuevo a la cuestión del contenido específico estadunidense de la "globalización". Por supuesto, el control de la publicidad que ejercen las corporaciones trasnacionales no significa el fin del contenido específico local, incluso si el guión medular sigue siendo el del consumo individual y los cuerpos bonitos. En cuanto a lo que se permite ver en los medios la mayoría de los países africanos y asiáticos —y por supuesto los del Medio Oriente— son más restrictivos que Europa, donde el *softporno* o pornografía ligera se transmite por lo general sin restricción en la televisión.

La publicidad desempeña un papel principal en la globalización de ciertos tipos de cuerpos, a través de la moda y las películas, aunque hay cierta oposición a esto por el énfasis en, por ejemplo, ideas hispanas o indias de la belleza en algunas películas que reivindican una conciencia nacional.[27] Las imágenes del capitalismo global se incorporan al catálogo de lo que es deseable, como en la descripción de Michael Tan de los "bailarines machos" en los bares homosexuales de Manila, quienes "han venido para contonearse con lentes Ray-Ban y pantalones de mezclilla Levi's con localizadores y teléfonos celulares conspicuamente sujetos al cinturón. En cierto momento los bailarines se quitan sus Levi's para mostrar —y esto, de manera curiosa, es igual en todos los bares— ropa interior Calvin Klein".[28] El mismo fenómeno parece funcionar en torno a la extraordinaria popularidad de la "belleza rubia" Xuxa, "la megaestrella nacional" de las muy exitosas telenovelas brasileñas, una popularidad que se extiende a través de América Latina y a la televisión de habla hispana de Estados Unidos. En su estudio sobre Xuxa, Amelia Simpson afirma que su muy difundido romance con la estrella del futbol Pelé "entra en su biografía como una especie de prueba de inmunidad al racismo, lo cual funciona entonces como un permiso para explotar el apetito por las rubias de ojos azules en un país con la mayor cantidad de población negra fuera de África".[29] Asimismo, hay una erotización cada vez mayor de las mujeres caucásicas en la televisión y publicidad chinas.[30]

Puede argumentarse que el capitalismo de consumo crea sus propios tipos de cuerpo, como se sugiere en esta descripción de Moscú a finales de los noventa: "En los tiempos de la Unión Soviética, el modelo de imagen de la mujer rusa en el exterior era la de cara de papa rellena con vestidos de poliéster y sombras de color turquesa en los ojos. En estos días, las modelos eslavas esbeltas son la moda en las pasarelas de París y sus muchas imitadoras pasean ostentosamente por los bulevares de Moscú".[31]

Hay una globalización (y una limitación simultánea) de imágenes de cuerpos deseables; la sola idea de Miss Mundo o Miss Universo implica una definición unánime del atractivo femenino. El concepto de los concursos de belleza tiene raíces en muchas culturas, pero en su forma contemporánea se desarrolló a partir de los concursos de Miss Estados Unidos ligados, en su momento, a la promoción de Atlantic City como un gran centro turístico. En 1951 la corporación Miss Estados Unidos inventó el concurso Miss Mundo; Miss Universo continuó al año siguiente con un patrocinador rival.[32] Para 1996 casi todos los países de Europa y de América, además de un número significativo de naciones de habla inglesa de Asia y África tenían participantes en alguno de estos concursos, y había ganadoras de todos los continentes.[33] Aunque las concursantes parecían encarnar una imagen particular de la identidad nacional, las normas se establecen de acuerdo con los intereses comerciales dominantes que subvencionan las competencias, así que el título de Miss Universo 1992 fue para Miss Namibia, una mujer blanca de 1.80 metros de altura.[34] Los concursos de belleza son, cada vez más, formas de combinar la conversión de ciertas imágenes corporales en bienes comerciales con el desarrollo de una cultura global de entretenimiento, televisión y celebridad.

Tal vez no sea accidental que en la antigua Unión Soviética los primeros lugares donde se organizaron concursos de belleza al estilo estadunidense fueron Letonia y Lituania,[35] cuyas deserciones llevarían a la rápida desintegración de la Unión misma. En China y Vietnam situaciones similares han ocurrido, aunque a las concursantes de Miss Vietnam se les preguntaba acerca de su contribución a la campaña nacional de alivio a la pobreza,[36] y si bien Seychelles prohibió alguna vez ese tipo de concursos por considerarlos tan insensatos, el certamen de Miss Mundo 1998 se llevó a cabo allí, en gran parte como un plan para ayudar a la industria turística. Al año siguiente, el gobierno de Tanzania revirtió la prohibición de los concursos de belleza, para permitir que la empresa Kings International Promotions los llevara a cabo.[37]

Aunque los desórdenes alimentarios parecen ser un privilegio exclusivo de los sobrealimentados, Vanessa Baird cita evidencias de la aparición de anorexia en el sur de África a medida que los conceptos tradicionales de belleza son remplazados por las imágenes de las modelos hiperdelgadas de moda en el mundo rico actual;[38] en Fiji se han notado cambios similares desde la introducción de la televisión vía satélite en 1995.[39] Germaine Greer se refiere a su búsqueda de "la mujer total" en términos que combinan la nostalgia de la antropología colonial con una crítica de lo global:

> Tan pronto había alcanzado a ver a la mujer total, la mercadotecnia occidental vino haciendo escándalo, llamando la atención con su amplio arsenal de efectos espectaculares, vanagloriándose y anunciando el muy seductor canto de la salvación a partir de las Barbies sin caderas, sin vientre y de pechos firmes. Mis mujeres fuertes introdujeron sus musculosos pies en los zapatos de tacón alto y aprendieron a contonearse al caminar; apretaron sus útiles pechos dentro de los brasieres y en vez de leche materna alimentaron a sus hijos con fórmulas comerciales mezcladas con agua sucia; se gastaron su poca reserva de efectivo en lápiz labial y barniz de uñas y se volvieron modernas.[40]

Por supuesto hay críticos no occidentales de la obsesión por la delgadez como belleza,[41] y puede ser que la defensa de muchas mujeres musulmanas liberales del uso del chador sea en parte una resistencia a las presiones de la globalización para establecer un estilo particular de cuerpo. La revolución islámica que en 1977 derrocó el régimen de Pahlavi en Irán puso gran énfasis en la necesidad de cubrir el cuerpo femenino como oposición a la "impudicia" del estilo occidental.[42] Con respecto al uso de la larga túnica y la pañoleta en la cabeza en Dubai un observador escribió: "Es un gesto político muy cargado [...] Las críticas al 'estilo occidental' de modernización se han centrado cada vez más en la cuestión de la castidad, pudor y sexualidad de las mujeres".[43] Es significativo que la revista francesa de modas *Elle*, que vende cinco millones de ejemplares al mes, lanzara su trigésima edición en Turquía al inicio de 1999, cuando ese país estaba cada vez más polarizado entre los defensores de las políticas seculares y los valores islámicos, y a una parlamentaria electa se le prohibió tomar su asiento porque llevaba una pañoleta en la cabeza. Se dice que el año anterior, hasta cuatro millones de turcos se manifestaron a favor del derecho de las mujeres a llevar pañoletas en la cabeza en la universidad. No todos los turcos creen que el Islam y la igualdad de las mujeres sean necesariamente incompatibles. Como escribió un comentarista: "¿Por qué no ser como Irán? Turquía tiene menos mujeres en las universidades, en la profesión médica o en los medios. El ayatolah ha superado a Ataturk".[44]

Los productos químicos modernos, como los esteroides y el silicón, se usan en todo el mundo para remodelar los cuerpos de acuerdo con el prototipo de belleza prevaleciente, y para crear cuerpos que serían inimaginables hace veinte años. Gimnasios, dietas y el uso controlado de medicamentos producen ahora nuevos tipos de cuerpos —masculinos y femeninos— que hacen que los de generaciones anteriores parezcan debiluchos.[45] (El énfasis constante en la enormidad al describir los cuerpos masculinos en la novela *A Man in Full* [*Todo un hombre*] de Tom Wolfe no sólo dice algo acerca de su autor, sino acerca de la actual preocupación estadunidense por inflarse más allá de todos los límites anteriores.) No es de sorprender que héroes musculosos como Schwarzenegger y Stallone sean los símbolos de masculinidad más ubicuos en el mundo contemporáneo, ni que la serie de televisión estadunidense especialmente cretina *Baywatch* (*Guardianes de la bahía*), sea, según algunos reportes, el programa más visto del mundo. En 1995, cuando estaba en Manila, vi unos carteles callejeros que promocionaban un nuevo gimnasio, con ilustraciones de hombres musculosos (blancos), tomadas presumiblemente de revistas gay procedentes de ultramar. Los carteles parecían prometer un lujoso gimnasio con sauna, del tipo que uno encuentra en París o en Los Angeles, pero resultó ser un viejo garaje, tan pequeño y oscuro como los que se encuentran en el área de la avenida Taft. En la diferencia entre imagen y realidad se halla gran parte de la paradoja que constituye la aparente "globalización" de las identidades homosexuales posmodernas.

La globalización de los cuerpos de las mujeres

> *Las mujeres forman parte de las distintas culturas. Pero no escogen nacer dentro de una en particular, ni tampoco adoptar sus normas como buenas para ellas, a menos de que lo hagan contando con oportunidades futuras, entre ellas la de formar comunidades de afiliación y empoderamiento con otras mujeres.*
>
> Martha Nussbaum,
> *Sexo y justicia social,* 1999

Gran parte del control y la ideología sobre la sexualidad está relacionado con las políticas de reproducción y la necesidad que experimenta el hombre de reforzar la legitimidad de su prole y el "honor" de su familia. Históricamente, la mayoría de las sociedades y de las religiones han buscado limitar la sexualidad de las mujeres al definirla en términos de su papel reproductivo, con sanciones muy severas a las expresiones sexuales que pueden amenazar el control masculino de la reproducción. Respecto de la brujería, el antropólogo Ralph Austen dice: "En un nivel más abstracto, también parece posible identificar, en las representaciones europeas y africanas de la sexualidad de las brujas, una preocupación común por la pérdida del poder reproductivo de la mujer, del espacio doméstico cerrado en donde sirve a las normas comunales dominadas por los hombres, hacia el reino nocturno y abierto del poder femenino autocontenido".[46] Miedos similares ayudan a explicar la ambivalencia masculina hacia el lesbianismo, que ha sido a menudo ignorado porque no involucra la posibilidad de reproducción, pero que también puede ser la expresión más amenazante de la sexualidad femenina por excluir totalmente al hombre. Aunque hay muchos ejemplos históricos de sociedades que han intentando influir en el tamaño de la población, la idea de que los gobiernos deben buscar regular la población mediante una mezcla de persuasión y coerción parece una característica particular del Estado moderno.

Parte de la "globalización" implica que se difundan ciertos discursos y prácticas. Las nuevas instituciones se han desarrollado para que la salud reproductiva y el VIH se vuelvan materia de programación internacional, cooperación y control, lo cual también ayuda a crear nuevos tipos de política de identidad (por ejemplo, la presencia de una junta política de lesbianas en la Conferencia Internacional de la Mujer de 1995 en Beijing). En el campo de la salud reproductiva y del VIH-sida vemos la intersección de varios significados de la globalización: *económicos*, ya que las principales compañías farmacéuticas compiten por el redituable mercado del control natal; profundos choques *culturales*, a medida que las discusiones alrededor del control natal y el aborto involucran grandes conflictos ideológicos; y *políticos*, ya que los gobiernos, las agencias internacionales y los movimientos sociales trasnacionales, incluyendo a los religiosos, pelean por el control de las políticas poblacionales.

No es sorprendente que gran parte de los encuentros internacionales organizados alrededor de los asuntos de la mujer se haya enfocado en temas de derechos reproductivos y salud, ya que la mortalidad femenina está ligada al alumbramiento y al aborto. (En países pobres, hasta 30% de las muertes de mujeres en edad reproductiva está ligado a complicaciones del embarazo.)[47] El control de la población se ha convertido en un área muy competida de políticas globales. Allí, el campo de batalla son los cuerpos reales de las mujeres mismas.

Entre las dos guerras mundiales, un gran número de países adoptó "políticas de población", dirigidas por lo regular al incremento poblacional; esto se repitió con programas de migración posteriores a la guerra en países como Australia, y en las prohibiciones del control natal y el aborto en la Rumania comunista.[48] De hecho, las políticas extremas pro natalidad del régimen de Ceausescu influyeron en la novela distópica de Margaret Atwood, *The Handmaid's Tale*. Al mismo tiempo, algunos gobiernos, influidos por las ideas de eugenesia y "mejora" de su población, impusieron las esterilizaciones obligatorias a mujeres a quienes se consideraba madres indeseables ya fuera por su raza, capacidades o presunta inmoralidad. En Suecia se esterilizó a mujeres con "indudables facciones gitanas", y hasta 1994 en Noruega se utilizaron radiaciones en mujeres que padecían retraso mental.[49] Algunos gobiernos continúan fomentando la reproducción. El de Singapur ha mostrado una considerable preocupación por que las mujeres bien educadas no dejen de casarse y tener hijos. Croacia adoptó una serie de leyes que se proponen incrementar la tasa de nacimientos, en parte por medio de una "lucha contra lo no femenino" que parece ser un código que impone severas restricciones a los derechos de la mujer según los comprende el feminismo contemporáneo;[50] asimismo una rápida caída en el índice de natalidad en Serbia posterior a las recientes guerras llevó al menos a un político a sugerir el cobro de impuestos a las parejas que no "produjeran" niños.[51] Y algunos de los que se oponen a la amplia difusión del aborto en Rusia —donde es la forma más común de control natal— no apelan al efecto aterrador que tiene esta práctica en la salud de las mujeres, sino más bien al afán nacionalista de mantener la población nacional.[52] De hecho, la mayoría de los países de la antigua Unión Soviética y sus satélites de Europa aún tiene políticas de población pro natalidad.

Sin embargo, la mayor parte de las restricciones al aborto parece ser resultado de miedos religiosos y patriarcales a la sexualidad femenina, y esto significa que en todo el mundo las muertes por abortos clandestinos, ilegales, suman *al menos* 70,000 al año.[53] Resulta irónico que esas cifras incluyan muertes en países donde los gobiernos también están comprometidos con la planificación familiar, pero esto sólo subraya la irracionalidad de muchas de las normas que rodean a la regulación sexual. En realidad, algunos de los programas dirigidos a reducir el crecimiento de la población involucran la esterilización obligada, lo cual ocurre a menudo en países que prohíben el aborto por negar éste "que la vida es sagrada". De este modo, se estima que en Perú los médicos llevaron a cabo alrededor de 100,000 esterilizaciones y 10,000 vasectomías en 1997.[54] No obstante, Perú, junto con la mayoría de los países de América Latina, tiene una tasa muy alta de mortalidad por abortos ilegales. (En el mundo pobre sólo China, Vietnam, Cuba, los países de la antigua Unión Soviética, Turquía y Sudáfrica permiten el aborto por solicitud, aunque otros muchos países, entre ellos Túnez, Zambia y Belice, tienen leyes liberales.)[55]

Más comúnmente, los programas de planificación familiar amplían la provisión de técnicas y consejos apropiados para el control natal, a menudo sin reconocer del todo hasta qué punto esto puede romper los patrones tradicionales de comportamiento y comprensión del mundo. A medida que los programas internacionales de desarrollo han ampliado la agenda sobre salud reproductiva, también se han globalizado preocupaciones que, en periodos históricos previos, se consideraban privadas y fuera del escrutinio internacional. Aunque podríamos (y yo lo hago) aplaudir las intervenciones internacionales contra la violencia doméstica, el infanticidio y los matrimonios forzados, también debemos reconocer que tales campañas son parte de la estrategia continua para crear normas universales que de modo inevitable reflejarán la fuerza ideológica dominante de los países ricos. Según reconoce la organización Family Health International (Salud Familiar Internacional), con sede en Estados Unidos, los programas de planificación familiar con subvención internacional "se encuentran en excelente posición para intervenir pues representan una de las pocas instituciones que tienen contacto con la mayoría de las mujeres durante su vida reproductiva, la época de mayor riesgo para la violencia familiar".[56] Más problemáticos son los modos en que los programas de planificación familiar pueden convertirse en medios para modificar los patrones específicos de vida cultural, tales como los largos periodos de abstinencia sexual, centrales en las costumbres de algunas mujeres africanas.[57]

Entre los participantes clave en el debate sobre población mundial se encuentran grupos tan dispares como la Iglesia católica y la International Planned Parenthood Federation (Federación Internacional de Paternidad Planeada). En muchos países la presión de la iglesia

107

ha mantenido al aborto en la ilegalidad, pese a las crecientes demandas de las mujeres y los grupos de derechos humanos. (Después de la reunificación de Alemania, el desequilibrio entre las leyes de aborto liberales del Estado oriental y las muy restrictivas del occidental llevaron a una crisis política interminable. Después de un largo debate parlamentario, se adoptó un acuerdo aparente, sólo para que fuera anulado por la corte constitucional alemana, que limitó las condiciones bajo las cuales el aborto es constitucional.)[58]

Desde el fin de la segunda guerra mundial, el control de la población ha sido un elemento significativo de las políticas internacionales, con una considerable presión del aparato de poder político estadunidense para convertir ese control en una pieza central del "desarrollo" económico en países pobres.[59] El miedo a una explosión demográfica, usualmente ligado a la degradación ambiental, ha sido un tema muy socorrido por la literatura de ciencia-ficción desde los años cincuenta, reflejo de las preocupaciones de la política exterior estadunidense.[60] Resulta interesante que recientemente el tema opuesto, esto es la esterilidad global, haya surgido como tema en algunos trabajos de ciencia ficción.[61]

El apoyo a los programas de control demográfico mediante la ayuda internacional recuerda las formas en que dicha ayuda es en sí misma una forma de globalización, pero también se ha convertido en una importante área de protesta, a medida que las presiones de la derecha han vuelto más y más restrictivo el apoyo de Estados Unidos al control de la población. (Estados Unidos, sin embargo, sigue siendo por mucho el mayor patrocinador de tales programas.) Al mismo tiempo, varios programas de Naciones Unidas abogan mucho por el control poblacional, y en 1969 se estableció el Fondo de las Naciones Unidas para Actividades de Población (UNFPA, por sus siglas en inglés) para dar asistencia en "temas de salud reproductiva y población".[62] Éste es todavía un actor central en lo que Betsy Hartmann llama "el establishment de la población".[63]

Vale la pena recordar que la primera píldora anticonceptiva

se probó en mujeres de Haití y Puerto Rico antes de colocarse en el mercado estadunidense,[64] y que las ventas globales de anticonceptivos rebasan los 2,500 millones de dólares anuales.[65] Las compañías farmacéuticas con sede en los países ricos tienen un fuerte interés en los mercados de los países en desarrollo, y ejercen considerable presión para que los gobiernos adopten una "mercadotecnia social" de píldoras anticonceptivas, concepto que se ha extendido a los condones como medio para prevenir el embarazo y el VIH así como otras enfermedades de transmisión sexual. El hecho de que el uso de anticonceptivos sin supervisión médica puede ser dañino para la salud femenina se ignora a menudo por un acuerdo tácito entre la industria farmacéutica y los organismos de control de población con el propósito de fomentar el máximo uso del control natal.[66]

El movimiento internacional de las mujeres ha afirmado cada vez más que muchos programas de control demográfico les son impuestos bajo coerción; en 1994 la Conferencia Internacional de Población y Desarrollo del Cairo vio acentuarse el énfasis, al menos en un nivel retórico, en el empoderamiento de la mujer y sus derechos a controlar la reproducción.[67] Sin embargo, las recomendaciones finales opusieron explícitamente a la "promoción del aborto" un compromiso que bastaba para limitar la oposición a algunas de las recomendaciones del Vaticano y de un puñado de países católicos y musulmanes.[68] (Algunos gobiernos —Irak, Líbano, Arabia Saudita y Sudán— boicotearon la conferencia.) Implícito en este giro estaba el reconocimiento de una posición feminista sobre la sexualidad y los derechos reproductivos, y aunque la declaración final sólo tuvo impacto como exhortación, es un importante avance hacia la equidad de la mujer. La continuación de la conferencia cinco años después se aproximó ¿o no? hacia un mayor realismo al exigir que el aborto fuera un procedimiento "seguro" en los países donde es legal,[69] y surgió la posibilidad de reexaminar las sanciones criminales donde éstas se aplican.

No es la coerción del Estado, como ocurre en China con la política de "un solo hijo" o la esterilización forzada de países como Perú y Bangladesh, el único obstáculo que enfrentan las mujeres para controlar su sexualidad. Argumentar que las mujeres deben controlar la reproducción significa reconocer que esto sucede sólo si ellas tienen verdaderas opciones, mismas que son imposibles en situaciones donde las jóvenes pueden ser forzadas a casarse, los hombres pueden tener esposas adicionales (pero no al revés) y se puede obligar a las mujeres a divorciarse en caso de que no tengan hijos varones; formas todas estas de coercionar a las mujeres, reforzadas mediante instituciones sociales y religiosas. Es verdad que mientras muchos grupos feministas y de derechos humanos han denunciado las actitudes punitivas del gobierno de China en relación con limitar la reproducción —una de cuyas consecuencias es el incremento en el infanticidio y el abandono de niñas recién nacidas—,[70] la política poblacional de China no está tan alejada de un punto de vista que considera a las mujeres en un nivel de subordinación, como sucede en muchas religiones. China tiene una tasa de mortalidad por aborto —al que se accede de manera libre— mucho más baja que la mayoría de los países en condiciones económicas comparables, y recientemente ha ablandado su política de "un solo hijo".

Es imposible divorciar la "revolución sexual" de los grandes cambios en cuanto a género ocurridos durante el siglo pasado y que de manera fundamental siguen transformando la forma en que mujeres y hombres se entienden a sí mismos y entre sí. La rápida generalización de estos cambios, que forma parte del proceso de globalización, a menudo origina tensiones molestas, como cuando las demandas de igualdad de derechos para las mujeres entran en conflicto con el llamado a preservar las tradiciones culturales. El ejemplo que a menudo se da al respecto es el de la "circuncisión" femenina,[71] pero esto ignora el hecho incómodo de que la mayoría de las tradiciones —incluyendo las basadas en enseñanzas cristianas occidentales— subordinan las necesidades y deseos femeninos a los hombres.

La circuncisión femenina —tal vez sería mejor llamarla mutilación genital— conlleva una pesada carga de dolor, lesión permanente y muerte, al igual que otras prácticas reguladas por los hombres, como la negación al derecho legal de abortar y la prostitución forzada. Esta práctica ha sido objeto de considerable atención internacional, en parte debido a la migración de muchos africanos a países donde las costumbres —y en algunos casos las leyes— la prohíben. De hecho, el término cubre una serie de prácticas que van desde remover la punta del clítoris hasta la infibulación: mutilación total de éste, los labios menores e incluso algunas partes de la carne a los lados de los labios menores.[72] En el pasado los médicos occidentales usaron prácticas similares para controlar las "desviaciones" sexuales femeninas. Algunas feministas africanas han hecho campaña en contra de ello, y la severa práctica de la infibulación se prohibió en Sudán en 1946 y en Kenia en 1982. La Conferencia Internacional de Población y Desarrollo de 1994 se opuso a la mutilación genital femenina. Desde entonces más países africanos, incluyendo a Ghana, Senegal y Togo, la han penalizado. Sin embargo, se ha argumentado que dicha prohibición se debe en gran parte a las presiones de los gobiernos occidentales, y que ha tenido el efecto, no de detener su práctica, sino de que se vean forzados a realizarla de manera clandestina. En Guinea la mutilación genital acarrea la pena de muerte, pero la ley continúa sin aplicarse.[73] En 1982 Suecia se convirtió en el primero de varios países europeos en los que se prohibió la mutilación. Asimismo, las cortes francesas la prohibieron bajo leyes que penalizan la violencia en contra de los menores.[74] En un caso muy difundido a principios de 1999, un inmigrante de Malí en París fue encarcelado por practicar mutilaciones. Varios estados australianos han establecido la proscripción legal de esta práctica, pero han tratado de combinar esto con una asesoría adecuada dentro de las comunidades afectadas.

A pesar del aparente aumento del compromiso con los derechos humanos y la equidad de género, la posición global de las mujeres aún es claramente desigual en casi todas las áreas. El triunfo del neoliberalismo ha sido particularmente negativo para la mayoría de las mujeres, ya que suprime los apoyos sociales tradicionales y debilita el bienestar ofrecido por el gobierno, por lo que, a menudo, las mujeres tienen la responsabilidad desmesurada de hacerse cargo de los niños, los ancianos y los enfermos. Tampoco hay que ignorar el impacto destructivo de la globalización y el capitalismo contemporáneo sobre millones de hombres; hay demasiados casos en que los privilegios de clase son más significativos que los de género en cuanto al acceso a los bienes del mundo de consumo. Pero, como expresa Zillah Eisenstein, el patriarcado se ha *re*privatizado en los países del primer mundo, mientras que la consolidación del capital global ha aumentado de manera considerable la carga de las mujeres, quienes tienen menos posibilidades de recibir educación o tener acceso a las tecnologías modernas.[75]

IMAGINAR EL SIDA, Y LA NUEVA VIGILANCIA

△

> *Al saturar los servicios sociales [de África], crear*
> *millones de huérfanos y diezmar a trabajadores*
> *de la salud y maestros, el sida está causando*
> *una crisis social y económica que amenaza la es-*
> *tabilidad política [...] Esta mezcla de desastres*
> *es una receta segura para mayores conflictos. Y*
> *los conflictos proveen terreno fértil para infeccio-*
> *nes posteriores.*
>
> Kofi Annan, 2000

Al comienzo de este siglo el número de gente infectada con el VIH era de aproximadamente 35 millones y la infección crecía con rapidez en gran parte de África, el sur de Asia y el Caribe. Los funcionarios de la ONU han comparado al sida con las grandes epidemias de la historia, pues algunos países tienen una tasa de infección en adultos de 25%,[1] y la División de Población de Naciones Unidas estima que la esperanza de vida está cayendo en 29 países africanos debido a este mal.[2] En el cambio de siglo, el sida se ha vuelto la primera causa de muerte en África, lo que implica un problema importante, ya que se concentra con mayor fuerza en los sectores más productivos de la población. De alguna manera, la epidemia se ha convertido en una metáfora de la lucha potencial entre la vida y la muerte dentro de la sexualidad al comienzo del nuevo milenio.

Las políticas contra el sida incluyen su regulación a través de organizaciones estatales e internacionales, el desarrollo de un vasto rango de respuestas comunitarias, la economía política de la salud y manifestaciones culturales ampliamente difundidas. Como escribió Richard Parker: "En poco más de una década la rápida propagación internacional de la pandemia del sida ha cambiado de manera profunda las formas en que vivimos y entendemos el mundo. Nunca un problema global común había atraído la atención de manera tan clara hacia las importantes diferencias que dan forma a la experiencia de distintas culturas y sociedades. Y en ningún caso esto es más cierto que en relación con nuestra comprensión de la sexualidad humana".[3] El sida ha entrado en el imaginario global, usando tal término en el sentido que le da Appadurai de "un paisaje construido por aspiraciones colectivas [...] la imaginación como una práctica social".[4]

El apremio ante el VIH-sida y la movilización, intervenciones e investigación generados por la epidemia introdujeron una nueva dimensión en los debates acerca de la sexualidad. Para los conservadores morales el sida parece casi como un traje a la medida, una llamada de atención para quienes argüían que era posible ver el sexo como recreación, y en muchas partes del mundo —tanto en África y el Caribe como dentro de la Iglesia católica y el senado de Estados Unidos— se argumentaba que la única respuesta sensata en relación con el sida era la abstinencia, el celibato o, aún mejor, la monogamia mutua. En KwaZulu-Natal (Sudáfrica), el rey Goodwill Zwelithini ha buscado restaurar el compromiso del celibato antes del matrimonio para ayudar a frenar la difusión del VIH, mediante la tradicional "danza del junco" para enfatizar la tradición.[5] Aun en Australia, generalmente reconocida por haber tenido una de las respuestas oficiales más progresistas del mundo frente la epidemia, la presidenta del National Advisory Committee on AIDS (Comité Nacional de Consulta sobre Sida), Ita Buttrose, ganó mucha notoriedad cuando habló sobre su propio "celibato radical". Buttrose era una fuerte defensora del uso del condón y del fortalecimiento de la educación de la comunidad gay, pero tipificó la actitud predominante al señalar:

Woodstock no podría suceder de nuevo después de la llegada del sida. "Amor libre" sería ahora una palabra sucia [sic] porque cualquiera sabe que no significa necesariamente amor o libertad. De hecho, podría representar un costo muy alto. El amor libre ha significado tener relaciones sexuales con cual-

114

quier persona, sin complicaciones ni compromisos. El problema es que no es posible conocer el pasado sexual de alguien, su historia.[6]

Como veremos, algunos hombres homosexuales se opusieron en particular a este punto de vista sobre las implicaciones de la epidemia, pero ciertamente la explosión del VIH desde el inicio de los años ochenta cambió tanto los discursos como las prácticas de la sexualidad. Como lo señala Mark Merlis, uno de los escritores homosexuales contemporáneos más originales: "Ya nadie tomará de nuevo ese rumbo, aun si se halla la cura. En parte porque ya nunca poseeremos de nuevo nuestros propios cuerpos, como los tuvieron ellos. Ahora somos vectores, o conductos, fuentes de transmisión; nuestros cuerpos pertenecen a lo invisible".[7]

El sida se adecua a la comprensión común de la "globalización" de varias formas, que incluyen su epidemiología, las medidas contra su propagación y el predominio de ciertos discursos en la comprensión de la epidemia. Nótese que he adoptado la forma común de hablar de ello, que considera equivalentes el VIH (el virus que debilita el sistema inmunológico) y el sida (la condición médica que resulta de tal debilitamiento), a pesar de que en la práctica hay diferencias significativas entre ambos. Como Anthony Smith ha apuntado: "Son sólo causa y efecto separados por un significativo pero variable periodo de tiempo; de hecho se presentan en dos campos culturales muy distintos, el tratamiento del sida se halla principal y casi exclusivamente dentro de la esfera de la biomedicina clínica, y la prevención de la infección por VIH, dentro del campo de las ciencias sociales y del comportamiento, aunque la propiedad del VIH que ostentan tales disciplinas ha estado bajo el continuo ataque de la biomedicina".[8]

Los reportes de una nueva enfermedad infecciosa y potencialmente fatal datan de 1981, cuando a algunos jóvenes se les diagnosticó una severa deficiencia inmunológica en ambas costas de Estados Unidos. Es casi seguro que algunas versiones del VIH-sida hayan exis-

115

tido por largo tiempo en África; por desgracia esta aseveración se ha catalogado como racista, aunque no sea más que un intento de entender la etiología de la enfermedad. Es posible que el VIH haya mutado en el pasado reciente hasta volverse mucho más dañino para los seres humanos, y que su rápida propagación en las últimas dos décadas esté muy relacionada con las fuerzas del "desarrollo", y con los movimientos globales de población. Incluso es posible que tal propagación sea consecuencia de experimentos con una potencial vacuna contra la poliomielitis en los años cincuenta.[9] También se presume que el virus se contagió más allá de su lugar de origen a través de la migración y el desarrollo urbano, y que su rápida propagación a nivel mundial esté relacionada muy de cerca con la naturaleza de la economía global. El VIH siguió los enormes movimientos poblacionales del mundo contemporáneo: camioneros que viajaban por Zaire e India;[10] mujeres que realizaban trabajo sexual como medio de supervivencia, a medida que las viejas comunidades y el orden social se derrumbaban; hombres en busca de trabajo en los campos mineros de Sudáfrica y Zimbabwe; turistas (por ejemplo estadunidenses en Haití); refugiados (haitianos exiliados a Estados Unidos); soldados (combatientes cubanos en Angola, tropas de las Naciones Unidas en Camboya o en la antigua Yugoslavia) que traspasan las fronteras nacionales...[11] Por poner un ejemplo casi al azar, la reciente propagación del VIH en Honduras, que tiene las cifras más altas de sida en América Central, se ha atribuido a la interacción de prostitutas y soldados en la base estadunidense de Comayagua.[12] La participación de siete ejércitos africanos en la lucha civil del Congo a finales de los años noventa parecía hecha a la medida para una rápida propagación del VIH.[13]

El sida es producto y causa de la globalización, al unir las regiones menos y más desarrolladas del mundo.[14] A pesar de los intentos por poner fronteras a su propagación como son las restricciones impuestas en muchos países para la entrada de gente VIH positiva, la propagación del virus se ha burlado de la soberanía nacional. Con respecto a la mayor región del Mekong —que abarca China, Myanmar,

116

Tailandia y Laos— Doug Porter ha escrito: "Los nexos de la transmisión del VIH a través de este territorio constituyen una metáfora para la globalización de la inversión, el comercio y la identidad cultural. Aunque la tradición realista predominante en los estudios sobre relaciones internacionales concibe los espacios territoriales nacionales como homogéneos y exclusivos, lo que se denomina la "nueva economía cultural global" tiene que verse como un orden complejo, traslapado y dislocado, que no puede entenderse de manera adecuada en términos centro-periferia, dentro-fuera, los modelos pasados de las fronteras nacionales".[15]

La creciente internacionalización del comercio de sexo y drogas ha desempeñado un papel importante en la difusión del VIH y su propagación en casi todos los rincones del mundo. Se ha venido argumentando que "los patrones en el uso de drogas ilícitas están volviéndose globalizados y 'estandarizados'",[16] y que conducen a la rápida difusión del VIH en países del sureste asiático y de Sudamérica, donde la "guerra contra las drogas" encabezada por Estados Unidos provocó que la práctica de las inyecciones sustituyera en parte la tradición de fumar opio. El Programa de Control de Drogas de las Naciones Unidas estima que el comercio internacional de drogas ilegales suma alrededor de 400 mil millones de dólares al año y toca virtualmente todas las partes del mundo. Estamos acostumbrados a oir del comercio de drogas en Colombia y Myanmar, pero otras partes del mundo —Nigeria, el Asia central exsoviética— también son grandes exportadoras. De la misma manera, inyectarse drogas, con los riesgos concomitantes de compartir agujas, es una práctica que se encuentra cada vez en más regiones y países del mundo.

Mientras se dice muchas veces que el VIH se "expande mediante la prostitución" (fórmula que repite la costumbre de satanizar a los trabajadores sexuales e ignorar al cliente), también es cierto que el miedo al sida en sí mismo cambia la naturaleza del comercio sexual internacional. Está comprobado que el sida ha desempeñado un papel determinante en la mayor demanda de prostitutas jóvenes, se supone

117

no infectadas, a menudo de áreas rurales, lo cual ha significado un aumento en la demanda de jóvenes birmanas en Tailandia, de muchachas nepalesas en la India, y así sucesivamente.[17] (Hay estimados de que alrededor de la mitad de las prostitutas de la India es menor de 18 años, y 20% menor de 15.)[18] Por supuesto, la demanda de mujeres jóvenes —sobre todo vírgenes— es una vieja tradición que ha alimentado por mucho tiempo una gran parte del comercio en la prostitución.[19]

De alguna manera, las mismas políticas impulsadas por los organismos internacionales y los teóricos económicos para promover un desarrollo más rápido han contribuido a las condiciones que hacen a la gente vulnerable a la infección del VIH. Ahora existen algunos ensayos dedicados a la inquietante relación entre la infección del VIH y el desarrollo;[20] un ejemplo que me gusta citar es el Puente de la Amistad Tailandia-Laos que cruza el Mekong, inaugurado con fanfarrias en 1994. Al incrementarse el tráfico a través del río, también ha aumentado la vulnerabilidad de los laosianos a la infección, sobre todo en la ciudad fronteriza de Nong Khai.[21] Se han establecido conexiones similares entre la globalización y la propagación del cólera en los últimos veinte años. Lee y Dodgson hablan de los impactos adversos de la globalización en los sistemas de salud de América Latina, que incluyen "el incremento de la deuda interna, la rápida urbanización, la degradación ambiental, el acceso inequitativo a los servicios de salud, y el reducido gasto público en infraestructura pública para este rubro. El cólera arribó en 1991, y se extendió con rapidez por el continente causando una epidemia de 1.4 millones de casos y más de 10 mil muertes en 19 países".[22] Ese reporte continúa para apuntar casos similares en la antigua Unión Soviética, relacionados con condiciones parecidas. Aunque los medios de transmisión son diferentes, las condiciones similares de desajuste social, pobreza, y la ausencia de servicios de salud significan que el VIH se esparcirá mucho más rápido (otras enfermedades de transmisión sexual no tratadas incrementan la susceptibilidad a la infección por VIH). Como señala Gita Sen: "La globalización en sí misma, en términos de la privatización no regulada, [constituye] un campo abierto para las compañías farmacéuticas; los recortes presupuestales en el sector salud y el debilitamiento del interés por la equidad en la salud colocan enormes barreras a la incipiente agenda de los derechos sexuales y reproductivos"[23] —a la que uno podría añadir la prevención del VIH y de otras enfermedades de transmisión sexual.

Es una ironía que el Banco Mundial destine cantidades de dinero cada vez mayores a la lucha contra el sida en países como Brasil e India, donde las propias políticas de esa institución han ayudado a debilitar las estructuras de salud que podrían haber ayudado a prevenir la difusión del VIH. (Uno de los ejemplos más notables de cómo el ajuste estructural influyó en la propagación del sida son los datos de Kenia, que muestran una caída abrupta en la atención de enfermedades de transmisión sexual en las clínicas, una vez que el Banco Mundial puso en vigor cuotas para esas consultas.)[24] Además, parte del impacto de una epidemia ligada a los trastornos económicos y sociales ha sido incrementar efectivamente la vulnerabilidad de las mujeres, quienes son más propensas a no poder protegerse de la infección, soportan la mayor parte del peso de atender a quienes están enfermos y tienen, ellas mismas, menor acceso a los tratamientos.[25] El abuso y la violación (dirigidos, en general, pero no siempre, contra las mujeres) son una causa importante de transmisión del VIH, que se incrementa de manera dramática en situaciones de trastornos políticos. Sin embargo, en algunos países las mujeres que piden a sus violadores que usen condones son acusadas de haber dado su consentimiento para la violación.[26]

El desarrollo de varias respuestas internacionales al VIH-sida forma parte de la globalización del bienestar humano, uno de los seis "vectores" identificados por Hopkins y Wallerstein en su estudio sobre el desarrollo del sistema mundial. La formación de la Organización Mundial de la Salud en 1948 pudo verse como el principio de un esfuerzo, hasta entonces muy lento, para que se reconociera la necesidad de establecer ciertas normas básicas de "salud para todos", un programa

119

de cuidado primario y preventivo global que fue aprobado por la Organización Mundial de la Salud y la UNICEF en 1978.[27] Asimismo, la respuesta internacional tiene implicaciones para la globalización de ciertos paradigmas biomédicos y de comportamiento social, los cuales se ignoran a menudo en las discusiones sobre globalización. Las movilizaciones globales en torno a las exigencias de una emergencia biomédica han significado inevitablemente un mayor atrincheramiento de los conceptos occidentales de enfermedad, tratamientos y el cuerpo. Creo que el punto de vista racionalista occidental del sida, según el cual éste es causado en esencia por la infección de un retrovirus, es correcto, pero reconocer esto como la base de programas globales es reconocer también que eso socava otras maneras de ver la medicina y el cuerpo. En algunas sociedades ha habido una resistencia a la concepción occidental del sida, muchas veces ligada a los intereses de los curanderos tradicionales, pero muchas veces ha sido en comparación débil a la hora de homogeneizar el impacto de la ciencia biomédica global. Los llamados constantes para involucrar a curanderos tradicionales en programas de VIH pasan por alto con demasiada frecuencia el problema de integrar marcos referenciales epistemológicos y maneras muy diferentes de entender la enfermedad.

La primera respuesta internacional significativa frente a la nueva epidemia vino en 1986, cuando la Organización Mundial de la Salud estableció el Programa Global del Sida (GPA, por sus siglas en inglés), con sede en sus oficinas centrales de Ginebra. Se puede ver que el GPA tuvo tres claros logros: establecer un discurso internacional acerca del VIH-sida que subrayaba el lenguaje de fortalecimiento y participación; dar apoyo técnico a algunos países en desarrollo en varias áreas políticas y programas; y movilizar a países donadores para apoyar una respuesta multilateral frente a la epidemia.[28] Una década más tarde, el GPA fue remplazado por una respuesta más amplia, la creación de ONUSIDA, programa mixto y copatrocinado en el cual participan siete agencias principales de las Naciones Unidas, bajo la égida del Consejo Económico y Social.[29]

Para los propósitos de este libro es muy significativo el impacto de la epidemia en los ámbitos de sexo y género. Las diferentes comprensiones culturales que los humanos dan a sus cuerpos son desafiadas de manera constante y reconstruidas por el impacto de nociones occidentales particulares, importadas mediante influencias económicas, culturales y profesionales; la epidemia del sida ha creado "expertos" que influyen en las percepciones del sexo y del género por medio de los programas preventivos y educativos. Dichos programas promueven la difusión de un lenguaje particular alrededor de la sexualidad y de las identidades sexuales que depende de hipótesis particulares, en su mayoría occidentales. Como lo ha señalado Carol Jenkins:

> La concepción de un dominio sexual que requiere esfuerzos taxonómicos es algo nuevo y decididamente occidental. Los pueblos tradicionales de Papua Nueva Guinea por lo general no tienen términos específicos para designar un tipo de orientación sexual como opuesta a otra, aunque puede hallarse un término sugestivo de una identidad de género alterada en, al menos, algunas de las 868 o más lenguas nacionales.[30]

Con frecuencia los programas alrededor del VIH-sida han utilizado términos como "trabajador sexual", "gays/hombres bisexuales"/ "hombres que tienen sexo con hombres", y de esta manera contribuyen a una mayor globalización de los movimientos basados en tales identidades. (Irónicamente el término "hombres que tienen sexo con hombres" se acuñó para los hombres que rechazaban cualquier sentido de identidad basado en sus prácticas sexuales, pero muy pronto se usó en un contexto que sólo repitió las viejas confusiones entre comportamiento e identidad.) Más interesante tal vez es el desarrollo del concepto de "persona que vive con VIH-sida" (PLWHA, por sus siglas en inglés). La creación de la "persona con sida" como identidad específica surgió de forma clara a partir de anteriores modelos gay como "salir del clóset" y ha sido un factor significativo para echar abajo el predominio médico con respecto a la epidemia. Si bien hay alguna inquie-

121

tud sobre la relevancia de este modelo en las sociedades no occidentales —he oído a africanos discutir que si se hace énfasis en una identidad positiva esto puede llevar a divisiones dentro de familias y comunidades—, es un término que ha sido recogido por la mayoría de las respuestas oficiales a la epidemia y le fue otorgado un estatus internacional en la cumbre de París en 1994, cuando los gobiernos participantes se comprometieron a dedicarse más "a la gente con sida". También es una identidad que acarrea graves riesgos cuando se usa para estigmatizar; como afirma un PLWHA israelí: "Entendí que la gente me mataría antes de que lo hiciera el virus".[31] En varios países hay casos de personas identificadas como VIH positivas que han sido golpeadas y asesinadas; el ejemplo más conocido es el de Gugu Dlamini, a quien mataron por "traer la vergüenza" a su comunidad después de resultar positivo durante una campaña en Sudáfrica en 1998 para incrementar la conciencia y aceptación de las PLWHA. Se ha dicho que su asesinato fue parte de una cacería de brujas contemporánea, en la que el VIH era una nueva marca de la hechicería.[32]

Mientras se reconoce la diversidad sexual y el hecho de que para la mayoría de la gente el comportamiento no encaja necesariamente en categorías, claras, hay un cambio gradual hacia la conceptualización de la sexualidad como base central para la identidad en la mayor parte de los países del mundo donde los programas del VIH han desempeñado un papel significativo.[33] El siguiente capítulo aborda algunos de los problemas inherentes a la exportación de clasificaciones occidentales de la sexualidad a otras culturas. Por el momento, voy a referirme a la cercana conexión entre las estrategias de vigilancia y prevención asociadas con el VIH-sida y el rápido crecimiento de ciertos tipos de políticas de identidad en muchas partes del mundo. Citaré como ejemplo un reporte del proyecto Girasol, programa de prevención del VIH en El Salvador:

Cuando los trabajos empezaron, en 1994, muy poca gente imaginó que esta clase de organización sería aceptada o podría tener algún impacto. Pero el espacio se abrió y se defendió con organización y de manera visible, y el proyecto ayudó a consolidar la autoestima de las trabajadoras sexuales y la comunidad gay, "al cambiar su imagen autodestructiva por una constructiva". Por primera vez se estableció en El Salvador una comunidad homosexual autoidentificada.[34]

Al permitir la inevitable autopromoción de dicho reporte, éste apunta, sin embargo, hacia algo que ha sido observado por todo el mundo en los últimos diez años: el desarrollo de un sentido de identidad y afirmación entre personas que se unen a través de una sexualidad común o de una relación compartida según la economía del sexo (como en el caso de los trabajadores sexuales). Esto no descarta que tales hechos puedan entenderse ya sea como emancipatorios o neocoloniales; por el momento me interesa sólo reconocer esos cambios.

Pero el sida también ha cambiado y ampliado las experiencias sexuales. En muchas sociedades la discusión más abierta sobre el sexo es en sí un cambio muy significativo. Es común oir a trabajadores que luchan contra el VIH en países de África, Asia o el Pacífico explicar los cambios que se requieren en las expectativas sociales para siquiera abrir por primera vez la discusión sobre el comportamiento sexual. La ignorancia acerca de las posibilidades sexuales y reproductivas básicas permanece como un enorme obstáculo para un comportamiento seguro en quizá la mayor parte del mundo. Más allá de esto, el rango de programas preventivos creados ante la amenaza de la epidemia significa que se han dado cambios reales en el comportamiento, al menos en algunos campos. La campaña permanente para incorporar el condón a las relaciones sexuales ha inducido una nueva conciencia y discusión acerca de la sexualidad, y ha producido otros cambios en las prácticas sexuales, con ejemplos que van desde un nuevo interés en los masajes y el sexo "sin penetración" en el mundo rico, hasta discusiones, en lugares de África, acerca de los riesgos de practicar el "sexo se-

123

co" (el uso de hierbas y otros elementos para secar la vagina antes o durante el acto sexual).[35] Reportes de las reuniones de la Society for Women and AIDS (Sociedad para las Mujeres y el Sida) en África muestran un alto grado de preocupación e interés por cambiar las normas y los comportamientos sexuales para dar mayor poder a las mujeres ante las enfermedades de transmisión sexual. En Uganda y tal vez en otros países africanos, los imperativos de la prevención del VIH han llevado a una apreciación crítica de la práctica de la poligamia,[36] y a fines de 1999 el presidente Moi de Kenia habló de incrementar la edad mínima para el matrimonio de catorce a dieciocho años, pero continuó rehusándose a promover el uso del condón. Tal vez el ejemplo más exitoso de cambio en el comportamiento surgió mediante la campaña "100% condón" en Tailandia, mediante la cual el gobierno distribuyó millones de condones en todos los prostíbulos, y promovió el uso del lema "Sin condón, no hay servicio ni devolución".[37] Hay alguna evidencia de que el bache económico de fines de los años noventa minó en parte este programa.

El uso del condón es parte de una revolución más amplia en las costumbres sexuales, ligada a la idea de que es posible mantener el placer sexual y la aventura, mientras se previene la transmisión de la enfermedad. Las comunidades gay inventaron en varios países el término "sexo (más) seguro", que apareció primero en la literatura producida por grupos homosexuales de prevención del sida en San Francisco y Houston en 1982.[38] Éstos fueron seguidos pronto por grupos similares a través del mundo occidental —al principio de la epidemia los nuevos mensajes eran difundidos por medio de dramatizaciones de grupos como Safe Sex Sluts (Rameras del Sexo Seguro) en Melbourne y Safe Sex Corps (Cuerpos de Sexo Seguro) en Toronto. Programas preventivos similares hoy en día tienen como objetivo alcanzar un público más amplio en todo el mundo, y a menudo difunden sus mensajes acudiendo al ingenio del uso del teatro, las marionetas y las caricaturas.[39] De igual manera, la amenaza del VIH fue la que acabó con los tabúes con respecto a anunciar condones en la televisión de países como Australia y Francia, si bien todavía no en Estados Unidos.[40] En otros países como México y Filipinas, la publicidad de los condones ha sido un tema que ha creado amargas controversias, y ha colocado a la Iglesia y al Estado en un conflicto directo. (En México, la policía ha acudido a las leyes que prohíben "las ofensas contra la moral pública" para detener los esfuerzos educativos contra el sida,[41] aunque la promoción del condón ya está bastante difundida.) Los condones ahora aparecen con regularidad en las películas pornográficas, que, de este modo, los normalizan, y quizá los erotizan.

La creencia general durante los primeros años de la epidemia fue que el sida traería una nueva época de ideas conservadoras en materia sexual. La moda bisexual fue remplazada por un nuevo discurso de monogamia, y durante algunos años se creyó de manera seria que muchos hombres renunciarían al sexo homosexual; en un relato corto de 1987 Brendan Lemon escribió: "En algún momento hacia el final de la década del sida, Paul decidió volverse heterosexual".[42] Este cambio fue descrito por Linda Singer como "el cambio de una economía inflacionaria de optimismo a una economía de recesión erótica o de estancamiento-inflación".[43] Frank Mort cita a un escritor (sin identificar) de la revista británica *Arena* en 1987: "Con el despertar del sida, los solteros histéricos lo hacen consigo mismos [...] uno sospecha que cada vez más están dando a conocerse [como masturbadores]".[44] El mejor ejemplo del argumento de Mort es el aumento dentro de la comunidad gay de fiestas de masturbación (*jerk off:* J-O, por sus siglas en inglés), que son intentos de combinar la celebración de la sexualidad masculina y las rígidas restricciones contra cualquier "intercambio de fluidos corporales".[45] Desde finales de los años ochenta tales fiestas se volvieron comunes en muchas ciudades occidentales, y se establecieron sitios comerciales ex profeso en ciudades (como Nueva York y San Francisco) cuyas autoridades habían clausurado los baños de homosexuales. Por un tiempo parecía que las fiestas J-O organizadas por Santé y Plaisir Gai eran la única forma de actividad preventiva en el mundo homosexual de París. En los inicios de la epidemia hubo pláticas entre algunas feministas sobre las posibilidades de desarrollar formas equivalentes de sexo sin penetración heterosexual, pero ese tema parece haber desaparecido hace mucho, aunque la amenaza del VIH ha llevado a discusiones más abiertas sobre la masturbación no sólo en Occidente, sino también, como parte de los programas preventivos del VIH, en países como Uganda.

Durante la pasada década llegó a ser claro que los cambios provocados por el VIH-sida eran menos drásticos de lo que sugerían las predicciones iniciales. Mientras el uso del condón ciertamente se ha incrementado, la evidencia en la mayoría de los países occidentales indica que no ha estado acompañado de una reducción significativa de parejas ocasionales o frecuentes.[46] Es claro que a finales de los años noventa se vio en ciertos casos algo parecido a un regreso a la celebración de la aventura sexual asociada a los setenta, ya sea por medio del nostálgico resurgimiento de la música disco o de los clubes mixtos que se abrían con cierta frecuencia en las grandes ciudades, permitiendo a veces, como ha sido el caso por mucho tiempo en los clubes gay, realizar el acto sexual en el propio lugar. (Mientras que en Occidente las discotecas pueden reflejar un sentimiento de nostalgia, en los países pobres representan, para muchos, modernidad y cosmopolitismo; un espacio abierto para la exploración de la propia personalidad y la sexualidad.)

Sin embargo, es probable que el sida haya transformado las formas de entender el sexo, relacionándolo una vez más con los conceptos de peligro, enfermedad y muerte. Digo "una vez más" porque la idea del sexo como algo amenazante y al mismo tiempo placentero ha sido quizá la experiencia predominante de la mayoría de las mujeres a través de la historia; sólo con la llegada del control natal relativamente seguro y efectivo y de la capacidad para curar las enfermedades venéreas, el sexo pudo separarse del peligro. Éste fue el verdadero significado de la "revolución sexual" de los sesenta, y que el advenimiento del sida ha minado hasta cierto punto, si bien no tanto como lo desearían los conservadores.

En países donde la mayor difusión del VIH se da a través de las relaciones heterosexuales —que son la gran mayoría del mundo pobre— el conflicto entre el riesgo de infección y el deseo de tener hijos se vuelve el mayor reto para las costumbres sexuales. El "sexo seguro" resulta más fácil cuando la reproducción no está de por medio, aún más cuando puede combinarse con la prevención del embarazo. Pero en muchas sociedades el valor de la mujer se mide por su fertilidad, y el VIH impone un dilema de vida o muerte, entre el riesgo de embarazo y la renuncia a una de las máximas expectativas sociales femeninas. Así es como Molara Ogundipe-Leslie hace notar que en Nigeria "una mujer sin hijos es considerada una monstruosidad —al igual que una mujer no casada (soltera o divorciada), que se convierte en la víctima de chistes y escándalos, y es presa de cualquier hombre que pasa, casado o no".[47] Ciertas prácticas tradicionales, como las de algunas sociedades africanas —donde se espera que una viuda se convierta en la segunda esposa de su cuñado— pueden ocasionar un dilema si cualquiera de los dos es VIH positivo. Aunque cada vez hay mayores posibilidades de minimizar el riesgo de que una madre trasmita la infección a su bebé, los recursos requeridos no están siempre a la mano, y la consecuencia es un número cada vez mayor de huérfanos, muchos de ellos VIH positivos. (En Zambia se estima que *la mitad* de los niños del país ha perdido al menos a uno de sus padres por el sida.) En Zimbabwe algunas organizaciones de mujeres argumentan que la obligación de los médicos y consejeros de proteger la confidencialidad perjudica a la mujer y confirma la desigualdad que existe entre los sexos. Entre los zimbabwenses menores de 20 años, más de 80% de los infectados son mujeres.[48]

Representaciones de sexo y muerte

La mayoría de los discursos científicos y académicos sobre el sida ignora su impacto en la cultura popular y la gran respuesta creativa que la epidemia ha despertado. Cuando intenté que se incluyera una

127

sesión de "Escribir el sida" en el programa de la Undécima Conferencia Internacional sobre Sida en Vancouver en 1996, me encontré con el desinterés de científicos sociales y organizaciones comunitarias; ambos parecían considerar a la "cultura" como algo que sólo podía atenderse cuando los trabajos serios de la conferencia hubieran terminado.[49] Sin embargo, las respuestas creativas son el mejor indicador que tenemos de las formas en que el sida ha afectado nuestra imaginación y percepción del mundo. Norman Spinrad ha escrito que en 1986 se dio cuenta de que el sida "crearía, de hecho ya ha creado, una nueva y terrible ecuación existencial entre sexo y muerte, y eso no puede dejar de alterar nuestra psique y nuestra sociedad en el nivel más íntimo y esencial".[50] Su libro *Journals of the Plague Years* (*Diario de los años de la peste*), que al principio se consideró impublicable por su tema, el sida, intenta explorar esto a través de una mezcla de horror y fantasía política.[51]

Asimismo, la respuesta dominante en la literatura y el cine es gay y procede del Atlántico norte. A fines de los ochenta conocí a un joven en Kuala Lumpur que me dijo que "conocía todo acerca del sida" por la película estadunidense para televisión *An Early Frost* (*Un rocío temprano*). En Nicaragua se dice que la muerte de Rock Hudson abrió la discusión pública acerca de la epidemia.[52] Tales ejemplos muestran hasta qué punto el sida puede entenderse como producto y causa de la globalización. En realidad las respuestas al sida proveen ricos ejemplos de la tesis de que la globalización es sólo otro nombre de la expansión de la influencia de Estados Unidos —pensemos, por ejemplo, la enorme popularidad internacional del uso del listón rojo;[53] así como la AIDS Memorial Quilt (Colcha Conmemorativa del Sida), que aparece en cintas como *Philadelphia* (*Filadelfia*) u obras de teatro como *Rent* o *Angels in America*. En 1999 se reportó que grupos ortodoxos rumanos intentaban impedir la producción de *Angels in America* en Bucarest.

Existe ahora una enorme cantidad de literatura que refleja la historia relativamente corta de la epidemia, aunque gran parte de ella se limita a la experiencia de hombres homosexuales.[54] Casi al azar cito un ejemplo de una novela de Christopher Bram:

> Hastiado, Peter dobló la sección de arte. "Todo lo que sé es que la muerte es aburrida. Ya no es divertida."
> Miré nerviosamente a Nick. "¿Alguna vez fue divertida?", pregunté.
> Peter arqueó las cejas sorprendido ante lo que él mismo había dicho. "No lo sentía así en su momento", admitió. "Pero ahora, al comparar, era en cierto modo algo nuevo y excitante. Las emociones que tocaba eran nuevas y excitantes. Tan dramáticas."
> "Ahora salta por encima de las emociones", dije.
> Él asintió. "Y come directo de nuestra alma."[55]

Podría haber citado también algo de Alan Hollinghurst, Edmund White, Paul Monette, Armistead Maupin (por mencionar a cuatro de los escritores más conocidos en inglés).[56] Durante la última década el sida se ha insertado en mucha de la literatura contemporánea, aunque, como declara Jewelle Gomez, también ha hecho más comerciales a los escritores "queer".[57] Algunos de los libros más exitosos acerca del sida apenas mencionan la enfermedad (pienso por ejemplo en *Night Letters*[58] de Robert Dessaix, en el cual la seropositividad del narrador se reconoce pero no se nombra), pero su ubicuidad es evidencia de la prominencia de los escritores gays y de su impacto en un público más extenso. "Él ha muerto de la Enfermedad, ahora es sólo un cuadrado en la colcha", escribe Rushdie en *The Ground Beneath Her Feet*,[59] y todos sabemos a qué "Enfermedad" se refiere. Como Don DeLillo escribió en *Underworld*: "Retrovirus en la corriente sanguínea, acrónimos en el aire. Edgar sabía qué significado tenían todas las siglas. AZido Thimidine.* Virus de Inmunodeficiencia Humana. Sín-

---

* Zidovudina (AZT, por sus siglas en inglés). Medicamento utilizado en el tratamiento de pacientes con VIH-sida. (*N. de E.*)

drome de Inmunodeficiencia Adquirida. Komitet Gosudarstvénnoe Bezopasnosti.* Sí, el KGB era parte del enjambre que se multiplicaba, la explosión celular de la realidad que debe destilarse y proveerse de iniciales para poder verse".[60]

Suzanne Poirier ha escrito que "toda la literatura actual es sobre el sida en el sentido de que debe escogerse de manera consciente cómo responder a la epidemia, ya sea por involucramiento directo o por evasión".[61] Aun si uno restringe ese comentario a la literatura homosexual (lo cual Poirier no parece hacer) es, yo creo, demasiado prescriptivo, aunque tiene eco en la crítica que Gregory Wood hace de "algunos escritores gays reconocidos que no ponen suficiente atención en la epidemia"[62] como si fuera evidente por sí mismo que el sida tenía que remplazar todas las demás preocupaciones.

Si bien la literatura sobre el sida es predominantemente estadunidense, también en otras partes hay una mayor respuesta que la que podríamos reconocer, muchas veces entretejida con una nueva afirmación homosexual. Esto es más evidente en América Latina, donde ha habido una considerable cantidad de respuestas literarias y teatrales a la epidemia.[63] En realidad, el creciente florecimiento de la literatura gay como un género específico está muy ligado al fantasma del sida: ronda en las anotaciones del diario de Boris Davidovich sobre la vida durante la desintegración de Yugoslavia; y se convierte en el tema principal de la historia imaginaria de Colm Toibin sobre un joven que crece en la Argentina contemporánea; también es el motivo central de las novelas de Lynn Harris acerca de afroamericanos homosexuales; de la novela del escritor maorí Witi Ihimaera *Nights in the Gardens of Spain (Noches en los jardines de España)* y de la obra sudafricana de Peter Hayes, *To Have/To Hold (Tener/Retener)*. Una de las primeras "novelas del sida" fue *JF Was Here (JF estuvo aquí)* de Nigel Krauth, que transcurre en gran parte en Papua Nueva Guinea;[64] y el sida es un tema cada vez más común en la literatura africana.[65]

---

* KGB. Comité de Seguridad del Estado en la antigua Unión Soviética. *(N. del E.)*

Estos trabajos a menudo pasan inadvertidos por la industria del sida, o quedan reducidos a métodos interesantes de educación preventiva. Sin embargo, la pregunta principal es la forma en que el sida ha entrado en la imaginación global como una especie de símbolo extremo de la posmodernidad: el sida nos recuerda la fragilidad de las fronteras políticas, los límites del moderno control biomédico, la vulnerabilidad del cuerpo humano, y se convierte en una nueva razón más para incrementar la vigilancia de las actividades humanas más privadas, ya sea mediante campañas que vinculan la monogamia con la salud o, de manera más benigna, a través de programas dirigidos a desarrollar educación igualitaria y apoyo a las trabajadoras sexuales, los adictos a las drogas y los hombres que tienen sexo con hombres, cuyas identidades se refuerzan de esa manera,[66] lo cual trae a la memoria la vigilancia que se hacía, hace un siglo, de las trabajadoras sexuales mediante las Leyes de Enfermedades Contagiosas.[67] De algún modo comprendo la advertencia de Susan Sontag sobre el peligro de considerar al sida "una metáfora",[68] pero la demanda de racionalidad va a contracorriente de algunas fuerzas que tiñen profundamente al sida, su relación con lo exótico y lo prohibido, sus rutas de transmisión por la sangre y el semen, con un peso simbólico particular. No es sorprendente que James Nicola del New York Theater Workshop crea que obras como *Angels in America* y *Rent* reflejen la ansiedad finisecular en Estados Unidos,[69] lo cual podría explicar por qué han surgido ideas tan extravagantes como la insensible comparación que hace Larry Kramer del sida con el Holocausto.

El sida ha provisto de material para una vasta cantidad de trabajo cultural durante la pasada década. Parte de la actual nostalgia por los años setenta involucra una idea, a veces exagerada, de la libertad sexual antes del sida y un reconocimiento de en qué medida la cultura de los setenta murió con la aparición de la enfermedad, al menos como se define en los círculos elegantes —y de gratificación inmediata— de la moda y el entretenimiento en Nueva York y Los Angeles.[70] El sida se ha convertido en tema de obras de teatro y novelas[71] en el

131

mundo occidental y más allá de él; asimismo, ha estado presente en las artes visuales,[72] la música y la danza. Al menos en Estados Unidos la notoriedad rodeó a la pieza dancística *Still Here* (*Todavía aquí*) de Bill T. Jones, inspirada en la muerte de su socio y amante Arnie Zane. Arlene Croce se rehusó a reseñarla en *The New Yorker* con el argumento de que era "arte de víctimas".[73] Pero tal vez el mayor impacto popular de la epidemia sea a través del cine y la televisión, los cuales, ya que apuntan al mercado de masas, también resultan más afectados por el estigma que rodea a la enfermedad.

Por supuesto, hay una gran cantidad de películas underground interesantes al respecto —los ejemplos incluyen *Living End* (*El final de la vida*) de Gregg Araki y, en especial, *Zero Patience* (*Paciencia cero*) de John Greyson, que juega con la caricatura de la "primera" persona con sida del libro de Randy Shilts, *And the Band Played On* (*Y la música siguió*).[74] La cinta de 1993 *Les nuits fauves* (*Las noches salvajes*) de Cyril Collard es tal vez un caso intermedio, un éxito popular en Francia y una película de arte para en el resto del mundo.[75] La obra musical francesa *Jeanne et le garçon formidable* (*Jeanne y el chico formidable*) usa al VIH en una historia de amor heterosexual amarga y cursi a la vez. Menos interesantes que las películas sobre el sida —por lo general sensibleras (*Longtime Companion* [*Amigos por siempre*]) o evasivas (*Philadelphia*)— son aquéllas en las que el VIH-sida se ha vuelto el ruido de fondo de la vida moderna, ya sea por la invocación de epidemias no identificadas (*Dune* [*Dunas*], *Twelve Monkeys* [*Doce monos*], *Out Break* [*Epidemia*]), el énfasis en la sangre como agente peligroso o el vínculo del sida con el interés en lo gótico y el horror.[76] El sida se ha ligado al interés contemporáneo por los vampiros y las novelas góticas, y a la enorme popularidad de escritoras como Anne Rice y Poppy Z. Brite. Así, el crítico Mark Edmundson afirma que el miedo al sida "propicia que la mayoría del público sea indulgente con el gótico apocalíptico".[77] (La liga más específica se encuentra en *The Kiss of the Vampire* [*El beso del vampiro*] de Nancy Baker,[78] donde una mujer busca el beso del vampiro para curarse del sida.) En 1994, en un episodio de *X-Files*

(*Expedientes secretos X*) Fox Mulder encuentra a una mujer en un bar, quien cree —y puede— ser un vampiro. Cuando le ofrece a Mulder sangre de la pinchadura en un pulgar, él le pregunta si no le tiene miedo al sida. Otros han ligado el espectro del sida con el interés por el sexo cibernético, que evade cualquier intercambio físico real.[79]

De todos estos productos *Philadelphia* es aún el más conocido, además de tratarse de la tentativa más explícita de enfrentarse al sida en el cine de Hollywood (al menos hasta que se realice la versión fílmica de la obra de Larry Kramer, *The Normal Heart* (*El corazón normal*), tan prometida). Considero que ese tipo de tratamiento es evasivo por las mismas razones que Sarah Schulman escribió:

> Hoy en día vemos que la única presentación aceptable públicamente de la crisis del sida es la creada por un heterosexual. ¿Qué había en las películas sobre el sida producidas por gays que era inaceptable y que no estaba presente en trabajos como *Philadelphia?* Una pequeña lista incluiría rabia gay, sexualidad gay, el abandono de gays, lesbianas y personas con sida por parte de sus familias; el impacto de los decesos masivos sobre el individuo; y las dimensiones y alcances de la comunidad lésbico-gay. Ahora, con la llegada de una homosexualidad pública falsa, construida para el consumo de los heterosexuales, *Philadelphia* predica que son los heterosexuales quienes han defendido y protegido a los homosexuales con el sida, mientras los otros homosexuales estaban escondidos mansamente en el fondo.[80]

El defecto político de *Philadelphia*, que planteaba que un abogado exitoso y VIH positivo, despedido de su trabajo, podría tener problemas para encontrar a alguien que lo defendiera, es que debía pasar por alto la vasta cantidad de organizaciones de la comunidad con sida que existen en una ciudad como Filadelfia. (Por otro lado, si uno ve *Philadelphia* como la historia del abogado que debe confrontar su propia homofobia, en vez de la historia del personaje central con si-

133

da, se vuelve una película más fuerte.) En este sentido, *Philadelphia* hace eco de muchas de las respuestas literarias, al menos las que existen en inglés, que por lo general se centran sólo en mundos muy privados —aunque Felice Picano invoca al grupo activista de VIH, ACT UP, en su novela *Like People in History* (*Como la gente en la historia*) (1995) al igual que Christopher Bram en *Gossip* (*Chisme*) (1997). Más típicos son el patetismo y el miedo de los homosexuales, aislados casi por completo, que figuran en muchos de los trabajos de David Leavitt sobre la epidemia.[81]

Más interesante tal vez es la respuesta cultural de aflicción y pérdida que une las experiencias del sida en las ciudades interiores de San Francisco y Newark con aquéllas de los pueblos de Kenia y Zambia. Otra vez estamos muy conscientes de las ceremonias particulares y de los rituales que se han inventado en el mundo occidental: AIDS Memorial Quilt (Colcha Conmemorativa del Sida), las vigilias de las velas, y así sucesivamente.[82] La comunidad homosexual ha sido muy creativa al integrar el sida dentro de sus festividades, de modo que algo como el Gay and Lesbian Mardi Gras (Carnaval de Homosexuales y Lesbianas) que se celebra cada año en Sidney y es uno de los desfiles callejeros más grandes del mundo, se convierte en un medio para llorar por los que se han ido y, al mismo tiempo, reafirmar el compromiso con quienes aún viven.[83] Quienes trabajamos en países ricos de habla inglesa estamos lejos de conocer cómo han desarrollado otras culturas sus propias formas para conmemorar las muertes por sida,[84] aunque la Colcha y ciertas exposiciones fotográficas han buscado abarcar la epidemia de manera global.

Para 1999 la Candlelight Memorial (Conmemoración de las Velas Encendidas), que empezó en San Francisco en 1983, involucró a participantes en más de cincuenta países, y proporcionó un foro para destacar los temas particulares alrededor de la epidemia en el mundo pobre. En ese mismo año hubo ceremonias en setenta pueblos y ciudades a través de Indonesia y se elaboró una declaración de "solidaridad contra la injusticia y el miedo, por un mundo sin sida". De igual manera, el Día Mundial del Sida (primero de diciembre) suele tener mucha mayor resonancia en algunos países pobres que en Occidente. A medida que la experiencia del sida se relaciona más con la pobreza y la desigualdad, esperaría que se reflejara en respuestas artísticas de otras partes del mundo. El que se vuelvan ampliamente accesibles fuera de su propio entorno tendrá que ver más con el mercado global cultural que con su valor intrínseco.

Las respuestas oficiales y no oficiales al sida han requerido nuevas maneras de pensar acerca de las relaciones entre el comportamiento "privado" y la salud pública, y sobre las discrepancias, a menudo enormes, entre el comportamiento real y la ideología oficial. La epidemia ha revelado una hipocresía sexual similar en países tan disímiles en apariencia como India, Rusia, Argentina y Estados Unidos. Este tipo de observaciones del comportamiento para la prevención del sida no deja de ser moralmente ambiguo; hay riesgos al promover que el Estado tenga más información acerca de las conductas —prostitución, uso de agujas, homosexualidad— que pueden ser consideradas criminales, aun si tal conocimiento es central para elaborar cualquier estrategia preventiva exitosa. Si la afirmación de David Halperin acerca de la influencia de Foucault en los activistas estadunidenses contra el sida es correcta,[85] puede ser porque las estrategias que se han tomado ilustran de manera clara las formas en que el discurso de la vigilancia gubernamental y las políticas de identidad se refuerzan mutuamente. Hubo un extraño ejemplo de esto en la apertura del V Congreso Internacional del Sida en Asia y el Pacífico, en Kuala Lumpur en 1999, cuando el primer ministro Mahathir fue presentado por un trabajador transexual que había sido arrestado por travestismo.

Irónicamente, la nueva vigilancia del comportamiento que requiere el sida surge cuando hay un repliegue de la responsabilidad del Estado en otras áreas. El trabajo exitoso contra el sida necesita tanto el fortalecimiento como el debilitamiento del Estado, ya que "la nueva salud pública" exige el empoderamiento de actores no estatales y fuerza el reconocimiento de grupos y comportamientos impopulares. Hay un paralelismo entre los debates en Estados Unidos sobre el intercambio de agujas y los adelantados programas para drogadictos en países como Vietnam, que combina "la guerra contra las drogas" con su propia invocación de los "demonios sociales", definidos como prostitución, uso de drogas, apuestas y abuso del alcohol. (Resulta interesante que el gobierno vietnamita, por lo general, ignore a la homosexualidad, aunque hay evidencia considerable de que existe, sobre todo en Ciudad Ho Chi Minh.) En ambos países se han encontrado varios mecanismos para permitir, al menos, la existencia de programas limitados contra la reutilización de agujas.

No hay una epidemia de sida, sino más bien una serie de parches con patrones y consecuencias epidemiológicos, que depende de los recursos económicos y políticos a la mano. El desarrollo de medicamentos antivirales altamente sofisticados ha reforzado la brecha entre quienes tienen acceso a estas terapias (sobre todo en los países ricos) y la gran mayoría de los infectados que no conocen su estado y que tendrían pocas probabilidades de recibir tratamiento efectivo si lo conocieran. Al cambio del siglo los gobiernos en el mundo pobre y los activistas tanto en países ricos como pobres se encuentran aferrados al debate sobre patentes y regulaciones del comercio internacional en su intento por hacer que los nuevos medicamentos sean más accesibles a las PLWHA del mundo pobre.[86] En India y Sudáfrica los medicamentos para el sida se producen localmente a un costo mucho menor que las controladas por las grandes compañías farmacéuticas internacionales, y en el último caso ha habido considerables tensiones con Estados Unidos, pues se acusa a Sudáfrica de romper tratados internacionales de comercio al intentar producir las medicinas de manera más económica.

Dentro de los países ricos, sobre todo en Estados Unidos, el sida está marcado por el significado de género, clase y raza. Incluso los países que mejor han contenido la epidemia (quiero decir países como Australia, Dinamarca y Holanda, donde la transmisión se ha ralentizado de manera significativa y las nuevas terapias son accesibles para la mayoría) no pueden aislarse por completo del resto del mundo. Lo que tipifica a estos países y a aquellos que, con mayores epidemias, han desarrollado respuestas inteligentes (Uganda y Tailandia son los ejemplos más citados) es el compromiso del gobierno para colaborar con las comunidades más afectadas, y tener una política de salud pública que evite la estigmatización o el aislamiento.

La globalización de las identidades sexuales

△

Gran parte de la literatura sobre globalización e identidad tiene que ver con el renacimiento de fundamentalismos nacionalistas, étnicos y religiosos, o la decadencia del movimiento obrero.[1] (Empleo el concepto "identidad" para aludir a un mito socialmente construido acerca de características, cultura e historia, compartidas, que tiene un verdadero significado para quienes se adhieren a él.)[2] Aquí me concentro en la política de identidad nacida de la sexualidad y el género, así como en los nuevos movimientos sociales que emergen de éstos, ya mencionados en el capítulo anterior. Estas nuevas identidades están relacionadas de manera estrecha con los grandes cambios de la globalización: considérese la globalización de la "juventud" y el papel del capitalismo internacional en la creación de una identidad adolescente en casi todos los países, con música, lenguaje, moda y esquemas morales específicos.[3] En años recientes esto se ha venido expresando en términos de cultura de "muchachos" y "muchachas", como referencia a las "bandas de muchachos" o a la "explosiva cultura mundial de las muchachas",[4] lo cual sugiere la invención de una identidad generacional intermedia entre los "niños" y los "jóvenes".

Desde la década pasada he estado investigando y reflexionando acerca de la difusión de algunos tipos de identidades lésbico-gay, tratando de encontrar las relaciones entre la globalización y las condiciones previas de ciertas subjetividades sexuales.[5] Tomo ejemplos sobre todo del sureste asiático porque es la parte del mundo "en desarrollo" que conozco mejor, pero podría haberlos tomado con mayor facilidad de América Latina, que posee una literatura particularmente rica que explora tales cuestiones.[6] La pregunta no es si la homosexualidad existe —la hay en casi todas las sociedades que conocemos—, sino cómo las personas incorporan la conducta homosexual a la noción que tienen de sí mismos. La globalización ha ayudado a crear una identidad lésbico-gay internacional, que no está de ninguna manera limitada al mundo occidental: hay muchos indicios de lo que conocemos como homosexualidad "moderna" en países como Brasil, Costa Rica, Polonia y Taiwán. De hecho, el mundo gay (y de forma menos manifiesta el mundo lésbico, debido en gran parte a las marcadas diferencias en el estatus económico y social de las mujeres) es un ejemplo clave de las "subculturas" globales emergentes, donde los miembros de grupos particulares tienen más en común a través de fronteras nacionales y continentales que lo que tienen con otros miembros de sus propias sociedades definidas geográficamente.

Vale la pena hacer notar que aun dentro del "primer mundo" hay un rango variable de actitudes hacia la afirmación de las identidades lésbico-gay. Mientras que en los países de habla inglesa y en algunas partes del norte de Europa han florecido, prevalece una mayor resistencia en Italia y Francia, donde las ideas de los derechos comunitarios —expresadas en Australia y Canadá mediante el lenguaje del multiculturalismo, y en los Países Bajos y Suiza mediante las tradiciones algo diferentes de pluralismo religioso— parecen ir contra de una retórica universalista de los derechos, los cuales no se consideran equivalentes con el reconocimiento de identidades de grupo distintas.[7] Estados Unidos comparte ambas tradiciones, así que su movimiento lésbico y gay lucha por el reconocimiento de sus "derechos civiles" sobre la base de ser como cualquier otra persona, y en algunos casos merecer protección especial frente a los límites impuestos por la discriminación racial y de género.

Al mismo tiempo, Estados Unidos ha ido más allá en cuanto al desarrollo de comunidades lésbica y gay constituidas en un orden geográfico, con áreas definidas en sus grandes ciudades —el Castro en San Francisco, West Hollywood, Halsted en Chicago, el West Village en Nueva York— convertidas en "ghettos" urbanos, que a menudo se constituyen en la base para el desarrollo del poder político de la comunidad. (En casi todas las grandes ciudades estadunidenses los políticos reconocen ahora la importancia del voto gay.) Este modelo se ha repetido en un gran número de países occidentales, ya sea en el Marais de París o en Darlinghurst en Sydney. Es una ironía que mientras los derechos de los homosexuales han avanzado mucho más en los países del norte de Europa, Estados Unidos aún sea el modelo cultural dominante para el resto del mundo.

Esta predominancia se hizo evidente en las crónicas de las celebraciones del "orgullo gay" en Europa durante el verano de 1999, que a menudo ignoraron las historias de cada país y atribuyeron los orígenes del activismo político gay a los motines de Stonewall en 1969, sin tener en cuenta la existencia de grupos anteriores en países como Alemania, los Países Bajos, Suiza y Francia, y los grupos radicales gay que crecieron a partir de los movimientos estudiantiles de 1968 en Francia e Italia. (Stonewall fue un bar gay de Nueva York, cuyo registro a cargo de la policía condujo a motines de furiosos homosexuales y al nacimiento del New York Gay Liberation Front [Frente de Liberación Gay de Nueva York].) En ciudades tan distintas como París, Hamburgo y Varsovia el aniversario de Stonewall se celebró con el Día de la Calle Christopher, y al predominio de la cultura estadunidense se suma el comunicado de prensa del Lisbon Gay, Lesbian, Bisexual and Transgender Pride (Comité del Orgullo Gay, Lésbico, Bisexual y Transgenérico de Lisbon), que se jacta de las presentaciones de un "renombrado DJ de la ciudad de Nueva York" y de "Celeda, la reina diva de Chicago".

Al reflexionar y escribir sobre estas cuestiones me quedó claro que los observadores, nacionales y extranjeros, invierten un enorme esfuerzo personal para entender lo que está pasando, en particular (en palabras sugeridas por Michael Tan) si se habla de "ruptura" o "continuidad". Para algunos existe un fuerte deseo de trazar una continuidad entre las formas del deseo homosexual precolonial y su manifestación contemporánea, aunque esta última pudiera derivar más del lenguaje de (West) Hollywood que de la cultura nativa. Tales puntos de vista los defienden de manera enérgica aquellos que sostienen todavía una identidad basada en presunciones tradicionales que vinculan el comportamiento de género con la sexualidad, y niegan la relevancia para ellos de una identidad "lésbica" o "gay" de importación. De tal modo que el afeminado *bakkla* de las Filipinas o el *kathoey* de Tailandia pueden ver a los que se consideran "gays" como hipócritas, en parte porque insisten en su derecho a comportarse como hombres y desear a otros como ellos.[8] Algunos más perciben que los gays y lesbianas autoproclamados de la clase media contemporánea, por ejemplo en Nueva Delhi, Lima o Yakarta tienen menos en común con la homosexualidad "tradicional" que con sus similares de los países occidentales. Como dijo el autor cingalés Shaym Selvadurai sobre su novela *Funny Boy* (*Chico gracioso*), que habla en parte del concepto gay de "salir del clóset": "Las personas en la novela se hallan en un lugar que ha sido colonizado por las potencias occidentales durante cuatrocientos años. Muchas ideas occidentales —respetabilidad burguesa, moralidad victoriana— se han incorporado a la sociedad y son parte fundamental de la sociedad cingalesa".[9]

Las formas "modernas" de ser homosexual amenazan no sólo a los custodios de la moralidad "tradicional" sino también a las formas "tradicionales" de homosexualidad concentradas en la inconformidad de género y el travestismo. El título del periódico lésbico-gay de Indonesia *Gaya Nusantra*, que literalmente significa "estilo indonesio", capta muy bien tal ambivalencia con sus ecos de los conceptos "tradicional" y "moderno" de nación y sexualidad, pero al mismo tiempo se dirige sin duda a los homosexuales "modernos", más que a los "tradicionales" travestis *waria*.[10]

A menudo se da por sentado que en la mayoría de las sociedades "tradicionales" los homosexuales están determinados como un tercer sexo, pero eso también es demasiado esquemático como para

142

que funcione de manera universal. Como destaca Peter Jackson, en Tailandia los mismos términos pueden ser categorías sexuales *y* de género.[11] Aquí, de nuevo, nos enfrentamos a una confusión considerable, en la que fenómenos similares pueden verse como específicamente culturales o universales. En la medida en que hay una confusión entre sexualidad y género desde el punto de vista "tradicional" en el sentido de considerar que el "verdadero" homosexual es el hombre que se comporta como mujer (o viceversa, aunque es más raro) es esto consistente con la percepción dominante de homosexualidad que ha prevalecido en los países occidentales durante los cien años previos, o más, al nacimiento del movimiento gay contemporáneo. La idea de un "tercer sexo" fue adoptada por personas como Ulrichs y Krafft-Ebing como parte de una apología de la homosexualidad (dando pie al "sexo intermedio" de Carpenter).[12] En la novela de 1918 *Despised and Rejected* (*Despreciado y rechazado*), el héroe lamenta: "¿Qué ha sido de la naturaleza, que le ha dado el alma de una mujer al cuerpo de un hombre?".[13] Puntos de vista similares pueden encontrarse en la novela de Radclyffe Hall *The Well of Loneliness* (*El pozo de la soledad*) (1928), cuya heroína se llama a sí misma Stephen. Hoy en día muchos que experimentan deseos homosexuales en sociedades que no permiten espacios para ellos se verán a sí mismos como "hombres atrapados en cuerpos de mujeres" o viceversa.

Algo de esta confusión permanece todavía en la percepción popular —y persiste de manera clara en el humor popular, como en el caso de la exitosa obra de teatro y película *La cage aux folles* (*La jaula de las locas*) o en la película *Priscilla, Queen of the Desert* (*Priscila, reina del desierto*). George Chauncey argumenta que la idea misma de una división homosexual/heterosexual se volvió dominante en Estados Unidos sólo hasta mediados del siglo XX:

> La diferencia más sorprendente entre la cultura sexual dominante de principios del siglo XX y la de nuestro tiempo es el grado hasta donde la cultura anterior permitía a los hombres involucrarse en relaciones sexuales con otros hombres, a me-

143

nudo de manera habitual, sin requerir que se vieran a sí mismos —o fueran vistos por otros— como gays [...] Muchos hombres [...] ni entendían ni organizaban sus prácticas sexuales en torno a un eje homosexual/heterosexual.[14]

La memorable novela de John Rechy *City of Night* (*Ciudad de noche*) (1963) capta la transición hacia conceptos "modernos": su mundo está lleno de "buscones", "reinas", homosexuales "viriles" o "musculosos", a quienes algunas veces llama "gays.[15]

Si uno lee cuentos contemporáneos sobre la vida homosexual, por ejemplo, en México, América Central, Tailandia o Costa de Marfil,[16] de inmediato encuentra paralelismos. Por supuesto, es posible que los observadores (quienes conocen métodos etnográficos y sociológicos particulares, e incluso, como en el caso de Schifter, han nacido en el país de estudio) tengan concepciones previas semejantes —uno supone que inconscientes. Aun así, es poco probable que esto explique por sí mismo el grado de similitud que ellos identifican. De la misma manera, la antropóloga holandesa Saskia Wieringa ha señalado las semejanzas entre el papel que desempeñan las lesbianas machorras de Yakarta y las de Lima, y cómo hacen eco de los mundos lésbicos de Occidente en la época de su preliberación.[17] En muchas sociedades "tradicionales" hubo complejas variaciones en las fronteras de género y sexo, con personas "transgenéricas" (los *waria* de Indonesia, los *kathoey* de Tailandia, los *hassas* de Marruecos, los *kocek* de Turquía, los *bayot* de Filipinas, los *kitesha* de Luban en algunas partes del Congo) caracterizadas por un comportamiento homosexual y travestista. Estos términos se aplican, por lo general, no siempre, a hombres, pero hay otros usados algunas veces en mujeres, tales como *mati* en Surinam, que también rompen con preconcepciones simplistas acerca del sexo y el género.[18] Como dice Gilbert Herdt: "La orientación y la identidad sexuales no son las claves para conceptualizar un tercer sexo y género a través del tiempo y el espacio".[19] En muchas sociedades hay confusión con los términos; por ejemplo, los *hijras* de la India, que fueron literalmente castrados, algunas veces se consideran equivalentes a los homosexuales, aunque la realidad sea más compleja.[20]

Diferentes personas usan términos tales como *bayot* o *waria* de forma distinta, dependiendo si el énfasis es en el género (hombres que desean de algún modo ser mujeres) o en la sexualidad (hombres atraídos por otros hombres). La antropología nos enseña la necesidad de ser cautelosos con cualquier tipo de sistema binario de sexo-género; Niko Besnier usa el término "gender liminality" (transicionalidad de género) para evitar esta trampa,[21] lo cual también debe alertarnos contra el tipo de preconcepciones románticas que algunos estadunidenses han creado para entender a los indígenas *bedarches* de Estados Unidos.[22] Asimismo Besnier subraya que esa "transicionalidad" no es equivalente a homosexualidad: "Las relaciones sexuales con hombres son vistas como una consecuencia opcional de la transicionalidad de género, más que como su determinante, prerrequisito o atributo principal".[23] El otro lado de esta distinción es que hay fuertes presiones para definir *fa'afafine* (el término samoano) u otros grupos similares en los países del Pacífico como asexual, y así desembocar en una negación determinada en la que están implicados samoanos y personas ajenas al asunto.[24]

Desde luego que la mayor parte de la literatura sobre América Latina recalca que la *identidad* homosexual (como una forma distinta de las prácticas homosexuales) se relaciona con el rechazo a las expectativas del género dominante, de modo que "un verdadero hombre" puede tener relaciones sexuales con otro hombre y no arriesgar su identidad heterosexual. Como afirma Roger Lancaster: "Lo que sea que un *cochon* haga o no haga se comprende de manera tácita como quien asume el papel receptivo en una relación anal. Su pareja, definida como 'activo' en los términos de su relación, no es estigmatizada ni adquiere una identidad especial de ninguna clase".[25] Así la *naturaleza* y no el *objeto* del acto sexual se convierte en el factor clave. Sin embargo, también existe evidencia de que esto está cambiando, y un concepto más occidental de identidad homosexual se establece por sí mismo, en especial entre las clases medias.

145

La sexualidad se convierte en un escenario importante para la producción de la modernidad, con las identidades "gay" y "lesbiana" comportándose como categorías para la modernidad.[26] Hay un eco irónico de ello en la destrucción que hizo el gobierno de Singapur de la calle Bugis, alguna vez el centro de la prostitución travesti de la ciudad —y su remplazo por un simulacro de Disneylandia donde hace algunos años me llevaron a ver un espectáculo drag más bien conservador, presentado a una distinguida audiencia yuppie.[27] También resulta irónico ver la decadencia de una homosexualidad definida por la inconformidad de género como una tendencia "moderna", justo cuando los transexuales y algunos teóricos de países occidentales se sienten cada vez más atraídos por los conceptos de maleabilidad de género.[28] Desde cierta perspectiva, las réplicas de moda de la estilizada "lesbiana de lápiz labial" o del gay "macho" son menos "posmodernas" que los *waria* o los *fakaleiti* de Tonga.[29]

Tal vez la realidad es que la androginia es posmoderna cuando se entiende como actuación, no cuando representa la única forma disponible de exteriorizar algunas creencias profundas sobre la propia identidad sexual y de género. Aun así, sigo sin saber con seguridad por qué las "drag" y sus equivalentes femeninos, todavía son una parte vital del mundo homosexual contemporáneo, aun cuando existe un espacio cada vez mayor para ejercer la homosexualidad abierta y varias formas aceptables de "ser" hombre o mujer. Es más, hay evidencias de que en algunos lugares hay un incremento simultáneo tanto de las identidades lésbico-gay *como* de las actuaciones transgenéricas; por ejemplo, en Taiwán los espectáculos travestis se han puesto de moda, y algunos de los actores, conocidos como "funcionarios de relaciones públicas del tercer sexo", insisten en que no son homosexuales aun cuando su comportamiento parezca contradecirlos.[30] Podrían hacerse comentarios similares acerca de las *onnabe*, mujeres japonesas que se visten como hombres y actúan como el equivalente de geishas para mujeres aparentemente heterosexuales, y Jennifer Robertson describe la incorporación de la androginia dentro de la "economía 'libidinal' del mercado capitalista" a medida que los actores de "cambios de género" se vuelven bienes comercializables.[31] En Occidente se ha puesto cada vez más de moda representar el travestismo en inequívocos términos heterosexuales; lo que era atrevido (y probablemente ambiguo) en la película de 1959 *Some Like It Hot* (*Una Eva y dos Adanes*) se vuelve una farsa en la película de 1993 *Mrs. Doubtfire* (*Papá por siempre*).[32] Pero al mismo tiempo se da, sobre todo en Estados Unidos, el surgimiento de una forma relativamente nueva de política transgenérica, en la cual la inquietud de una generación mayor para que se les acepte como la mujer o el hombre que "en realidad" son se remplaza por la afirmación de una identidad transgenérica y la maleabilidad del género.[33] (Los escritores occidentales tienden a ser con razón cautelosos al distinguir entre *transexual* y *travesti*. Sin embargo, esta distinción no se hace en algunas partes de Asia y supongo que tampoco en otras partes del mundo.)

Hablar de manera abierta de la homosexualidad y el travestismo, lo cual es, a menudo, resultado de la influencia occidental, puede alterar lo que se acepta pero no se reconoce. De hecho, existe cierta evidencia en algunas sociedades de que las personas que se proclaman "gays" o "lesbianas" —esto es, quienes buscan una identidad pública basada en su sexualidad— encuentran una hostilidad que antes no era aparente. Sin embargo, existe una vasta mitología en torno a la aceptación de la inconformidad de género/sexual fuera de Occidente, una mitología a la que por diferentes razones contribuyen occidentales y no occidentales. Los puntos de vista románticos acerca del homoerotismo en muchas culturas no occidentales, a menudo basados en experiencias de viajes, disfrazan una realidad de persecución, discriminación y violencia, algunas veces en formas poco familiares. Recuentos de primera mano aclaran que la homosexualidad está lejos de ser universalmente aceptada —o siquiera tolerada— en aquellos supuestos "paraísos" como Marruecos, Filipinas, Tailandia o Brasil:

> Indefinible y oculta, detrás del orgullo de los brasileños por sus ostentosas *drag queens*, el reciente elogio de un travesti elegido

147

modelo de la belleza brasileña, su aceptación de los gays y lesbianas como líderes de la religión más practicada del país y la protección constitucional de la homosexualidad, se encuentra una verdad diferente. Los gays, las lesbianas y los travestis enfrentan una discriminación generalizada, además de una opresión y violencia extremas.[34]

Así como la arquitectura posmoderna más interesante se encuentra en ciudades como Shanghai o Bangkok, así también el énfasis de la teoría posmoderna en el pastiche, la parodia, la hibridez y demás es agotado en una noción de lo real por hombres y mujeres que transitan, a menudo con bastante comodidad, de la aparente obediencia a las normas oficiales a su propio sentido de comunidad gay. Quien un fin de semana se comporta como obediente confucionista o el hijo de un malayo islámico, pueden aparecer travestidos el siguiente en el Blueboy, bar gay de Kuala Lumpur, ¿y quién puede decir cuál es la "persona real"? Tal como muchos malayos se mueven sin problemas de una lengua a otra, muchos homosexuales urbanos pasan de un estilo a otro, desde exhibirse con total conciencia de las últimas tendencias de la moda de la calle Castro hasta desempeñar el papel del hijo obediente en una celebración familiar.

Para los gays liberales de Occidente dichas estrategias pueden parecer hipócritas, incluso cobardes (algunos mostraron sorpresa ante el aparente silencio de los gays malayos después del arresto de Anwar por cargos de sodomía).* Pero aun los malayos más conscientes políticamente insisten en que no hay necesidad de "salir del clóset" ante su familia, y explican que, en cualquier caso, a su amante se le acepta como alguien de la familia, aunque no se le identifique como tal. (La situación malaya se complica aún más por el hecho de que los musul-

---

* En 2000 después de dos años de juicio en la Suprema Corte de su país, Anwar Ibrahim, exprimer ministro de Malasia, fue sentenciado a nueve años de prisión bajo los cargos de sodomía, tras haber sido acusado por su chofer Azizan Abu Bakar de haber mantenido relaciones sexuales con él una noche de 1993. (N. del E.)

148

manes están sujetos tanto a las leyes civiles como a la *sharia,* y ésta ha sido utilizada de manera bastante severa contra los travestis en particular.) Algunas personas han sugerido que todo es posible *mientras no se diga abiertamente,* pero tal vez las cosas sean más complejas. Para muchos hombres que he conocido en el sureste asiático ser gay tiene un sentido de identidad comunitaria, incluso un sentido de "orgullo gay", pero esto no se experimenta necesariamente en el vocabulario de Occidente.

Los homosexuales de clase media de habla inglesa en lugares como la ciudad de México, Estambul y Mumbai pueden hablar de sí mismos como parte de una comunidad gay (a veces "lésbico-gay"), pero las instituciones de tal comunidad pueden variar de manera considerable según los recursos económicos y el espacio político. Así, en Kuala Lumpur, una de las ciudades más ricas del mundo en desarrollo, no hay librerías, restaurantes, periódicos o negocios para gays o lesbianas, al menos no de la manera abierta como podría esperarse en ciudades comparables de Europa o Estados Unidos. Hay, sin embargo, un fuerte sentimiento de identidad gay alrededor de la organización contra el sida Pink Triangle (Triángulo Rosa) —su nombre es emblemático—,* y de suficientes redes como para abrir un sauna gay y atraer clientes. No obstante, cuando hace un par de años le di algunos ejemplares de la revista gay australiana *Outrage* al gerente de un sauna de Kuala Lumpur, me dijo con firmeza que no era posible mostrar algo tan abiertamente homosexual como esas revistas, las cuales se venden sin problema en la mayoría de los puestos de periódicos australianos. De la misma manera, hay una intensa red lésbica en la ciudad, y un gran número de mujeres usa faxes de oficinas y el correo electrónico para organizar reuniones y fiestas.

En el mismo sauna conocí a un hombre quien me dijo que había oído del lugar por medio de un amigo que ahora vivía en Syd-

---

* Emblemático porque recupera la señal con la que, en los campos de concentración nazis, se distinguía a los reclusos por motivo de su orientación homosexual. *(N. del E.)*

ney. En conversaciones que he tenido con gays de clase media en el
sureste asiático se hacen frecuentes referencias a bares en París y San
Francisco, al Mardi Gras Lésbico Gay de Sydney, y a escritores gays
estadunidenses. Aquellos que adoptan una identidad gay a menudo
aspiran a ser parte de una cultura global en todas sus formas, como
sugiere esta cita de una antología de literatura gay filipina: "Conocí
a alguien en el bar el sábado pasado [...] Es un ejecutivo bancario. Es
mestizo (tu tipo) y [...] adora a Barbra Streisand, Gabriel García Már-
quez, Dame, Margot Fonteyn, Pat Conroy, Isabel Allende, John Williams, Meryl Streep, Armistead Maupin, k.d. lang, Jim Chappell,
Margaret Atwood y Luciano Pavarotti".[35]

De manera similar, revistas como *G & L* en Taiwán —revista
sobre "estilos de vida" lanzada en 1996— mezcla noticias y artículos
locales con reportajes sobre iconos internacionales gays y lesbianas,
en especial estadunidenses. A medida que se incrementa la movilidad,
más y más gente viaja y conoce a los extranjeros en casa. Es tan imposible prevenir que las nuevas identidades y categorías viajen como evitar
que la pornografía lo haga a través de Internet.

Como parte del crecimiento económico del sur y el este asiáticos las posibilidades de comunicaciones por computadora se han
tomado con enorme entusiasmo y han creado una nueva gama de
oportunidades para difundir información y producir comunidades
(virtuales). Mientras que los movimientos gay de los setenta en Occidente dependían en gran medida de la creación de prensa lésbico-gay,
en países como Malasia, Tailandia y Japón Internet ofrece las mismas
posibilidades, con el atractivo adicional del anonimato y el contacto directo al otro lado del oceano, de manera que alienta la diáspora ya dis-
cutida. El trabajo de Chris Berry y Fran Martin sugiere que Internet
se ha vuelto crucial para que los jóvenes homosexuales encuentren
a otros en Taiwán y Corea —y en el proceso de desarrollar una cierta forma de comunidad, aunque privatizada.[36] En Japón, Internet se
ha convertido en una ayuda central para el ligue homosexual.

Es precisamente esta constante diseminación de imágenes y

formas de ser, que se mueve de manera desproporcionada de norte a sur, la que lleva a algunos a criticar en forma feroz la difusión de las identidades sexuales como un nuevo paso en el neocolonialismo: "La misma constitución de un sujeto con derechos implica la incorporación violenta de quienes habían sido privados de éstos por un discurso institucional, que los teje inseparablemente dentro de la red del capitalismo global".[37] Pedro Bustos Aguilar explica esta posición mediante una espléndida hipérbole, al atacar tanto "al etnógrafo gay [...] [quien] mata al nativo con el encanto de su cámara" como a "la unión del Nuevo Orden Mundial y el Feminismo Trasnacional" que ratifica el neocolonialismo y la hegemonía occidental en el nombre de supuestos universalismos.[38]

El argumento de Bustos Aguilar se apoya en la retórica universalista que rodeó la celebración del vigésimo quinto aniversario de Stonewall, pero pudo haberse divertido bastante con un folleto de 1993 de San Francisco, que ofrecía "tu oportunidad de hacer historia [...] [en] el primer festival de cine gay y lésbico en India y una gira queer paralela" —y aún más, cuando el reportero del *Washington Blade* escribió que Anwar era "ostensiblemente gay".[39] Esto trae a cuento la perturbadora historia de un estadunidense, Tim Wright, que fundó un movimiento gay en Bolivia y cuatro años después fue encontrado severamente golpeado y con amnesia: "Y las cosas han vuelto a ser lo que eran".[40]

Una crítica más mesurada es la que hace Ann Ferguson, quien ha advertido que el mero concepto de una *cultura* lésbica internacional es problemático desde el punto de vista político porque con seguridad estaría basado en supuestos occidentales; aun así, es en cierta manera más optimista acerca de la creación de un *movimiento* internacional que pudiera permitir la autodeterminación de las comunidades lésbicas locales.[41] Si bien las influencias occidentales han estado claramente presentes, hay que reconocer que en buena parte de América Latina, el sureste asiático y entre los negros sudafricanos han surgido grupos impulsados ante todo por fuerzas locales.

151

Es verdad que la reafirmación de la identidad lésbico-gay puede tener implicaciones neocoloniales pero, ya que muchos movimientos y gobiernos anticoloniales o poscoloniales niegan la existencia de tradiciones homosexuales, se vuelve difícil saber exactamente quién le está imponiendo sus valores a quién. Ambos, el extranjero occidental y el custodio de la cultura nacional, tienden a ignorar las realidades existentes en aras de su interés por una certeza ideológica. Aquéllos que están fuera de Occidente tienden a estar más al tanto de la diferencia entre las homosexualidades tradicionales y las políticas contemporáneas de la identidad gay, una distinción que a veces se pierde en el movimiento lésbico-gay internacional en su afán de enarbolar la universalidad.[42] Las nuevas identidades sexuales implican la pérdida del confort de ciertas tradiciones, pero ofrecen nuevas posibilidades a quienes las adoptan, y los activistas de países no occidentales sacarán provecho de manera consciente de ambas tradiciones. En esto pueden ser inconsistentes, pero no más que los activistas gays occidentales quienes despliegan, a la vez, el lenguaje de los derechos universales y estatus de grupo particular.

En la práctica, la mayoría de la gente mantiene al mismo tiempo opiniones contradictorias, lo cual recuerda la afirmación de Freud de que "sólo en la lógica las contradicciones no pueden existir". Hay un gran número de hombres y pocas mujeres de países no occidentales que se describirían a sí mismos como "gays" o "lesbianas" en ciertas circunstancias, mientras que en otras reclamarían que tales etiquetas no son adecuadas para su situación. No es de sorprender que la gente quiera identificarse con una particular forma occidental de homosexualidad y a la vez distinguirse de ésta o que recurran a sus propias tradiciones para hacerlo. Tal ambivalencia se capta en este relato de un chino-australiano:

[Los chinos] gays estaban decididos a avanzar en su causa pero de una forma evolutiva más que revolucionaria. Se apoderaron de temas como el ser gay, la cultura gay, el estilo de vi-

da gay, la igualdad de derechos para los gays y así sucesivamente. En los poemas románticos los sueños gay de nuestros
antepasados eran representados por dos muchachos que comparten un durazno y por el emperador que corta las mangas
de su túnica antes que despertar a su amado que duerme en
sus brazos. Revivir este sueño y posibilitar a millones de gays
chinos escoger su estilo de vida es una enorme tarea. Pero
sucedió en Taiwán, como en Hong Kong, y así sucederá en
China.[43]

Éstos son, por supuesto, ejemplos de grupos gay de Asia involucrados en actividades políticas del mismo tipo asociado con sus compañeros de Occidente. En Indonesia existen numerosos grupos de
gays y lesbianas que hasta ahora han tenido tres encuentros nacionales. La figura abiertamente gay más conocida en Indonesia, Dede Oetomo, fue candidato del nuevo Partido Democrático del Pueblo en las
elecciones de 1999, tras el derrocamiento de Suharto. En años recientes se han establecido pequeños grupos políticos radicales gay en Filipinas y se han llevado a cabo manifestaciones gay en Manila. ProGay
(Progresive Organization of Gays in the Philippines [Organización Pro-
gresista de Gays en Filipinas]), como su nombre lo sugiere, se preocu-
pa por establecer vínculos entre temas específicamente gays y cuestiones mayores de justicia social.[44] La primera conferencia lésbica se
llevó a cabo en Japón en 1985;[45] en Taiwán existen organizaciones lésbicas desde 1990; y en Filipinas desde 1992.[46] La prensa internacional
lésbico-gay contiene reportajes de una conferencia nacional de lesbianas en Beijing a finales de 1998, y en Sri Lanka, al año siguiente. Ha
habido varias reuniones *tongzhi* (término adoptado por "lesbianas,
bisexuales, gays y personas transgénero") en Hong Kong, y un manifiesto adoptado en la reunión de 1996 argumenta que "algunas características de las políticas de confrontación, como las protestas masivas
y los desfiles, quizá no sean la mejor manera de alcanzar la liberación
de los *tongzhi* en la sociedad china, centrada en la familia, orientada

153

a la comunidad y en la cual se le da gran importancia a la armonía social".[47] (Un mito extraño, dados los levantamientos revolucionarios del siglo XX en China.) Ninguno de estos grupos tiene la historia o los alcances de los movimientos lésbico-gay de América Latina, donde Brasil, Argentina, Chile y México tienen significativas historias de una homosexualidad politizada.

En muchos casos las identidades homosexuales se reafirman sin algún aparente movimiento lésbico-gay. En 1998 los dueños de bares de Kuala Lumpur se movilizaron para organizar una fiesta del orgullo gay que fue cancelada después de una protesta del Consejo Malayo de la Juventud. El mejor ejemplo del mundo gay sin actividad política puede encontrarse tal vez en Tailandia, donde existe un creciente mundo gay de clase media cada vez más extenso, que no se basa en la prostitución ni en las formas tradicionales de inconformidad de género (como en la persona del *kathoey*), pero esto sólo ocurre con un pequeño grupo lésbico, Anjaree; no hay ningún grupo masculino gay desde el fracaso de un par de intentos de organizarse alrededor del VIH a fines de los años ochenta.[48] En 1996 la controversia surgió en Tailandia luego de que el cuerpo de gobierno de los colegios para maestros determinó que los "desviados sexuales" no deberían ser admitidos. Hubo una considerable oposición a esa medida (derogada posteriormente), pero ésta provino mayormente, a excepción de Anjaree, de grupos no gay. En el posterior debate público, uno podía ver las contradictorias influencias externas en acción —por un lado, un miedo a los homosexuales procedente del exterior, y por otro un énfasis más moderno sobre cómo la prohibición infringía los derechos humanos. Como Peter Jackson concluyó: "Un dinámico escenario gay ha emergido [...] en completa ausencia de un movimiento de los derechos gay".[49]

De hecho puede ser que un movimiento político sea la parte de los conceptos occidentales de identidad homosexual con menores posibilidades de adoptarse en muchas partes del mundo, aun cuando algunos activistas abracen con entusiasmo las costumbres y la imagi-

154

nería de la homosexualidad occidental. La forma particular de las políticas de identidad que permitieron movilizar presiones electorales lésbico-gay en países como Estados Unidos, Holanda, e incluso Francia, puede no ser apropiada en otras partes del mundo, aun si triunfa la democracia de estilo liberal de Occidente. Puede que la necesidad de lesbianas y gays occidentales de involucrarse en políticas de identidad como medio para elevar autoestima no se sienta en otras sociedades. Aun así, uno debe leer los comentarios de Jackson acerca de Tailandia con cierto cuidado. Cuando él los escribió, ya existía en Bangkok un grupo en embrión que se reunía en una tienda de libros gay propiedad de un estadunidense. A finales de 1999, uno de los periódicos gay del país organizó un festival y un desfile al anochecer en el corazón de Bangkok; se anunció como "el primer y más grande desfile gay en Asia donde los hombres gays asiáticos tienen el derecho humano básico de ser quienes quieren ser y de amar a quienes deseen amar".[50] De igual manera, los recuentos de la vida homosexual en Japón alternan entre un alto grado de aceptación —y, por lo tanto, ninguna razón para promover movimientos políticos— y severas restricciones en cuanto a los espacios para afirmar la identidad homosexual, aunque de manera reciente el grupo gay OCCUR ha logrado cierto grado de visibilidad.

El movimiento lésbico-gay occidental surgió en condiciones de auge económico y democracia liberal, en las que a pesar de otros grandes temas sociales era posible desarrollar una política alrededor de la sexualidad, lo cual es mucho más difícil en países donde las estructuras básicas de la vida política se desafían constantemente.[51] En el caso de Sudáfrica en la época contemporánea, Mark Gevisser señala: "La identificación de raza se superpone a todo lo demás —clase, género y sexualidad".[52] De la misma manera, las cuestiones básicas de economía política y democratización impactarán el desarrollo futuro de los movimientos lésbico-gays en la mayor parte de Asia y África. Sin embargo, los movimientos lésbico-gays de América Latina y el este de Europa han crecido de forma considerable en la última década, y hay signos

155

de que están surgiendo en algunas partes de África, por ejemplo en Botswana y Zimbabwe, donde el presidente Mugabe ha atacado de manera consistente la homosexualidad como un producto del colonialismo.[53] Una retórica similar ha venido de los líderes de Kenia,[54] Namibia y Uganda, cuyo presidente Museveni ha declarado la homosexualidad como "occidental", usando la retórica del derecho cristiano a hacerlo.[55] Los obispos anglicanos de África, aunque no los de Sudáfrica, desempeñaron un papel crucial en la derrota de los movimientos para cambiar la actitud de la Iglesia de Inglaterra hacia la homosexualidad en la Conferencia Lambeth del decenio, celebrada en 1998. Sudáfrica es una excepción crucial, tal vez porque las denuncias contra la homosexualidad dentro del apartheid le facilitaron las cosas al Congreso Nacional Africano para desarrollar una política de aceptación como parte de su apoyo general a "una nación arcoiris". Aun así, algunos miembros del Congreso Nacional Africano son decididamente homofóbicos, como se revela en la retórica de muchos seguidores de Winnie Mandela.[56]

Mientras muchos oficiales y clérigos africanos sostienen que la homosexualidad no es parte de la cultura africana precolonial, la evidencia de su existencia —y el lento reconocimiento de su papel en la vida africana— surgen en todo el continente. Uno puede especular que la fuerte hostilidad de algunos políticos y líderes religiosos africanos hacia la homosexualidad como "importación occidental" es un ejemplo de un desplazamiento psicoanalítico, dado que las inquietudes acerca de la sexualidad se redirigen a continuar el resentimiento contra el colonialismo y contra la posición subordinada de África dentro de la economía global. Las identidades derivadas de Occidente pueden convertirse fácilmente en indicadores de aquellos aspectos de la globalización que temen y a los que se oponen. De igual manera, en 1994 una conferencia en Bombay para gays-HSH (hombres que tienen sexo con hombres) enfrentó la oposición de la Federación Nacional de Mujeres Indias, afiliada al Partido Comunista, como una "invasión de la India por parte de culturas occidentales decadentes y una consecuencia directa de la firma del GATT".[57] No sabemos si la federación estaba consciente de cuán cercana estaba su retórica a la de los estadunidenses derechistas como Patrick Buchanan.

Un aspecto de la aparente modernidad es el uso de idiomas occidentales. Rodney Jones ha notado la importancia del inglés como parte del capital cultural de los homosexuales de Hong Kong,[58] y cuando asistí a una conferencia sobre sida en Marruecos en 1996 los participantes se quejaron de que a pesar del intento de asegurar un uso igual del árabe era más fácil hablar de sexualidad en francés. James Farrar señala un énfasis similar en la lengua inglesa en las discotecas presumiblemente heterosexuales de Shanghai donde, de manera irónica, la canción de Village People "YMCA" se ha convertido en "una danza global ritualizada en la cual se alienta a los bailarines a usar sus manos para formar las letras en inglés, identificándose por un momento con un grupo ecuménico sin fronteras de juventud sexy y feliz 'en la YMCA'".[59] Uno supone que los bailarines de Shanghai no están conscientes de la evidente implicación homosexual de la canción y del grupo. Admito un placer particular al leer esto; la primera propuesta de mi libro *The Homosexualization of America* fue rechazada por un editor que argumentó (era 1982) que en un año nadie se acordaría de Village People, la imagen con la que empezaba ese libro.

Un lenguaje común es esencial para trabajar en las redes, y los últimos veinte años han visto una rápida expansión de las redes en los grupos lésbico-gays de todo el mundo. En 1978 la Asociación Internacional Lésbico Gay (ILGA, por sus siglas en inglés) se formó durante una conferencia en Coventry, Inglaterra.[60] Aunque la ILGA ha sido dirigida principalmente por europeos del norte, ahora tiene miembros en más de setenta países y ha organizado reuniones internacionales en muchas ciudades del sur. En las últimas dos décadas se han creado otras redes, a menudo ligadas a organizaciones feministas y de lucha contra el sida, y nuevos movimientos gay y lésbicos emergentes parecen estar cada vez más en contacto con grupos en todo el mundo. La inspiración de encontrarse con otras lesbianas en conferencias internacionales de mujeres ha sido un poderoso factor en la creación de grupos de lesbianas en un gran número de países. De este modo, la Red Asiática de Lesbianas, que incluye ahora mujeres de doce o trece países, empezó en una conferencia del International Lesbian Information Service (Servicio Internacional de Información Lésbica) celebrada en Ginebra en 1986.[61]

En años recientes ha habido algunos intentos para promover las redes internacionales entre personas transgénero —o, como los llaman los estadunidenses ahora, "transgente"(*transfolk*)— con dos grupos: uno con sede en Inglaterra, International Gender Transient Affinity (Afinidad Internacional con el Cambio de Género), y otro con base en Estados Unidos, Gender Freedom International (Libertad de Género Internacional), que trabajan para proteger a la gente transgenérica en todo el mundo de lo que parece ser un rutinario acoso y persecución. La paradoja de la globalización se presenta en las construcciones de sexo-género que combinan lo premoderno con lo moderno, así que la gente que se identifica con formas "tradicionales" de identidad transgenérica empleará modernas técnicas de cirugía y terapias hormonales para alterar su cuerpo.

Las dos instituciones internacionales lésbico-gay de mayor envergadura son, quizá, las vinculadas a la Metropolitan Community Church, MCC (Iglesia Metropolitana Comunitaria) y The Gay Games (Los Juegos Gay). La MCC es una congregación protestante fundada en 1968 por el reverendo Troy Perry en Los Angeles, cuyos miembros y ministros son en su mayoría homosexuales, y que agrupa a más de cuarenta mil personas en alrededor de 16 países. Iglesias gay similares han surgido de manera independiente en muchas otras sociedades como Sudáfrica y México.[62] Los Gay Games, creados a partir del modelo de los juegos olímpicos, que rechazaron el uso de su nombre, se llevaron a cabo por primera vez en San Francisco en 1982, y desde entonces se han convertido en una importante celebración internacional cada cuatro años, por cuya sede compiten las ciudades encarnizadamente. También generan una considerable publicidad internacional, mucha de la cual es de naturaleza un tanto voyeurista.[63] Ambas "redes", vale la pena asentarlo, se originaron en Estados Unidos.

La homosexualidad se vuelve una medida particularmente obvia de globalización, debido a que la reforma de los regímenes locales de sexualidad y género es, con frecuencia, más evidente en el nacimiento de nuevos tipos de identidades aparentemente "gay" y "lésbicas", y aun "queer". Sin embargo, debemos cuidarnos de creernos mucho esos libretos. Lo que está sucediendo en Bangkok, Río y Nairobi es la creación de nuevas formas de entender y regular el yo sexual, pero es improbable que sólo reproduzcan las formas en que se desarrollaron en el mundo atlántico. Al caminar por Shinjuku, la zona "gay" de Tokio, puede verse a un gran número de jóvenes en bermudas y con gorras de beisbol (o lo que esté de moda en el look "gay"), pero esto no significa que se comportarán o se verán a sí mismos como sus pares en Estados Unidos o en el norte de Europa.

Prostituta contra trabajadora sexual

Una globalización progresiva de las identidades y los derechos humanos se refleja en el crecimiento los grupos de trabajadores sexuales y la regulación de la prostitución. En años recientes ha habido intentos legislativos en varios países del primer mundo para despenalizar dicha actividad, y al mismo tiempo controlar ciertas formas de trabajo sexual, en particular aquellas que involucran la prostitución obligada de niños.[64] Hay una amarga división entre los que argumentan que los derechos humanos deben significar el fin de la prostitución (entendida como "esclavitud sexual", para usar una frase de Kathleen Barry)[65] y quienes argumentan que los adultos deben tener el derecho de usar sus cuerpos para hacer dinero y deben ser protegidos de la explotación y el peligro al hacer uso de ese derecho. En realidad la utilización del término "trabajadora sexual" es un intento deliberado por desmitificar la categoría de "prostituta", y los conceptos de "trabajo sexual" y "trabajadora sexual" "han sido acuñados por las mismas

159

trabajadoras sexuales para redefinir el sexo comercial en términos no de las características sociales o psicológicas de una clase de mujer, sino como una actividad generadora de ingresos o una forma de empleo para mujeres y hombres".[66] Una de las declaraciones más elocuentes al respecto proviene del grupo indio Comité Durbar Mahila Samanwaya, aunque su lenguaje refleja con claridad el discurso académico de Occidente.

> El término "prostituta" raramente se usa para referirse a un grupo ocupacional de mujeres que se ganan el sustento mediante la prestación de servicios sexuales; en vez de eso se utiliza como una expresión descriptiva que denota una categoría homogeneizada, por lo general de mujeres, cuyas actividades amenazan la salud pública, la moralidad sexual, la estabilidad social y el orden cívico. Dentro de estos límites hallamos sistemáticamente que somos el objetivo de los impulsos moralizantes de grupos sociales dominantes a través de misiones de limpieza y sanidad, tanto materiales como simbólicas. Siempre y cuando figuremos en la agenda política o de desarrollo estaremos enredados en prácticas discursivas y proyectos prácticos que apuntan a rescatarnos, rehabilitarnos, mejorarnos, disciplinarnos, controlarnos o crear políticas para nosotros.[67]

La primera organización de trabajadoras sexuales parece haber sido COYOTE (Call Off Your Old Tired Ethics [Olvídate de tu Vieja Ética Cansada]), establecida por Margo St. James en San Francisco en 1973 con el apoyo de la Glide Memorial Church y de la Fundación Playboy.[68] Sin aparente conexión con esta organización, a mediados de los setenta nació un grupo en Francia, como consecuencia de los asesinatos de varias prostitutas en Lyon que la policía puso poco interés en resolver. De este grupo, y del subsecuente English Collective of Prostitutes (Colectivo Inglés de Prostitutas), se formó el Comité Internacional para los Derechos de las Prostitutas. COYOTE organizó la Primera Reunión Mundial de Prostitutas en Washington en 1976, después de la cual surgieron otros grupos, como Red Thread (Hebra Roja) en Holanda. En el Segundo Congreso Mundial de Putas en Bruselas en 1986, las delegadas demandaron que la "prostitución debe definirse como trabajo legítimo y las prostitutas deben redefinirse como legítimas ciudadanas".[69]

Este cambio hacia una imagen de la prostitución como un trabajo se reflejó en el nacimiento de organizaciones de "trabajo sexual" en algunos países en desarrollo, la primera de las cuales al parecer surgió en Ecuador, seguida por numerosos grupos de otros países latinoamericanos[70] y un par en el sureste asiático, como Talikala en la ciudad de Davao, Filipinas. Las mujeres que fundaron Talikala se preocuparon desde el principio por buscar el empoderamiento de las trabajadoras sexuales, y fueron atacadas por los conservadores católicos por "promover la prostitución", toda una ironía dado que el apoyo inicial al proyecto vino de los padres Maryknoll. En 1995 los trabajadores sexuales del área Sonagachi de Calcuta organizaron el Comité Durbar Mahila Samanwaya, que afirmaba ser la organización registrada de más de cuarenta mil trabajadores del sexo (mujeres, hombres y transexuales) en Bengala Occidental,[71] y junto con la cooperativa de Usha mantiene sus propias clínicas para el tratamiento de enfermedades de transmisión sexual, una cooperativa de créditos, clases de alfabetización y una guardería. Un reporte indica que en 1997 tres mil personas asistieron a la primera conferencia nacional sobre prostitución en la India.[72] Aun si estas organizaciones se inspiraran, en parte, en ideas occidentales, ¿las hace eso menos significativas? Uno puede recordar que el movimiento de independencia de la India también tuvo influencia de los conceptos occidentales de nación y democracia —y por sí mismo se convirtió en una gran inspiración para los movimientos en pro de los derechos humanos en América y Sudáfrica. De la misma manera, el Comité Durbar Mahila Samanwaya ha llevado la movilización de los trabajadores sexuales a una escala más allá de la que ha alcanzado en cualquier país occidental.

Durante los años noventa la Red Internacional de Proyectos de

Trabajo Sexual (NSWP, por su siglas en inglés) ha buscado relacionar a los grupos de trabajadores sexuales en países ricos y pobres, mediante la organización de conferencias internacionales acerca del VIH-sida. Para el final de la década, la red vinculaba a grupos de cuarenta países, pero estaba limitada por las enormes dificultades para obtener recursos, y dependía de unos cuantos voluntarios dedicados.[73] Obtener aceptación para los grupos de trabajadores sexuales, ha sido una lucha continua y difícil, pues sólo algunos gobiernos están dispuestos a darles cualquier tipo de reconocimiento. En Australia y Nueva Zelandia las organizaciones nacionales han tomado parte de manera ocasional en los cuerpos consultivos nacionales sobre el sida, pero esto es raro; tampoco las organizaciones sociales cuyo trabajo se concentra en el sida han recibido siempre un apoyo particular. El comentario de Guenter Frankenberg acerca de Alemania puede aplicarse en cualquier otra parte: "El grupo AIDS-Hilfen encabezado por gays ha 'colonizado' a drogadictos, prostitutas y prisioneros, al hablar por ellos en vez de permitirles que sean ellos sus propios defensores".[74] El reconocimiento de representantes de las trabajadoras sexuales y las lesbianas por parte del Congreso Indonesio de Mujeres que siguió, en 1998, a la caída de Suharto, fue, por lo tanto, particularmente significativo,[75] así como lo fue la inclusión del lesbianismo en la agenda oficial de la Conferencia Nacional de Mujeres en la India (1998).

La mayor parte de la gente que se involucra en el sexo a cambio de dinero no tiene conciencia de que ello engloba su identidad central, y bien puede sentir repulsión ante la idea de organizarse en torno a una identidad que rechazaría con energía. Es un hecho que el dinero estará involucrado en una gran cantidad de encuentros sexuales en casi cualquier economía al contado, y que la gran mayoría de tales transacciones no involucrarán a personas que se identifican a sí mismas como trabajadores profesionales del sexo, sino que ven el asunto como una entre varias estrategias para sobrevivir.[76] Esto es verdad respecto de las jóvenes africanas que encuentran *sugar daddies* (algunas veces conocidos como "llantas de refacción") que las ayudan con las cuotas escolares, como ocurre también con los *beach bums* estadunidenses que aceptan hospitalidad y regalos a cambio de favores sexuales. Debemos recelar de aquellos estudios que proclaman que 36% de los trabajadores sexuales son positivos/negativos/usan condón o lo que sea: esto presupone una población fija, lo que en realidad es una ficción peligrosa. Parece útil pensar en la prostitución no como una condición o identidad fija sino como un flujo continuo que va desde la prostitución organizada, pasando por los burdeles, las agencias de acompañantes y demás, hasta las transacciones no premeditadas que resulten de encuentros ocasionales.

Esto no significa que una organización en torno a las condiciones de empleo y la protección contra el abuso no tenga posibilidades de éxito. En el caso de los que toman drogas, Chris Jones sugiere la idea de una "comunidad pragmática [...] una comunidad en acción, afectada por varias fuerzas que originan respuestas potencialmente proactivas ante diversas situaciones".[77] Necesitamos saber más acerca de las agrupaciones que puedan incluir a los trabajadores sexuales sin hacer de esto una definición central, como la Asociación de Viudas de Ghana que, de acuerdo con un reporte, incluye a un gran número de mujeres de Accra que trabajan en el sexo comercial.[78] A principios de 1998 un grupo conocido como las Hermanas Henao se estableció en Puerto Moresby (Papua Nueva Guinea) para reunir a las mujeres conocidas como "chicas *raun-raun*", quienes entran y salen de la prostitución. Aunque el grupo surgió a partir de un programa educativo que estableció el gobierno para la prevención del VIH, la iniciativa para su desarrollo parece haber salido de las mujeres mismas que enfrentan de manera continua problemas de supervivencia, violencia y acoso policiaco.

Como muestran los ejemplos de las identidades de trabajadores sexuales y lésbico-gay, el cambio socioeconómico producirá nuevas formas de entendernos a nosotros mismos y nuestro lugar en el mundo. El rompimiento de la familia extensa como unidad económica y social fue una de las consecuencias más importantes de la industrialización en el mundo occidental. A su vez, la creciente riqueza y el viraje del énfasis puesto en la producción hacia el consumo ha significado una continua contracción de los hogares a medida que hasta la familia nuclear está siendo remplazada por un gran número de parejas no casadas, de familias de un solo padre, de gente que vive gran parte de su vida sola o comparte la vivienda. Con esto ha llegado un nuevo rango de identidades, conforme la gente busca hacer que sus vidas tengan sentido en su calidad de divorciados, solteros, en unión libre, o como padres únicos. Las presiones comerciales por apuntar hacia "demografías" específicas y la necesidad personal de definir la propia identidad en términos psicológicos originan el crecimiento de nuevos tipos de grupos sociales y de apoyo para, digamos, divorciados, padres solteros, gente que vive relaciones múltiples (para los que se ha revivido el término "poliandria").

A diferencia de las identidades basadas en la sexualidad como "lesbiana" o "travestido", éstas son identidades basadas en el estatus de las relaciones y pueden, de hecho, pasar por encima de las definiciones de la sexualidad. En la obra de teatro de Harvey Fierstein *Torch Song Trilogy* (pieza que en su versión escénica y cinematográfica se ha conocido en el mundo de habla hispana con los nombres *Trilogía de amor*, *Trilogía de Nueva York*, *Jóvenes corazones gay* y *Amor extraño amor*) hay una feroz discusión cuando Arnold intenta que su madre acepte que la pérdida de su amante equivale a la pérdida del esposo de ella. Hay pequeños signos de que este énfasis en la identidad basada en las relaciones se va esparciendo más allá del mundo desarrollado, tal como lo indica un reporte sobre el intento de fundar "La casa de té de la mujer divorciada" en Beijing en 1995. La asociación se encontró con impedimentos del gobierno chino en cuanto a la creación de organizaciones no gubernamentales.[79]

Debajo de estas situaciones subyace un énfasis creciente sobre las ideas de identidad y satisfacción individuales, y en el vínculo de estos conceptos con la sexualidad. Uno de los temas dominantes en el pensamiento occidental posfreudiano acerca del sexo ha sido explicar por qué la sexualidad es tan fundamental en nuestro sentido del

164

yo y, por lo tanto, la base de las identidades política y psicológica. Estas hipótesis acerca de la sexualidad están lejos de ser universales; como lo advierte Heather Montgomery, al hablar de los niños en la industria del sexo en Tailandia: "La sexualidad nunca estuvo identificada con la satisfacción personal o el placer individual [...] La prostitución fue una manera incidental de construir sus identidades".[80] De manera similar, Lenore Manderson escribió, también con respecto a Tailandia: "Para las mujeres, el sexo comercial es el mecanismo mediante el cual muchas de ellas cumplen hoy en día con sus obligaciones como madres e hijas. Para ellas, el cuerpo y su expresión sexual en el trabajo son los medios de producción más que un espejo de su propio ser".[81]

Esta última frase es crucial, porque resume el libreto dominante con el que los occidentales les interpretaron la sexualidad durante el siglo pasado, ya fuera en la búsqueda de explicaciones genéticas y biológicas o según la escuela freudiana radical derivada de pensadores como Wilhelm Reich y Herbert Marcuse para desarrollar conceptos de represión y sublimación que explicaran las actitudes políticas y el comportamiento.[82] De alguna manera Frantz Fanon también pertenece a esta tradición, y el hecho de escribir desde la posición de un argelino colonizado lo ha hecho particularmente atractivo para los teóricos poscoloniales, quienes tienden a ignorar su intensa homofobia.[83] Este intento de vincular la sexualidad con lo político está bastante menos de moda hoy en día, cuando la primera por lo general está más ligada con el capitalismo contemporáneo, y cada vez pensamos más en nosotros mismos como consumidores y no como ciudadanos. De hecho, es la derecha la que parece preparar la agenda para las políticas sexuales, mediante ataques al aborto, el control natal y la homosexualidad, lo que de manera clara ligan con la insatisfacción frente a la vida moderna; sin embargo, existe un rechazo, excepto por parte de un pequeño grupo de pensadores religiosos, a tener en mente la conexión entre el capitalismo contemporáneo y los cambios en los órdenes de sexo y género que tanto aborrecen.

165

LA NUEVA COMERCIALIZACIÓN DEL SEXO: DE LA PROSTITUCIÓN FORZADA AL SEXO CIBERNÉTICO

△

E l capítulo anterior abordó las nuevas formas de conceptualizar la prostitución como trabajo sexual, y el intento de crear un movimiento político basado en este cambio. En éste me referiré a las dinámicas de la comercialización del sexo mismo, y cómo reflejan el orden sociopolítico más amplio. La prostitución es sólo el aspecto más dramático de la industria del sexo, que se interrelaciona de manera creciente con la economía global. En parte, ésta se asocia con el enorme incremento del turismo desde el desarrollo del jet jumbo,[1] pero con frecuencia las mujeres jóvenes son reclutadas para el trabajo sexual mediante la migración, a menudo bajo condiciones de virtual esclavitud. Dicha situación se ha vuelto tan común que es el tema central de una novela policiaca alemana convertida en éxito de ventas: *One Man, One Murder*.[2]

Prostiturismo*

La burguesía nacional recibirá una gran ayuda en su camino hacia la decadencia por parte de los burgueses occidentales que llegan como turistas ávidos de lo exótico, de la caza mayor y de los casinos [...] Los casinos de La Habana y de México, las playas de Río, las pequeñas brasileñas y las niñas mexicanas, las mestizas de trece años, los puertos de Acapulco y

* En portugués en el original.

Copacabana —todos éstos son el estigma de esta depravación de la clase media nacional [...] [la cual] convertirá a su país en el burdel de Europa.

Frantz Fanon,
The Wretched of the Earth, 1961

Desde que Fanon escribió estas palabras, el turismo se ha convertido en el campo más significativo y visible de la desigualdad sexual. Como escribe Jeremy Seabrook:

Es una negra ironía que el turismo sexual debiera ser un síntoma de la globalización, la "integración" de todo el mundo dentro de una sola economía, cuando tanto los trabajadores de la industria y los clientes del extranjero son, ellos mismos, el producto de la desintegración —de las comunidades locales, de la disolución del arraigo y la pertenencia, del rompimiento de los viejos patrones de trabajo y las formas de vida tradicionales; así como de la desintegración psíquica de tanta gente envuelta en grandes cambios épicos, que comprenden muy poco y controlan aún menos.[3]

El turismo es, por supuesto, un factor significativo en la globalización económica y cultural, y ha llegado a ser hasta cierto punto el mayor empleador individual en el mundo. En muchos lugares está ligado de manera estrecha al sexo comercial, lo que los brasileños llaman "prostiturismo".[4]

Los medios están llenos de referencias a los nuevos centros de prostitución internacional; algunas ciudades como Tokio, Dubai y Estambul a menudo se identifican como centros de una nueva internacionalización de los trabajadores sexuales y sus clientes. El sitio web Club Paradise ofrece "viajes de amor" al alguna vez territorio enemigo de San Petersburgo, Kiev y Minsk; Planet Love ofrece acceso a sitios como Cuban Affairs (Aventuras Cubanas) y From Russia with Wife (Desde Rusia con Esposa).[5] Ya he tratado el caso de Bangkok, que a menudo se describe más excepcional de lo que es probable sea el caso. Pese al innegable incremento del turismo sexual en lugares como Bangkok, Pataya y Phuket, la mayor parte de la prostitución en Tailandia depende de clientes locales. Es concebible que la difusión de la prostitución a través de todo el país cambie el comportamiento y las emociones. Un autor ha especulado que el turismo sexual pudiera hacer populares prácticas como el beso y el sexo oral en algunos países,[6] así como se ha dicho que el acceso a la pornografía occidental ha creado una demanda de sexo anal (heterosexual) en China. En muchas partes del mundo se dice que la amenaza del sida ha incrementado la demanda de prostitutas menores de edad.

La prostitución no es nueva de ninguna manera, y resulta difícil distinguir entre un verdadero incremento del sexo comercial y una mayor apertura para reconocerlo. De hecho es posible que en muchas áreas del mundo rico haya hoy en día mucho *menos* sexo comercial que hace cien años, aunque esto tal vez esté más que compensado por su incremento en otras partes del mundo. En la esfera internacional la prostitución parece aumentar rápidamente a causa de la expansión de los viajes, la migración y el "desarrollo" económico liberal en todo el globo. No debe subestimarse el impacto del 747 en los rápidos movimientos de población; los turistas europeos que alguna vez vieron el Mediterráneo como un lujo distante ahora vacacionan en las islas Seychelles y en Phuket, mientras que mujeres y hombres de Nigeria y Brasil se venden en las calles de Roma y Düsseldorf, y muchos migrantes se encuentran con que sus trabajos como acompañantes, sirvientas y nanas acarrean la expectativa de servicios sexuales. En mis visitas a Europa durante los últimos diez años he notado un marcado crecimiento del comercio sexual en los saunas gay, donde jóvenes del otro lado del mundo tienen su base para el trabajo sexual ilegal, y así cambian, en el proceso, las reglas que antes funcionaban en esos lugares, donde se practicaba el sexo ocasional pero no comercial.

169

Es importante recordar que el turismo sólo comprende una parte del vasto movimiento dentro y fuera de los países, resultado de los flujos globales de gente, que incluyen a los más y a los menos privilegiados. Tales movimientos, que involucran a trabajadores "huéspedes", refugiados, inmigrantes, soldados, pescadores y otros, pueden tener considerable impacto en las estructuras culturales y socioeconómicas. Las políticas neoliberales que apresuran el "crecimiento" económico y la destrucción de los apoyos tradicionales, también obligan a más gente a realizar servicios por contrato (por ejemplo, trabajadores filipinos o bengalíes en el Golfo) y prostitución.[7] Así, el colapso económico de Indonesia entre 1997 y 1998 se reflejó en informes de un crecimiento del sexo comercial en Yakarta, donde hay algunos intentos oficiales de regularlo mediante la creación de recintos para prostitutas.[8] Estos recintos están constituidos por cuartos pequeños, con el espacio suficiente para una cama y un clóset, en los cuales las mujeres duermen y atienden a sus clientes, y es preferible —y más seguro— que trabajar en las orillas de las carreteras (como lo hacen las prostitutas *waria* de Yakarta) o en el viejo cementerio holandés en Surabaya.[9]

El colapso del comunismo en la Europa del Este soviética ha provocado un enorme crecimiento del trabajo sexual (así como en la introducción del uso de las drogas): a mediados de 1998 se estimaba que, en los últimos tres años, medio millón de mujeres habían sido llevadas desde los antiguos Estados soviéticos hacia Europa occidental para dedicarse a la prostitución. La misma historia habla de un enorme aumento en los casos de sífilis en Rusia, Ucrania y Bielorrusia, y el uso de drogas se ha incrementado de manera similar.[10] Pero tales cifras pueden subestimar la realidad: el gobierno de Ucrania estima que desde el colapso de la Unión Soviética 400,000 mujeres ucranianas se han trasladado a Occidente por su cuenta, donde ejercen distintas formas de prostitución.[11] Dentro de Rusia misma hay un marcado crecimiento en la visibilidad de la prostitución y, como Lynne Attwood observa, "hay más que una insinuación de respeto para esas autoproclamadas 'mujeres de negocios independientes'".[12] En el último par de años los observadores aseguran que la prostitución ha aparecido de nuevo en Cuba, en parte para servir a los turistas.[13] De la misma manera, la relajación de las restricciones en China sobre la emigración ha provocado un flujo de jóvenes, conocidas como *dalumei*, que se trasladan a Taiwán en busca de una vida mejor: "Popularizada por historias sensacionalistas de explotación sexual en los periódicos, la *dalumei* es una mujer que, en la mayoría de los casos, sirve como una prostituta, de manera voluntaria o por otra razón, y quien en otros casos se disfraza de nativa con buenos resultados y gana dinero como cantante, mesera, recepcionista o peinadora".[14]

La creciente comercialización del sexo es a menudo la consecuencia no intencional de abrir una economía al mundo exterior. Los críticos a la economía de libre mercado pueden ver en ello una consecuencia lógica del incremento en la conversión de todo en mercancía comercial —esto coincide con la crítica feminista de la prostitución en cuanto a que ésta reduce toda interacción humana a un bien mercantil. En un escrito satírico que busca la "prostitución *sustentable*" la escritora tailandesa Anita Pleumarom señala: "No debemos preocuparnos más por la comercialización y la conversión en bienes y servicios de todos los aspectos de la vida [...] dado que el capitalismo desencadenado y el consumismo son parte de la inevitable realidad".[15] Las actitudes estadunidenses hacia el sexo comercial son particularmente esquizofrénicas; es irónico que el país más comprometido con las leyes del mercado sea también uno de los que más censuran la inclusión de los servicios sexuales en éste. Hay, por supuesto, notables excepciones, como la aceptación de burdeles en algunas partes del país, como nos lo recuerda la obra musical, y después llevada al cine, *La mejor casita de placer en Texas* (*The Best Little Whorehouse in Texas*).

A pesar del énfasis actual sobre el "turismo sexual" vale la pena recordar que los militares han tenido una larga conexión con varias formas de prostitución, a menudo forzada, y que la disponibilidad de prostitutas ha sido desde hace mucho una gran preocupación de los mandos militares, como una forma de mantener el ánimo y limitar la posible homosexualidad entre sus tropas. Como Cynthia Enloe se pregunta: "Sin el descanso sexualizado y la recreación, ¿podría el comando militar de Estados Unidos estar en condiciones de enviar a hombres jóvenes fuera por largos y a menudo tediosos viajes por mar y maniobras en tierra? ¿Podrían tantos hombres estadunidenses mantener sus propias identidades, sus imágenes de ellos mismos como hombres capaces de actuar como soldados, sin los mitos de las mujeres latinas o asiáticas de sexualidad sumisa?".[16] La provisión de "descanso y recreación" fue uno de los puntos centrales que crearon la imagen de Bangkok tratada al principio de este libro.

Un aspecto característico del mundo contemporáneo es la aparente globalización de lo que alguna vez podrían haber sido conflictos localizados, con el creciente uso de tropas extranjeras, a menudo utilizadas como fuerzas de paz. Un factor para el rápido crecimiento del comercio sexual en Camboya durante los años noventa fue la presencia de soldados de la Autoridad de Transición de las Naciones Unidas en Camboya (UNTAC, por sus siglas en inglés), y el primer ministro Hun Sen ha dicho que el sida será la herencia perdurable de la operación de paz de las Naciones Unidas.[17] Aun bajo el gobierno del Talibán existen informes de que hubo prostitución clandestina en Afganistán, que hacen eco del comentario de Rabih Alameddine sobre la guerra civil en Líbano, cuando "las jóvenes chiítas pobres podían hacer dinero de dos maneras, volviéndose prostitutas o cubriéndose todo el cuerpo con excepción de las manos y la cara".[18] (Alameddine sugiere que Irán pagó a las mujeres libanesas por usar los velos tradicionales.)

La prostitución casi siempre se describe en términos de las mujeres, pero también involucra a un significativo número de hombres jóvenes, aunque la dinámica de la prostitución masculina tiende a ser de alguna manera diferente. Patrick Larvie habla de Brasil: "Para muchos hombres la acción de la prostitución puede en realidad estar más encaminada a una forma ritualizada de transgresión sexual que a ser la clase de transacción de sexo por dinero que ocurre comúnmente en-

172

tre mujeres o travestis que desempeñan el trabajo sexual".[19] No es una observación nueva que muchos hombres jóvenes se prostituyen para disfrutar el sexo homosexual mientras mantienen la ilusión de que no son "maricas". Mientras que a las mujeres se les estigmatiza por saberse que son prostitutas, los hombres jóvenes a menudo dirán que son "padrotes" para evitar que los cataloguen como homosexuales.[20]

También, desde el punto de vista cultural, las imágenes asociadas a la prostitución de hombres y mujeres son bastante diferentes. Mientras la mujer es vista ya sea como víctima o mujer fatal pero considerada amoral (y por lo tanto, finalmente, como en la *Traviata*, resulta una figura trágica), el prostituto es depredador o violento, como en las novelas de Genet, como en los cuentos-lecciones morales de la vida real de hombres famosos (Sal Mineo, Pasolini, Versace) asesinados por prostitutos. Una vez más la prostituta redimida se ha convertido en un estereotipo de los medios, como en la película *Pretty Woman* (*Mujer bonita*) o el personaje de Megan de la serie de televisión *Melrose Place*. Contra esto hay una tendencia a retratar la prostitución masculina en los países más pobres como algo rodeado de un cierto nivel de "diversión" recíproca, aun cuando se reconocen las desigualdades subyacentes.[21]

La prostitución masculina quizá está más extendida de lo que a menudo se reconoce. Un intento de los gobiernos durante las primeras etapas de la epidemia del sida para estimar el número de trabajadores sexuales masculinos comerciales concluyó que no había "ninguno" en China o en Zambia; de los gobiernos que respondieron, sólo Francia, Colombia y la República Checa reconocieron que los hombres pueden representar alrededor de diez por ciento o más entre los "trabajadores comerciales".[22] Es probable que esta última cifra se duplique en otros países ricos y pobres. Hay menos reconocimiento de que hombres dan servicios pagados a mujeres, aunque esto no es raro en ciertos destinos turísticos como Bali, Sri Lanka, República Dominicana y Gambia, donde las relaciones sexuales a menudo están acompañadas de regalos caros en vez de un pago directo. En algunos casos los encuentros ocasionales llevan a una relación continua, e incluso a la emigración del nuevo novio al país de su pareja. Por lo regular se cree que tales relaciones acaban de manera desastrosa, pero el beneficio económico obtenido no siempre es una mala razón para embarcarse en dicho compromiso.

Pese a que hoy en día existe un importante conjunto de investigación aplicable acerca del trabajo con el sexo, éste rara vez se incorpora a teorías más amplias sobre economía política global. En realidad, a pesar de su trascendencia económica, la prostitución sigue sin ser analizada como un negocio, apenas como un fenómeno moral, a pesar de que en los países de Europa occidental, Australia y Asia que han despenalizado algunas formas de sexo comercial, las cantidades de dinero involucradas en ello están transformando las actitudes hacia la prostitución. Así, a fines de 1998 un artículo de primera plana en la sección de negocios del periódico *Age* de Melbourne informó del crecimiento de la industria del sexo como "más aceptable y respetable", y subrayaba el flujo de beneficios para los hoteles, taxis y fabricantes de condones.[23] Estimaba que en Australia había 23,000 personas empleadas en la industria del sexo, con una derrama de casi mil millones de dólares en los 800 burdeles legales y 350 ilegales, agencias de acompañantes y salones de masajes. Se estima que los británicos gastan alrededor de tres veces esa cantidad —lo cual es más o menos equivalente, con base en el gasto per cápita— aunque es sólo un octavo de sus gastos en drogas ilegales.[24]

En muchos países pobres la industria del sexo es más importante en proporción. Se dice que el burdel más grande de Bangladesh, en el puerto de Narayanganj, en las afueras de Dhaka, tiene 1,600 trabajadoras que viven ahí con sus familias.[25] En 1998 la Organización Internacional del Trabajo publicó un estudio sobre prostitución en cuatro países del sureste asiático, en el cual calculaba que en Indonesia, Malasia, Filipinas y Tailandia

el número de trabajadores que se ganan la vida directa o indirectamente a través de la prostitución sería de varios millones [...] Se estima que el sector del sexo en los cuatro países es la fuente de entre 2 y 14% del producto interno bruto, y los ingresos que genera son cruciales para la subsistencia y las percepciones potenciales de millones de trabajadores, además de las prostitutas mismas. Las autoridades también cobran sustanciales ingresos ilegales en áreas donde abunda la prostitución, mediante sobornos y corrupción, pero también de manera legal por medio de cuotas por permisos e impuestos que cobran a los muchos hoteles, bares, restaurantes y casas de juegos que florecen a su sombra.[26]

Este informe fue muy significativo porque sugirió un cambio dentro de Naciones Unidas hacia el reconocimiento del trabajo sexual como una industria que debe ser regulada, en vez de una calamidad que hay que eliminar. (Aun así, el informe evitó con gran cuidado cualquier recomendación sobre el estatus legal de la prostitución.) No es sorprendente que el informe haya creado un amargo debate con algunos gobiernos, en particular de la América Latina católica, que mostraron una considerable hostilidad hacia dicho cambio.

Tanto en los países ricos como en los pobres la rapidez del cambio económico incrementa el comercio sexual. De entre la copiosa literatura disponible he aquí este ejemplo de Nepal:

> Para la consternación de activistas y grupos ciudadanos, los burdeles han proliferado en la capital y otras áreas urbanas, lo que sigue el paso de la repentina demanda [*sic*] de trabajadoras sexuales en Nepal. Rana, activista de una ONG, dice: "El sexo ha empezado a desempeñar un papel más importante en los ingresos turísticos de Nepal, lo cual es de lamentar". Otra faceta del comercio sexual es el tráfico de mujeres y niñas, un enorme negocio en Nepal [...] De acuerdo con estimaciones recientes de la UNICEF, se informa que más de trescientas mil mujeres nepalesas han sido vendidas a burdeles en la India.[27]

En menor escala, hoy existe un tráfico similar de mujeres jóvenes de Mozambique a los burdeles de Ciudad del Cabo y Johannes-

175

burgo. El colapso del centro de Johannesburgo ha visto cómo el trabajo sexual junto con las drogas se convierte en una industria principal en el área de Hillbrow, que alguna vez fuera la elegante zona bohemia de la ciudad.[28]

Hasta en los países ricos, el trabajo del sexo es a menudo el medio más accesible de supervivencia para aquellos que están marginados debido a la desindustrialización, la migración, las desintegraciones familiares, el colapso del bienestar social y otras causas, si bien cada vez hay más trabajadoras sexuales de clase media de lo que se reconoce, que a menudo trabajan como "masajistas" y "acompañantes" en departamentos privados de zonas elegantes de las grandes ciudades. (En las películas se ha mostrado a un buen número de prostitutas de clase alta, y el asesinato del diseñador de modas Versace por Andrew Cunanan ha llevado a la proliferación de historias en los medios sobre "gigolós gay".)[29] En verdad la división de clases es muy obvia en el trabajo sexual, con una creciente brecha entre los burdeles legítimos y lujosos que hoy operan en muchas ciudades occidentales y las realidades del trabajo en las calles en la mayoría de las ciudades, ricas o pobres. Debido a la globalización, la división de clases a menudo coincide con una división racial, con trabajadores migrantes de países pobres muy sobrerrepresentados entre las partes más marginadas de la industria. Uno de los argumentos que a menudo se da contra las organizaciones de trabajo sexual es que éstas suelen sobrestimar enormemente la libertad de elección de que dispone la mayoría de quienes ejercen este oficio.

La prostitución es fundamental para cualquier análisis del orden sexual, como lo es de manera más general la relación entre sexo y dinero. Se requiere una exploración de la carga erótica que significa pagar y recibir un pago, sugerida por el término coloquial "to spend" (gastar) para referirse al orgasmo masculino. Edmund White escribió que "los johns [clientes] toman a mal tener que pagar. Si bien la idea de pagar (y controlar) a alguien los excita de antemano, después de venirse se sienten ofendidos".[30] A algunos "johns" les gusta creer que el trabajo sexual involucra explotación mutua y reciprocidad, y alegan que los trabajadores también gozan "realmente" el sexo, o, por otra parte, se quejan de que ellos siempre están listos para "desgarrar" al cliente, o ambas cosas al mismo tiempo. En general una de las más profundas ilusiones del cliente consiste en pensar que es especial, y cualquier trabajador exitoso debe promoverla. Sí, clientes y trabajadores pueden enamorarse, pero sucede con menos frecuencia que lo que sugieren los mitos.

No quiero evadir los temas morales que despierta la prostitución: mientras algunos análisis feministas parecen conjuntar todas las formas del sexo por dinero hacia sentidos que niegan cualquier mediación de parte del trabajador, también parece como si la mayoría de los que "escogen" la prostitución lo hiciera bajo condiciones de considerable obligación. Al mismo tiempo debemos evitar los estereotipos que hacen parecer la prostitución como el refugio de los más marginados y los que se odian a sí mismos: "Venderse a uno mismo implica que se tiene un valor (de naturaleza sexual), y a menudo un valor considerable [...] Desde el punto de vista moral, las jóvenes prostitutas se sienten valoradas sexualmente y devaluadas en el ámbito social".[31] Esto no significa negar los sin duda verdaderos abusos y la explotación que rodean a la industria del sexo; es, más bien, reconocer que la indignación moral es inadecuada cuando la gente se ve obligada a vender su cuerpo para sobrevivir, y gratuita cuando la gente disfruta de una opción verdadera. En las sociedades opulentas no hay un número insignificante de actores porno y prostitutas que hayan escogido el negocio como una manera racional de arreglárselas; pero en la mayor parte del mundo quienes venden su cuerpo lo hacen para sobrevivir y a menudo en espantosas condiciones. Como escribió Shivananda Khan:

> Para la vasta mayoría de la gente, el trabajo del sexo, o el nombre que quieran darle, es una estrategia de supervivencia [...] El término "trabajo del sexo", o como se le llame, parece implicar alguna forma de igualdad en cuanto a poder económico y de negociación, un contrato laboral entre el cliente y el

proveedor. ¿Pero puede ser esto cierto en ciudades como Calcuta, Mumbai o Dhaka, o en las de otros países en desarrollo donde la pobreza, el hambre, la indigencia y la falta de vivienda son comunes, donde un significativo número de estos "trabajadores" menores de 14 años generan los ingresos primarios de sus familias?[32]

La prostitución se regula de diferentes maneras en todo el mundo, y el único elemento común parece ser la hipocresía, excepto, tal vez, en el caso de Suecia, que ahora ha legislado para hacer ilegal la *compra* de servicios sexuales, un cambio bienvenido en la tendencia común de culpar al trabajador e ignorar al cliente. Muchas legislaciones, por supuesto, prohíben la procuración y el regenteo; el ejemplo más famoso de ello es la Ley Mann de Estados Unidos (1910), que prohíbe "la transportación, persuasión o coerción de una mujer para ir de un lugar a otro con el propósito de ejercer la prostitución en otros estados o en el extranjero". Desde la Primera Conferencia Internacional para Prevenir el Tráfico de Mujeres, realizada en París en 1885, han habido diversas acciones internacionales para restringir el comercio de mujeres con propósitos sexuales; y tanto la Liga de las Naciones como las Naciones Unidas consignaron el tema. Los debates alrededor del tráfico (entre los cuales el significado mismo del término no es el menor) continúan en la actualidad.[33] Tailandia mantiene la ficción legal de no permitir la prostitución, pero en general la tolera.[34] En muchos países donde hay pocas restricciones legales los trabajadores sexuales son acosados de manera consistente; en Turquía, por ejemplo, el Estado da permiso a los burdeles y pone restricciones considerables a las mujeres registradas para trabajar en ellos. A los dueños de burdeles no se les requiere pagar cuotas de seguro social para sus empleados, como a otros empleadores, y los hijos de las trabajadoras sexuales registradas son excluidos de ciertos rangos en la policía y el ejército.[35] Muchas mujeres trabajan hoy fuera del sistema legal, pero enfrentan un considerable acoso policiaco.

178

La única generalización que quizá sea verdadera es que la prohibición no funciona, como en el caso de las drogas y el alcohol. Más que eso, incrementa los riesgos a la salud y la inseguridad de los trabajadores y beneficia al crimen organizado. Cuando el alcalde de Manila cerró los burdeles de la ciudad hace algunos años, sólo trasladó el comercio a las ciudades aledañas o lo hizo más clandestino. La penalización de la prostitución —y la negación de los derechos civiles básicos a los trabajadores sexuales— es un factor significativo para perpetuar una serie de prácticas que equivalen a la esclavitud sexual. En vista de algunos de las declaraciones extremas de feministas en campaña contra la prostitución es importante hacer notar que organizaciones de trabajo sexual están luchando de manera activa contra estos abusos, que incluyen arrestos violentos, violación, golpizas y privación de ingresos.

Comparto los puntos de vista de Hoigard y Finstad quienes argumentan que: "Se debería, de todas las formas posibles, tratar de facilitarle las cosas a las mujeres mientras están en la prostitución. Al mismo tiempo deberíamos trabajar en darles mejores alternativas que la prostitución".[36] Pero sigo siendo profundamente escéptico sobre que esto último sea factible sin que haya cambios en las estructuras socioeconómicas de casi todas las sociedades, lo cual va más allá aun de mis esperanzas más utópicas de una política radical. En uno de los mejores análisis de este debate, Ryan Bishop y Lillian Robinson sugieren que sólo una gran restructuración global social y económica podría remover la explotación implícita en la mayor parte del trabajo sexual.[37] Por desgracia —como ocurre con una gran parte de la teoría feminista— ambos ignoran casi totalmente la teoría gay, aunque dicen que puede haber algunas diferencias significativas entre prostitución heterosexual y homosexual, sin decir cuáles pueden ser.

¿Existen diferentes tradiciones morales que ven a la prostitución de manera distinta de una sociedad a otra? En efecto, parece haber diferentes actitudes, que van desde prácticas religiosas donde las mujeres jóvenes ingresan a algo equivalente a la prostitución bajo el control de sacerdotes, hasta las sociedades que estigmatizan como

179

una puta a cualquier mujer que tenga sexo fuera del matrimonio. Pero debemos permanecer escépticos ante expresiones como ésta que figura en un informe sobre desarrollo: "La prostitución es aceptada como una forma de vida tradicional entre las mujeres de muchas comunidades tribales de Rajastán [...] con el ingreso derivado del trabajo sexual se sostienen comunidades enteras".[38] (La mera referencia al "ingreso" sugiere que debemos leer la palabra "tradicional" con cierto escepticismo.) El trabajo sexual puede ser tan opresivo como liberador. Pero es difícil sostener que para la mayoría de los involucrados lo último pesa más que lo primero.

Las contradicciones del orden sexual globalizado pueden verse en el fenómeno de las "novias por correo", un término tan común que un escritor de Singapur lo usó para una obra de teatro que explora el fenómeno.[39] Hay un retrato de una mujer así en la película *Priscilla, Queen of the Desert* (*Priscilla, la reina del desierto*), que los australianos criticaron por ser innecesariamente racista. Por desgracia éste no es un fenómeno aislado; para 1998 había casi 50,000 mujeres filipinas en Australia, muchas de las cuales habían ido a casarse con australianos. Gran número de esos matrimonios está formado por australianos blancos, viejos e incultos con jóvenes mujeres desesperadas por emigrar, y la investigación sugiere que los desenlaces de esos matrimonios pueden ser la violencia y, en casos extremos, el asesinato.[40] Hay, por supuesto, muchos otros ejemplos de matrimonios exitosos y felices, pero también muchos de ellos son producto de desigualdades estructurales que presentan esperanzas poco alentadoras desde el principio. Conocí a un joven afuera de un bar gay en Manila (era tan pobre que no podía pagar la copa que le hubiera permitido entrar). Me dijo que su hermana se había casado con un australiano y que él quería seguir su ejemplo y encontrar a un hombre rico que lo sacara de Filipinas. Casos similares se encuentran en los numerosos anuncios de hombres jóvenes de países en desarrollo que buscan amistades y se anuncian en los periódicos gay de Occidente; un sorprendente número de ellos son de Ghana. (¿Por qué de Ghana? No estoy seguro, pero he notado el fenómeno en periódicos australianos y suizos.) Con el colapso económico de Rusia a finales de los noventa, muchas mujeres se inscribieron en agencias matrimoniales, con la esperanza de encontrar un camino para escapar a Occidente.[41]

La nueva respetabilidad de la pornografía

Las palabras de Don De Lillo en su libro *Running Dog* (1978) son más que elocuentes:

> [Él] controlaba un laberinto de ciento cincuenta corporaciones que contaban entre sus actividades y posesiones con una cadena de librerías, locales de desnudistas y peep movies de costa a costa; locales de masajes y estudios de encuentros nudistas en el sureste de Estados Unidos y el oeste de Canadá; outlets de artículos de piel y de aparatos mecánicos al oeste del Mississippi; sex boutiques, bares topless, salones de billar con empleadas topless a lo largo del Sunbelt; una agencia de renta de autos con choferes topless en Nueva Orléans.

Durante las pasadas dos décadas ha habido un auge en torno a la discusión abierta y a la representación del sexo, así que lo que alguna vez fue pornografía hoy es lugar común. Esto es más evidente en el caso de Estados Unidos, donde la Primera Enmienda que proscribe cualquier reserva a la "libertad de expresión" significa que las cortes luchen para mantenerse al día con los cambios en la publicidad, las películas y los videos (tal y como sucede en la película *The People versus Larry Flynt*, renombrada en algunos países de habla hispana como *Larry Flynt, el nombre del escándalo*), pero los cambios en cuanto a la representación abierta de la sexualidad han afectado casi a todo el mundo. Desde la perspectiva de los años noventa, con sus videos para adultos en los hoteles y los anuncios con mujeres semidesnudas, las batallas de los sesenta sobre *El amante de lady Chatterley* y Henry Miller parecen extraordinariamente pasadas de moda; en la cultura mucho más visual de hoy en día los estudios Disney producen películas que hubieran sido inconcebibles cuando las cortes y los gobiernos luchaban por preservar la decencia. Hasta 1969 estuve involucrado en un caso en la corte de Australia sobre la importación de la versión sin censura de la película de Gore Vidal *Myra Breckenridge*;[42] en la actualidad, el gobierno australiano es visto como innecesariamente conservador cuando busca promover las restricciones a las "películas para adultos".

Éste no es el lugar para una larga discusión del debate acerca de la pornografía y sus varias definiciones; como en el caso de la prostitución, estoy más preocupado por el aspecto económico que por la moralidad de la industria.[43] Está claro que lo que para una persona es pornografía para otra es erotismo. En lo personal encuentro la representación promedio de la violencia en las películas de Hollywood mucho más ofensiva que mucha de la "pornografía" restringida, en tanto que lo que es un lugar común en la mayoría de los países occidentales en otras partes del mundo está totalmente prohibido, por lo que se fuerza a volverlo clandestino. El famoso comentario de un magistrado de la Suprema Corte de Justicia de Estados Unidos de que reconocía la pornografía cuando la veía, difícilmente abarca el surgimiento de sexo explícito desde abajo del mostrador hasta las librerías elegantes, y editoriales como X-Listed (propiedad de Little, Brown) y Black Lace (propiedad de Virgin).[44] Hay cada día más formas de mantener y hacer glamoroso el sexo comercial. Laurence O'Toole describe lo que llama "el futuro de las ventas al menudeo para adultos", la enorme tienda Fairvilla en Cabo Cañaveral, Florida.

Un mercado de 1,300 metros cuadrados, de dos pisos, un negocio que ofrece todo lo que queramos, lanzándose al poco explotado mercado del sexo en Estados Unidos para mujeres solteras y parejas. Aquí la gente viene y compra videos, juguetes sexuales, revistas, playeras, lencería, tarjetas de felicitación, todo el paquete. Sus dueños y encargados son marido y mujer, Bill y Shari Murphy con su equipo, Fairvilla provee una nueva clase de experiencia en la compra de pornografía a gran escala, algo más parecido a comprar en Gap o en Virgin que en las librerías tradicionales de adultos, con pisos de madera, un techo con un domo de 4 metros con una galería en el mezzanine y un jardín adyacente con palmeras, cascadas y una cafetería.[45]

Es interesante comparar esta descripción con la reacción del periodista Andrew Masterson sobre Sexpo, una feria de la industria del comercio sexual en Melbourne:

Con todo y su pretendida democratización y apertura, gran parte de la industria del sexo presentada en Sexpo todavía da señales de los valores de un circo de fenómenos del siglo XIX. No se trata de sexualidad, mucho menos de sensualidad, sino de la objetivación lucrativa de la mujer y de la explotación del hombre. No ofrece libertad sino intercambio comercial y en sus aparatos de "juego" sexual nervudos, nudosos, giratorios, vibratorios, extensivos, brutalmente penetrantes hay un sadismo por demás falso debido a su apariencia de objetos que proporcionan placer.[46]

Con poca atención por parte de los economistas o de la prensa financiera, la pornografía se ha convertido en un gran negocio. Un estimado de 1997 para Estados Unidos afirmaba: "Con sus 4,200 millones de dólares, es un negocio el doble de grande que el beisbol de las grandes ligas, tres veces más grande que el parque de diversiones de Disney, ocho veces más grande que Broadway".[47]

Se estima que en Estados Unidos se producen cada año entre 8,000 y 9,000 películas porno.[48] La mayor parte de la industria pornográfica estadunidense se encuentra en Los Angeles, en el valle de San Fernando, al norte de Hollywood, tanto así que se conoce como Silicone Valley (Valle del Silicón). Hay menos material a la mano sobre el desarrollo de la industria pornográfica fuera de Estados Unidos. En Europa es evidente que es muy significativa: en hoteles respetables de la ciudad calvinista de Ginebra he visto canales de televisión de veinticuatro horas que anuncian pornografía y servicios de acompañantes donde muestran a jóvenes anatómicamente inverosímiles, con números para llamar a toda Europa y Medio Oriente. Está claro que hay un gran mercado para la pornografía en el este de Asia y una vasta industria japonesa, de la cual se estima que genera quizá diez mil millones de dólares al año,[49] que si es correcto es más del doble que la cifra de Estados Unidos.

En efecto, la pornografía es mucho más accesible en Japón. Ian Buruma buscó explicar cuando se refiere a las represiones particulares de la sociedad japonesa (aunque sin el suficiente rigor en su análisis —algo poco característico— como para ser del todo convincente.)[50] Japón también parece poner menos restricciones a la pornografía infantil (más precisamente a la pornografía adolescente) que casi cualquier otra parte —las estimaciones aseguran que Japón produce cuatro quintas partes de toda la pornografía infantil.[51] Después de la caída del Muro en Hungría y Eslovaquia surgieron industrias pornográficas activas; de acuerdo con un productor fílmico alemán, los actores de Europa del este "cuestan menos y hacen más".[52] Y, como para ilustrar los a veces extraños circuitos de la globalización, se dice que un canal de televisión ruso, TB-6, es una importante fuente de películas para "adultos" en Bangladesh.[53]

Un estudio de Hebditch y Anning, realizado en 1988, abordó la naturaleza internacional del negocio de la pornografía y sostenía que existe más o menos una docena de "barones de la pornografía" que dominaban la industria y ejercían el control de más de cincuenta por ciento del comercio.[54] Aunque parecen equiparar lo "trasnacional" con lo transatlántico (no mencionan a la industria japonesa), ofrecen alguna idea sobre el cada vez más legítimo negocio de la pornografía, y la existencia de firmas que producen múltiples revistas y videos. Entre estos "barones" está la alemana Beate Uhse, quien, en la época en que Hebditch y Anning escribían el libro, dirigía un negocio de sex-shops en toda Alemania, con 550 empleados y un volumen de ventas anual de 90 millones de marcos alemanes: "Ubicado en espacios grandes —los que escriben sobre la industria de la pornografía son minuciosos observadores de la arquitectura— el edificio Uhse es más una combinación de un teatro moderno y una galería de arte que una oficina".[55] Ahora hay tiendas Beate Uhse en toda Alemania, incluso una muy grande en el aeropuerto de Francfort, y en 1999 la compañía emitió 8 millones de acciones en el mercado de valores secundario de esta ciudad.

Los pasos hacia la corriente principal de la pornografía puede rastrearse desde el lanzamiento de la revista *Playboy* de Hugh Hefner en 1953. Una combinación de discretas imágenes de mujeres desnudas y una exhortación al consumismo de una clase masculina en ascenso, era una especie de versión bajo el mostrador de *The New Yorker*.[56] Como ha remarcado Bernard Arcand: "*Playboy* es, sin discusión, un producto de la sociedad estadunidense [...] es suficiente para atraer la atención al típico carácter moderno de Hugh Hefner".[57] *Playboy* fue seguida por muchas imitaciones, incluyendo *Penthouse* y *Hustler*, y por un intento de crear revistas similares para mujeres (cuyos principales lectores son, quizá, homosexuales). Para la siguiente década las normas sobre censura empezaron a relajarse en el mundo occidental, lo que permitió el uso de palabras e imágenes que antes estaban prohibidas. En forma más que simbólica, el jefe de la censura de películas en Australia renunció en 1994 para convertirse en el primer productor de películas X del país.[58] De todas maneras, la revista *Playboy* continúa en el negocio al inicio del nuevo siglo, aunque con un número decreciente de lectores.[59] Tal vez sus editores deban tomar nota de los informes de que el gobierno holandés mandaba copias de la revista a sus tropas pacificadoras en la antigua Yugoslavia.[60]

Entre otros efectos, la pornografía ayuda a difundir ciertos supuestos sexuales —nótese la particular estrechez de la pornografía gay estadunidense que fetichiza los cuerpos musculosos y bronceados para excluir cualquier otro tipo físico. Recordar las películas pornográficas gay de los años setenta es reconocer cómo los gimnasios han remodelado literalmente el cuerpo masculino en las últimas dos décadas. Nótese también la nostalgia por los setenta como la "edad dorada" de

185

la pornografía —tal como se describe en las películas *Boogie Nights* y *The People versus Larry Flynt* (*Larry Flynt, el nombre del escándalo*)—,[61] que probablemente empezó con *Deep Throat* (*Garganta profunda*) (1972), la primera cinta pornográfica que alcanzó una audiencia masiva. (Se dice que recaudó cien millones de dólares en todo el mundo, y convirtió a sus principales actores, Linda Lovelace y Harry Reems, en las primeras estrellas porno reconocidas ampliamente.)[62] Las películas se volvieron más sofisticadas, con la inclusión de argumentos y estrellas reconocidas, y se despertó un interés académico así como un amargo debate feminista en torno a la pornografía que causó profundas divisiones en el movimiento de las mujeres, sobre todo en Estados Unidos.

La frontera entre la pornografía y el entretenimiento en general se ha reducido cada vez más. "Durante la última década —escribió Barbara Creed— el eterno coqueteo del cine con la sexualidad y el erotismo alcanzó un punto culminante cuando Sharon Stone reacomodó las piernas en *Basic Instinct* (*Bajos instintos*), y así revelar un vislumbre de piel y vello púbico. Con el primer *beaver shot* al nivel del piso en una película comercial se colapsó la línea divisoria entre el cine convencional y el cine pornográfico."[63] A finales de los años ochenta varios canales de televisión europeos empezaron a transmitir soft-porno, lo que llevó a las autoridades británicas a tratar de restringirlos en el nombre "del buen gusto y la decencia".[64] Pero la pornografía se fue estableciendo de manera creciente como una industria semilegítima (y significativa), cuyos principales puntos de venta eran la televisión por cable y las tiendas de video suburbanas (se estima que más de una cuarta parte de los ingresos de la industria del video en Estados Unidos procede de la pornografía).[65] Sin embargo, estas formas de comercialización estuvieron amenazadas por las posibilidades de usar Internet para distribuir pornografía, y existe una competencia constante entre la tecnología que incrementa la velocidad y precisión para descargar imágenes y quienes podrían controlar el contenido de la Red.[66]

Nuevas tecnologías, en especial de video, han transformado la pornografía al reducir el costo de producción y hacer las películas accesibles para su uso en el hogar. La mayoría de las tiendas de video tiene una "sección de adultos", y cada vez más hoteles y moteles ofrecen pornografía como parte del "entretenimiento en la habitación" (a veces con precauciones para evitar que los menores la usen). De la misma manera, el desarrollo de chat rooms y sitios pornográficos en Internet significa que los deseos sexuales pueden globalizarse a pesar de los intentos de los gobiernos y las familias para controlarlos. En 1998 la acción conjunta de la policía en varios países canceló un grupo de Internet conocido como wOnderland que facilitaba el intercambio de imágenes sexuales de niños, se afirmaba que tenía miembros en más de cuarenta países y estaba protegido por códigos que supuestamente venían del antiguo KGB soviético;[67] asimismo, el FBI ha incrementado su cacería de "viajeros, gente que lanza la red para atrapar niños fáciles de engañar para persuadirlos de tener encuentros sexuales en el mundo real".[68] Bajo esta luz, los intentos de las aduanas canadienses para impedir la importación de pornografía de Estados Unidos o la censura de la "decadencia occidental" por parte de los gobiernos paternalistas parecen grotescamente pasados de moda. El gobierno de Singapur, por ejemplo, prohibió las películas *The First Wives Club* (*El club de las divorciadas*) y *Eyes Wide Shut* (*Ojos bien cerrados*), supuestamente debido a las referencias al lesbianismo. Pero las autoridades de Singapur también han sido líderes en tratar de limitar el acceso de niños a sitios "indeseables" en la Red. "Su hijo puede ser una víctima en la Red", decía un anuncio de plana completa el proveedor principal de servicios de Internet de Singapur: "La World Wide Web ha sido un refugio seguro para los desviados sociales del mundo —traficantes de carne, mercaderes de odio, defensores [*sic*] de la disidencia quienes se han reunido ahí para potenciar sus voces".[69]

No sólo la pornografía parece estar presente en todas partes, sino que ha habido un marcado incremento en la difusión de los espectáculos de sexo en vivo en lugares como el centro de Melbourne y Toronto.[70] El sexo por teléfono es hoy un negocio internacional que, según sostiene *The Economist*: "ha sido un impulsor de países pe-

187

queños como Moldavia, Guyana y las Antillas Holandesas. Sus códigos cortos de marcado telefónico hacen creer que el cliente está realizando una llamada de larga distancia nacional en vez de una conexión internacional muy cara. En 1993 los ingresos de Guyana por el tráfico de las telecomunicaciones llegó a un asombroso 40% del producto interno bruto".[71] El héroe de la novela *Tokyo Vanilla* explora primero su homosexualidad a través del teléfono: "Más y más anuncios [...] estaban dedicados a los nuevos servicios telefónicos: cintas de sexo, bancos de mensajes, teléfonos Q2's* y clubes telefónicos".[72]

Nótese, como siempre, la ambigüedad de la globalización: Occidente es, al mismo tiempo, la fuente de estructuras morales y de creación de bienes y servicios que las destruyen. Muchos de los tabúes "tradicionales" de los que se dice necesitan defenderse contra la globalización son, en realidad, el producto de ideologías importadas con anterioridad, ya sea el cristianismo en el Pacífico y África o el comunismo en China y Cuba. Los intentos de gobiernos como el chino por alentar el crecimiento económico sin las correspondientes "libertades" de Occidente tienen pocas probabilidades de evitar un aumento del consumo sexual, ya sea debido a las desigualdades económicas alentadas por las economías neoliberales, el impacto de nuevos estilos y gustos a los que conlleva la prosperidad, el influjo de turistas, o la mayor movilidad y acceso a las ideas occidentales mediante los viajes y las comunicaciones electrónicas.

---

* Q2 es un servicio de conexión telefónica que vincula al usuario con un proveedor de información de diverso tipo: educación, cultura, estilo de vida, música, apoyo psicológico, etcétera. Muy empleado en Japón, usa un prefijo característico: 0990. (*N. del E.*)

POLÍTICAS SEXUALES Y RELACIONES INTERNACIONALES

△

> *¿Díganme por qué como mujer*
> *tengo que llevar toda esta carga*
> *cuando Dios, la constitución y las*
> *Naciones Unidas, todos me dicen*
> *que tú y yo somos iguales respecto a todo?*

Agnes Dewenis

Tras el fin de la guerra fría ha habido un marcado incremento en la preocupación por los derechos humanos y, como parte de esto, una constante presión para ver a los problemas de género y sexualidad como centrales en el estudio y la práctica de las relaciones internacionales.[1] Redes significativas de movimientos sociales trasnacionales se han desarrollado, a veces centradas en el género, los derechos reproductivos o la extensión del ámbito de los derechos humanos para incluir la sexualidad, ya sea a través de redes lésbico-gays o de movimientos en contra de la prostitución. Como afirma Martha Macintyre al hablar sobre la poesía de Agnes Dewenis y de otras mujeres del Pacífico,[2] el llamado a buscar nociones universales y humanistas sobre los derechos es una estrategia significativa para muchas personas en los países pobres, aunque los académicos del mundo rico dediquen una considerable cantidad de energía a desconstruirlas.

Algunas veces olvidamos cuán recientes son estos avances; los creadores de la Declaración Universal de los Derechos Humanos de 1948 ignoraron los temas de género, para no hablar de la sexualidad. La declaración menciona al "sexo" como uno de los criterios que no deberían usarse para privar a alguien de sus derechos humanos, e incluye una referencia explícita al derecho a casarse. Menciona también que "ambos cónyuges tienen los mismos derechos en el matrimonio, y que se requiere de mutuo y libre consentimiento para que el matrimonio tenga lugar" (artículo 16). Para muchas mujeres, la sola aplicación de este artículo sería una ganancia importante.

Mientras que en los años anteriores hubo logros limitados —después de la Segunda Conferencia Internacional de Paz, en 1907, la Convención de la Haya prohibió la violación como un acto de guerra— fue sólo hasta los ochenta cuando la violencia contra las mujeres se reconoció de manera amplia como un problema de derechos humanos. En 1992 Amnistía Internacional elaboró su primer dictamen sobre la violación como un caso de privación de los derechos humanos aprobado por el Estado. Desde entonces, el tema ha despertado considerable atención, con debates convergentes sobre, por ejemplo, la reparación de los daños que provocó el uso de "mujeres consoladoras" en Japón durante la segunda guerra mundial, y la preocupación por las violaciones generalizadas en la antigua Yugoslavia.[3] El tema de las "mujeres consoladoras", coreanas en su mayoría, fue crucial para impulsar los movimientos femeninos en Corea y para el desarrollo de redes entre las feministas asiáticas.[4] Sin embargo, como apunta Enloe, hay dos problemas que enfrentan las feministas al plantear el tema de la violencia contra las mujeres: muchos gobiernos se niegan a intervenir en lo que puede definirse como asuntos relacionados con la "familia", y que el reconocimiento del tema puede convertirse en "una justificación que les sirva para una escalada en la militarización de la masculinidad y para imponer mayores restricciones a las mujeres en nombre de su seguridad".[5] A esto debería añadirse la resistencia dentro de la disciplina de las relaciones internacionales, que permanece dominada por los hombres y reticente a los análisis de género.

El intento por desarrollar tal análisis demuestra de manera clara la ambigüedad de la globalización. En efecto, las confusiones económicas, sociales y políticas resultantes de un rápido cambio han incrementado tanto la vulnerabilidad de las mujeres como el recurrir a la violencia legitimada por el Estado; por ejemplo, en Sudán y Afganistán bajo los gobiernos fundamentalistas islámicos. Sin embargo, la preocupación creciente por los derechos humanos y el cada vez más frecuente uso de foros internacionales para presionar a los gobiernos traen consigo una mayor atención hacia estos abusos. (El lenguaje de los derechos humanos es, en sí mismo, uno de los mejores ejemplos de la globalización epistemológica.) Así, a fines de 1998, el Fondo de las Naciones Unidas para el Desarrollo de las Mujeres (UNIFEM, por sus siglas en inglés) organizó un "grupo virtual de trabajo" seguido de una videoconferencia global para discutir temas relacionados con la violencia contra las mujeres. Un cínico podrá advertir que, a diferencia de las conferencias, la violencia no es virtual.

Más importante, sin embargo, es la gradual pero constante erosión del argumento de que la soberanía nacional es suprema y que las naciones-Estado no pueden ser llamadas a cuentas por infracciones a los derechos humanos. Éste es un principio difícil de alcanzar; no sólo países como China y la ex-Yugoslavia se oponen con vigor a cualquier interferencia en asuntos domésticos, sino que Estados Unidos, un fuerte defensor de los principios de los derechos humanos, es al mismo tiempo un duro oponente a los intentos de crear instituciones supranacionales para reforzarlos. A pesar de tal rechazo, la combinación de las instituciones internacionales y la presión de movimientos sociales supranacionales están desarrollando, de manera gradual, mecanismos para lograr la universalidad. Uso el término "universalidad" como lo hizo el exsecretario de las Naciones Unidas, Boutros Boutros-Ghali, cuando dijo: "Debemos recordar que las fuerzas de la represión a menudo ocultan sus malas acciones mediante reclamos de excepción. Pero es la misma población quien, una y otra vez, aclara que busca y necesita universalidad. La dignidad humana dentro de nuestra cultura requiere estándares fundamentales de universalidad en los rubros de la cultura, la fe y el Estado".[6] Hay varios ejemplos de este llamado a los valores universales, como el intento de juzgar a figuras políticas y militares de Serbia y Ruanda por su participación en "crímenes contra la humanidad", y las acciones que, en su momento, se llevaron a cabo para extraditar al expresidente de Chile, el general Pinochet, para enfrentar un juicio en España por las mismas razones. No hay

191

una defensa culturalmente relativista convincente para la tortura y el asesinato.

El reconocimiento de que la soberanía no debe usarse como excusa para esconder abusos a los derechos humanos coincide con la creciente aceptación de que no sólo el Estado abusa de los derechos humanos. Así, la Declaración sobre la Eliminación de la Violencia contra las Mujeres, adoptada por la Asamblea General de las Naciones Unidas en 1993, incluye la violencia intrafamiliar y comunitaria como violaciones de los derechos humanos.[7] Dadas las realidades de opresión y violencia basadas en acuerdos "privados" de género y sexualidad, se trata de un enorme e importante avance. (Es probable que la violencia doméstica sea el crimen más común contra la persona.)[8] La afirmación de que los derechos humanos están implicados en lo que muchos hombres han definido como un asunto puramente privado puede empezar a crear movimientos contra el abuso de mujeres y niños, lo cual es rutina en muchas sociedades. Así, una feminista japonesa le atribuyó gran importancia a la conferencia de Beijing de 1995 que obligó a los hombres japoneses a tener en cuenta el tema de la violencia doméstica.[9]

El vasto aparato de instituciones internacionales que hoy intentan regular y coordinar casi todos los aspectos de las transacciones internacionales se remonta al siglo XIX, cuando organizaciones como la Unión Postal Universal (1874) y la Cruz Roja Internacional (1863) sentaron los precedentes para la creación de la Liga de las Naciones, después de la primera guerra mundial, y de las Naciones Unidas, después de la segunda, así como para la proliferación de organizaciones no gubernamentales internacionales.[10] La alguna vez firme línea divisoria entre los actores gubernamentales y los no gubernamentales se está desvaneciendo, a medida que las grandes conferencias internacionales se abren a la participación de organizaciones y voces no gubernamentales. Hasta ahora, el récord lo tiene probablemente la Cuarta Conferencia sobre la Mujer realizada en Beijing en 1995, donde se acreditaron tres mil ONG —y casi cuarenta mil personas acudieron al foro paralelo de las ONG.[11] La presión de la conferencia puso en la agenda internacional temas como la violencia sexual, el derecho de las mujeres a controlar la reproducción y el lesbianismo que hubieran impresionado a quienes redactaron la Declaración Universal de los Derechos Humanos cincuenta años antes. Al hacer estas reivindicaciones las mujeres involucradas aprovecharon los cimientos que las ONG y los activistas habían construido en anteriores conferencias de la ONU (Medio Ambiente, Río de Janeiro, 1992; Derechos Humanos, Viena, 1993; y Población, El Cairo, 1994). Estos episodios forman parte de un mayor movimiento para desarrollar un lenguaje significativo de derechos humanos globales, que los activistas desean incorporar mediante instituciones como la Comisión de Derechos Humanos de las Naciones Unidas, la Corte Europea, y otros organismos supranacionales.[12] El estatuto negociado en Roma en 1998 para establecer una corte criminal internacional (en espera de que haya suficientes Estados dispuestos a ratificarlo para que entre en vigor) define los crímenes relacionados con el género como "violación, esclavitud sexual, prostitución forzada, embarazo forzado, esterilización forzada o cualquier otra forma de violencia sexual de gravedad comparable". No está claro todavía si la corte, si es que llega a existir, definirá el concepto de "género" para incluir la persecución de la homosexualidad y el travestismo.

Una de las mayores fuerzas globalizadoras de las dos décadas pasadas ha sido el movimiento hacia la equidad de género, y el involucramiento gradual de cada vez más agencias internacionales en programas que se proponen erradicar las desventajas sistemáticas y estructurales que padece la mayoría de las mujeres. Aunque el progreso es lento y desigual, reconocer que el objetivo de darle facultades a la mujer es ya un avance significativo, y nace de la globalización de ciertos valores e instituciones pero también, y esto es más importante, de la experiencia vivida y la lucha de millones de mujeres en pueblos y caseríos en todo el mundo. Las ideas y movimientos occidentales han sido, en efecto, influencias importantes, pero su impacto depende de las personas que transforman sus mensajes para adaptarlos a las condiciones y necesidades locales, y a menudo estas ideas occidentales proveen una nueva forma de articular las demandas ya existentes y permitirles encontrar una audiencia internacional. El trabajo de grupos como Development Alternatives with Women for a New Era (DAWN, Alternativas de Desarrollo con Mujeres para una Nueva Era), "una red de mujeres estudiantes y activistas del Sur económico", es un ejemplo de las nuevas posibilidades de lucha para el feminismo global posible en el mundo moderno.[13]

El activismo mismo se ha globalizado, como es evidente en las actividades de los movimientos de feminismo, paz, medio ambiente y derechos humanos en todo el globo. Nótese que con esta argumentación no niego la proporción en que los movimientos autónomos feministas y ambientalistas han surgido en situaciones y contextos particulares en una variedad de Estados; sólo hago notar que de modo inevitable éstos establecerán vínculos y recibirán la influencia del entorno global.[14] Respecto del sida en Puerto Rico, Grosfoguel, Negron-Muntaner y Geroas comentan:

> La crisis del sida subraya la situación colonial de Puerto Rico con relación a Estados Unidos y la posibilidad de transferir recursos de Estados Unidos a Puerto Rico para combatir la epidemia. Así, el "puente aéreo" funcionó de muchas maneras: migración de puertorriqueños VIH positivos a Estados Unidos en busca de mejor tratamiento médico y redes de apoyo; formación de comunidades que reúnen a los activistas de Estados Unidos y los radicados en la isla; compartir recursos e información, y migración de la gente con sida de Estados Unidos a Puerto Rico.[15]

ACT UP —que empezó en Nueva York en 1987 como un grupo participativo y activista preocupado por el acceso a los tratamientos médicos— es un caso ejemplar de la globalización del activismo, dado que el nombre y los métodos de confrontación directa se adoptaron

194

en media docena de países. A menudo la influencia estadunidense fue completamente directa: en Montreal y Sydney los fundadores de ACT UP incluyeron a un buen número de estadunidenses expatriados. Por su estilo directo y comprensión de los medios, ACT UP ha podido atraer una considerable atención, y en recientes conferencias internacionales sobre el sida los grupos de ACT UP en Francia y Estados Unidos buscaron que el acceso global a los tratamientos fuera una demanda central, sin contar con mucho apoyo de aquellos a quienes se pretendía ayudar.

En tanto que ACT UP obtuvo una importante cobertura de los medios de información al final de la década, existe una historia más larga y sustancial sobre la organización internacional en torno a los temas lésbico-gay y de VIH-sida. Como se ha mencionado antes, existen organizaciones, como ILGA y la International Gay and Lesbian Human Rights Commission (Comisión Internacional de Derechos Humanos para Gays y Lesbianas, IGLHRC), que promueven un lenguaje universal de política de identidad mediante su admirable trabajo en apoyo a los derechos humanos básicos para "gays y lesbianas". ONUSIDA ha apoyado de manera bastante consciente la organización de grupos gays como parte de la estrategia para prevenir la difusión del VIH, con la preparación de proyectos piloto MSM-HIV en áreas de la antigua Unión Soviética, mientras que el gobierno de los Países Bajos subvenciona, ahora explícitamente, organizaciones gay dentro de sus programas de desarrollo en ultramar. La primera celebración del orgullo gay en Bielorrusia a finales de 1999 fue apoyada por el Programa de las Naciones Unidas para el Desarrollo (UNDP, por sus siglas en inglés).

No fue ninguna sorpresa que cuando los "líderes de las Américas" se reunieron en Santiago en 1998, cincuenta grupos latinoamericanos de lesbianas y gays demandaran que se reconociera su igualdad de derechos, ni que usaran el discurso de la Declaración Universal de los Derechos Humanos para apoyar su demanda. En 1994 dos activistas gays del estado australiano de Tasmania pudieron apelar a la Comisión de Derechos Humanos de las Naciones Unidas para que les ayudaran a derogar las leyes estatales antisodomitas, último resto de ese tipo de leyes en el país. (Esta apelación fue posible sólo porque el gobierno australiano había legislado para dar a sus ciudadanos el derecho de tomar esta vía —derecho no accesible para los estadunidenses.) Después de una respuesta favorable, el gobierno federal laborista introdujo la Ley de Derechos Humanos de 1994 (Ley de Conducta Sexual), cuyo propósito era derogar las leyes de sodomía que aún quedaban en Tasmania y contribuyó en realidad a forzar un cambio a través de la muy conservadora cámara de representantes de Tasmania. Bajo una considerable presión, al final se despenalizó la homosexualidad en 1997.[16] Más recientemente un abogado colombiano ha buscado usar la misma estrategia para protestar contra la persecución de homosexuales por parte del gobierno colombiano.

Los cambios, aunque disparejos, son significativos. En los últimos años Amnistía Internacional ha admitido que el encarcelamiento por comportamiento homosexual se califique como violación a los derechos humanos, y varios gobiernos han brindado su apoyo para protestar contra tales casos. El cambio no se limitó a los países occidentales; uno de los más significativos se dio en Corea, descrito muchas veces como un país profundamente conservador, cuando el presidente Kim Dae-jung sostuvo en 1997: "No estoy de acuerdo con el amor hacia el mismo sexo, pero creo que no debemos percibir esto de manera incondicional como paganismo [...] Necesitamos una visión a través de la cual podamos considerar las actividades de lesbianas y gays como parte de la protección de los derechos humanos".[17]

De manera similar, el dominio de discursos occidentales alrededor del VIH-sida significó la introducción de los derechos humanos como una cuestión primordial, ligada a menudo a la llamada nueva salud pública que se basa en las ideas de empoderamiento y control de la comunidad. En general, la mayoría de los observadores han visto esto como un paso positivo, aunque puede criticarse en el sentido de que privilegia a un cierto tipo de individualismo liberal autónomo que tal vez no aplica en muchas sociedades. La antropóloga estadunidense Nancy Scheper-Hughes ha criticado el predominio de este paradigma particular, "fundado sobre un universo sexual falocéntrico que ignora la posición especialmente vulnerable de mujeres, niños, travestis y otras formas sexuales 'pasivas' frente a la sexualidad masculina dominante, agresiva, activa y conquistadora",[18] y ve, en cambio, alguna virtud en las respuestas más represivas (o tradicionales de la salud pública) probadas en Cuba. Si bien creo que se equivoca —y hay ejemplos en África donde el VIH ha llevado a cuestionar las prácticas existentes que mantienen la inequidad estructural de las mujeres—[19] es en efecto necesario preguntarse en qué medida pueden aplicarse los conceptos estadunidenses de derechos individuales en sociedades con diferentes recursos sociales, económicos y culturales.[20]

Reconocer esto no es, bajo ningún concepto, aprobar los tipos de argumentos como el "africanismo tradicional" o los "valores asiáticos", que a menudo invocan los líderes gubernamentales y religiosos para rechazar la universalidad de los derechos humanos, en especial cuando afectan las actitudes hegemónicas respecto de la homosexualidad, el trabajo sexual o el dominio masculino. En particular, el concepto de "valores asiáticos" a menudo es usado por muchos apologistas de acciones gubernamentales que violan los derechos humanos en nombre de la construcción de la nación y el crecimiento económico, pero son, con mayor frecuencia, declaraciones ideológicas que pretenden justificar un tipo particular de crecimiento económico rápido que no perturbe los privilegios establecidos. Resulta interesante que la necesidad de limitar los derechos para promover el crecimiento económico todavía opere en países como Singapur, ahora más rico que la mayoría de las democracias liberales de Occidente. En este sentido, la retórica de algunos gobiernos asiáticos es una reminiscencia de las pretensiones soviéticas de un modo de industrialización socialista, y la descalificación a quienes se preocupan por los costos humanos una mera manifestación de sus privilegios de clase. Los estalinistas han sido remplazados por racionalistas económicos occidentales —uno piensa en la Escuela de Chicago, en el Chile de Pinochet, o en los inversionistas occidentales en China— que hoy justifican los atentados a los derechos humanos con el interés de un rápido crecimiento económico.

La dificultad para desafiar las pretensiones con respecto a los "valores asiáticos" se desprende de la herencia colonial, que hace a los críticos occidentales estar muy conscientes del grado hasta el cual los políticos conservadores —Mahathir es un buen ejemplo— recurren al orgullo nacionalista para disfrazar sus propios intereses personales.[21] Aunque Mahathir parece estar muy alejado de los inventores de la teoría poscolonial (por lo general asiáticos expatriados), en cierto sentido él y sus seguidores recurren al resentimiento popular, aunque no siempre bien articulado, que inspira la herencia colonial. Es posible proponer que la teoría poscolonial puede convertirse en otra fuente de legitimidad para las acometidas contra la "occidentalización decadente", frase que emplean los gobiernos en Asia y África.

Tan pronto como aceptamos la noción de defender los "valores tradicionales" entramos en terrenos resbaladizos. ¿Debemos, por lo tanto, defender la deformación de los pies o el ritual de desfloramiento de niñas impúberes, porque se afirma que son parte de la cultura "tradicional" de Asia del este? Los ejemplos más crudos provienen de regímenes tales como la dictadura militar en Myanmar (Birmania), cuya propaganda sostiene:

> No somos caucásicos, somos asiáticos y queremos preservar nuestra propia identidad nacional. Así que la democracia a la que aspiramos es una que se adapta más a nosotros y no la que imita el modelo occidental. Como una nación soberana nadie deberá tratar de forzarnos a seguir un molde que está completamente fuera del carácter de nuestro pueblo. Esto también se aplica para los derechos humanos y civiles [...] La libertad para nosotros no significa autorización, y los derechos traen consigo responsabilidades y deberes.[22]

Existen tentativas más sofisticadas para defender valores culturales asiáticos particulares sin usarlos como coartada para negar los derechos básicos. Tu Wei-ming ha argumentado de manera convincente que hay una rama más humanista en el confucionismo de lo que los voceros oficiales de Beijing quieren reconocer.[23] De igual modo, un buen número de académicos islámicos ha intentado mostrar un compromiso básico con los derechos humanos dentro de esa tradición. Anwar Ibrahim argumentó de manera explícita —en lo que ya podría leerse como una crítica al hombre que lo perseguiría— que los valores asiáticos son congruentes con ciertas hipótesis universales básicas acerca de la dignidad individual: "Es absolutamente vergonzoso, si bien ingenioso, citar los valores asiáticos como excusa para prácticas autocráticas y para negar los derechos básicos y las libertades civiles".[24]

Hay una considerable fuerza en el argumento de que la comprensión occidental de los derechos humanos pone demasiado énfasis en los derechos políticos y legales de los individuos, hasta la exclusión de los derechos sociales, económicos y culturales. (Por supuesto, una forma de proteger los derechos económicos y sociales es mediante sindicatos comerciales independientes y efectivos, que son anatema para muchos de los que proponen un concepto "asiático" de los derechos humanos.) Este argumento se ha retomado recientemente en un intento por reconciliar a los liberales occidentales con ciertos valores "asiáticos" por parte de un "equipo" conjunto de expertos australianos y asiáticos, y ha producido algunos resultados interesantes. También originó algunos argumentos muy tontos, como el siguiente: "Los castigos tales como mutilaciones y lapidaciones bajo el código penal islámico, por ejemplo, horrorizan a muchos occidentales, quienes anteponen el derecho a la libertad de evitar dolor a la libertad religiosa".[25] En este caso se trata, en realidad, del derecho a imponer la religión a los otros, lo cual es un concepto muy diferente del que se sugiere en la cita anterior.

El argumento de que los derechos humanos son universales no conduce a una posición inflexible que considere necesaria o inevitable la homogeneización de las formas culturales y políticas. El reconocimiento de los derechos humanos debería llevar precisamente al reconocimiento de la diversidad, en la cual los individuos y los grupos son capaces de escoger entre un conjunto de valores culturales y formas que reflejarán diferentes circunstancias materiales e históricas. Sin embargo, nunca deberían servir para legitimar el uso de la fuerza bruta sobre otros. "La cultura —escribió Ken Booth— a veces puede significar tortura y su 'autenticidad' el medio para mantener estructuras de poder opresivas."[26]

Y relaciones internacionales

Hasta hace muy poco, la literatura sobre relaciones internacionales era, como Saskia Sassen la describió, "un relato de expulsión", que toma "al Estado como su personaje único y excluye a otros actores y sujetos. Éste es un discurso masculino: se centra en una amplia gama de microprácticas y formas culturales promulgadas, constituidas y legitimadas por hombres y/o en términos de género masculino".[27] Aunque en la actualidad existe una creciente literatura sobre el género y las relaciones internacionales,[28] se le ha puesto menos atención al impacto de la sexualidad. Hace poco, algunos antropólogos han "salido del clóset" con respecto a sus propias motivaciones sexuales, un tema relevante para la disciplina al menos desde Mead y Malinowski.[29] Pero mientras que los antropólogos empiezan a discutir el tema de manera seria, hay muy poco debate en el área de las relaciones internacionales o los estudios del desarrollo acerca del impacto de su trabajo en el cambio de las percepciones y la comprensión de la sexualidad, aunque existe cada vez más conciencia sobre la dimensión de los asuntos de género para el desarrollo. Hay un trabajo interesante en los márgenes de las relaciones internacionales sobre las implicaciones sexuales de la actividad militar, en el que Cynthia Enloe ha sido una figura pionera.[30] Ella resume de la siguiente forma algunas de las posibles conexiones:

El militarismo [...] se basaba en mecanismos que aseguraban cierto tipo de relaciones sexuales: lazos masculinos estrechos que se quedaban a un paso de la sexualidad; relaciones sexuales de los hombres con mujeres extranjeras que se quedaban a un paso del afecto, lo que podría reducir el racismo militar; misoginia, que se quedaba a un paso de la violencia doméstica, que podría minar la disciplina y la moral; la fidelidad de esposas y amantes que se quedaba a un paso de tener conciencia de los propios derechos.[31]

El recuento de Enloe podría sugerir una diferencia demasiado aguda entre mujeres y hombres en relación con la guerra. Sara Ruddick ha dicho acerca de la guerra que "los jóvenes han sido designados como una clase sacrificable, enviados por sus padres a pelear contra los hijos de otros padres",[32] pero las mujeres están más involucradas en la guerra de lo que este comentario deja ver, y no sólo en la forma en que Enloe lo señala. Al menos Ruddick reconoce hasta qué punto la mayoría de los soldados es reclutada sin su consentimiento, y no va hasta donde llega Zillah Eisenstein, quien habla de las "mujeres iraquíes [que lloran] frente a los cuerpos ennegrecidos que alguna vez fueron sus seres queridos",[33] sin ninguna compasión aparente por los jóvenes mismos. A pesar de la imagen de las mujeres en la obra de Aristófanes *Lisístrata*, quienes se niegan a tener relaciones sexuales con sus maridos para terminar con la guerra entre Atenas y Esparta, es más común que las mujeres se involucren de manera activa en la promoción del sentimiento patriótico que incita a los hombres a pelear. Cuando estalló la primera guerra mundial, sufragistas como Isabella Pankhurst dejaron a un lado su lucha por el voto para concentrarse en apoyar el esfuerzo de la guerra. La guerra es en efecto un asunto de género, pero esto no equivale a sostener que las mujeres son sólo espectadoras pasivas, víctimas de algún impulso masculino esencial que las hace pelear una contra la otra. Al menos una sección del feminismo discute con fuerza para reivindicar el derecho de la mujer a participar de manera igualitaria en el combate militar.

¿Existen formas más sistemáticas mediante las cuales puede pensarse en la correspondencia entre la sexualidad y las relaciones internacionales? Ha habido un par de tentativas para sugerir formas de "'enmariconar' las relaciones internacionales", aunque esto me parece más complicado que un simple juego de palabras.* [34] De todos modos existen muchas formas en que podemos explorar las interrelaciones de la sexualidad con las relaciones internacionales.

Una de ellas es a través de la noción de Connell de masculinidad hegemónica y su promoción de una heterosexualidad dominante, la cual, sin embargo, permite poderosas uniones homosociales. Tal unión masculina resulta esencial para mantener cierto tipo de estructuras de género, y ha sido analizada por gente como Lionel Tiger y otros sociobiólogos posteriores que la consideran enraizada en la biología, [35] y por aquellos que atribuyen más importancia a los argumentos psicoanalíticos y de constructivismo social. Así, Nancy Hartsock ha planteado que "nuestra propia vida política debe entenderse [...] como algo estructurado por un *eros* masculino asociado de manera estrecha con la violencia y la muerte". [36] Aquí bien puede haber bases más sólidas para considerar la guerra como una construcción particularmente masculina, aunque una que las mujeres pueden apoyar y permitir. En una reflexión muy interesante sobre la naturaleza de género de la guerra, Adam Farrar sugiere que "[la masculinidad] es una manera potencial de ensamblar el mundo que en cualquier momento puede invocarse o desecharse. Sólo podemos capturar realmente la 'masculinidad' en aquellos escasos momentos de deseo masculino puro: pornografía, violación, ciencia... y guerra". [37] Un conjunto interesante, sin duda, pero construido socialmente.

---

* El autor invoca la ambigüedad del término *queer*, empleado en el slang estadunidense como equivalente del español "marica", y en el lenguaje común como un verbo (to queer) que significa "echar a perder el éxito de algo" o "colocar en una situación de desventaja o embarazosa". *(N. del E.)*

¿Van los hombres a la guerra para defender su masculinidad? Esto no parece una interpretación tan descabellada: después de todo, las revanchas de sangre, duelos y asesinatos de "honor" son comunes de alguna forma en la mayoría de las sociedades. Sin embargo, como la naturaleza de la guerra cambia, es difícil ver una conexión clara entre el tipo de hipermasculinidad que se exhibe en venganzas entre familias individuales y la alta tecnología típica de la guerra moderna. En efecto, algunas feministas han señalado que el tipo de "masculinidad" que requieren los soldados está lejos de ser el modelo de comportamiento deseado, racional y autónomo, que predomina en la mayoría de las sociedades occidentales.[38] En otras palabras, Rambo difícilmente era un soldado modelo. Este punto puede invertirse: el ejército moderno es en sí mismo un producto de formas burocráticas y racionales de control; también es un lugar fundamental para la formación de la identidad y el género. No existe un análisis suficiente sobre cómo opera el servicio militar obligatorio para crear formas particulares de nacionalismos masculinos hegemónicos, sobre todo en países pobres donde la milicia es una institución central del Estado y por completo masculina.[39]

Aun así, el deseo de los hombres de ir a la guerra —incluso si se tiene en cuenta el gran número de los que huirán, sobornarán a los oficiales o se provocarán una lesión a sí mismos para evitar el servicio— requiere una explicación. Uno de los mejores ejemplos de esto en años recientes son las enormes bajas en la guerra de ocho años entre Irán e Irak en los ochenta, cuando más de un millón de jóvenes fueron sacrificados en nombre de la defensa del honor de su nación y su fe.

No obstante, en el mundo contemporáneo la mayoría de la gente no muere por misiles o bombas inteligentes, sino por el tipo particular de violencia que en años recientes ha producido carnicerías masivas en Ruanda, Kosovo y Timor Oriental, a las que Mary Kaldor ha identificado como "guerras nuevas", y que están estrechamente ligadas a la globalización.[40] Parte de lo que implican las "nuevas guerras" es un regreso a construcciones más "tradicionales" de masculi-nidad, en parte como respuesta a las sacudidas de la modernidad y a la sensación de desempoderamiento causado por las transformacio-nes globales. Como Barbara Ehrenreich escribió: "La guerra se con-vierte en una solución a lo que Margaret Mead llamó 'el recurrente problema de la civilización', el cual consiste en 'definir el papel del hombre de manera satisfactoria'".[41] En Afganistán, la antigua Yugos-lavia, África central y occidental, y en el Cáucaso ha habido un resur-gimiento del terror y la violencia, el cual está menos relacionado con las viejas formas de guerra entre naciones-Estado que con las políti-cas de identidad particulares de la era contemporánea. Esto tampo-co se limita al mundo pobre: hay un paralelismo entre las bandas de jó-venes que aterrorizan las poblaciones en las guerras civiles de Kosovo, Ambon y Sierra Leona, y los peores excesos en la guerra de pandillas de las ciudades de Estados Unidos.

Todavía existen instancias por explorar en cuanto al uso de los conocimientos psicoanalíticos para explicar las tensiones entre las nue-vas formas de organizarse militarmente y el evidente regreso a la vio-lencia directa en tantas partes del mundo. Connell señala el papel cen-tral de Freud para el desarrollo de una teoría social del género: "El punto que manejó con más insistencia acerca de la masculinidad era que ésta nunca existe en un estado puro [...] Aunque su lenguaje teó-rico cambió, Freud permaneció convencido de la complejidad empíri-ca del género y de las formas en que la femineidad siempre es parte del carácter del hombre".[42] Reconozco que hay muchas objeciones de conductistas y postestructuralistas[43] a la noción freudiana sobre una li-bido universal que puede sublimarse o reprimirse, pero no es necesa-rio creer todo lo que escribió Freud para considerar útil su concepto sobre el desplazamiento de la represión sexual al campo del compor-tamiento social. (bell hooks ha hecho también un llamamiento al uso del psicoanálisis para la comprensión de la herencia del racismo y el colonialismo.)[44] En su libro *Psicología de las masas y análisis del yo*, Freud sugirió que instituciones como el ejército y la Iglesia (podríamos actualizar estos ejemplos) se basan en la sublimación de las energías libidi-nales, y así mantienen los lazos de grupo que unen a las organizaciones mientras que las emociones sexuales abiertas se desplazan fuera del grupo.[45] Hay ecos del trabajo de Freud en el modo en que algunas feministas han argumentado que la guerra permite la expresión de cierta clase de homoerotismo reprimido; así, en películas como *Rambo*, "se presenta a las mujeres como señales de que el soldado no es homosexual, pero en cualquier otro aspecto, son irrelevantes".[46] Por otro lado, el énfasis en la unión masculina ayuda a explicar la persistencia del aislamiento de las mujeres en tantas instituciones, y la hostilidad hacia las mujeres y hacia los homosexuales declarados dentro de la milicia.

Este tipo de análisis fue llevado más allá por la ideología "sex-pol" de Wilhelm Reich, que en la represión sexual vio las raíces del autoritarismo y la violencia. (En 1931 Reich fundó la Asociación Alemana para el Sexo Proletario en un intento por desarrollar un programa político a partir de su análisis.) Aunque la iniciativa de Reich fue aniquilada por los nazis, y sus propios puntos de vista se volvieron más excéntricos en su carrera posterior a la guerra, en Estados Unidos, sus intentos por sintetizar a Marx y a Freud influyeron a algunos personajes de la Escuela de Francfort, en especial a Erich Fromm y Theodor W. Adorno.[47] Existen ecos claros de esta influencia en *Eros y civilización* de Marcuse, en algunas ramas de la teoría de liberación gay de la década de 1970[48] y en el interés de la contracultura por la energía del tantrismo y el trabajo corporal. En el nivel racional, la mayoría de la gente puede reconocer el alcance en el cual el miedo a los propios impulsos sexuales puede distorsionarse en prejuicio y agresión, a menudo reflejados en asaltos brutales a travestis, hombres afeminados o mujeres que parecen demasiado "masculinas".

Hay algo de moda posmoderna en las complejas disertaciones psicoanalíticas sobre relaciones internacionales. En uno de estos artículos el autor argumenta que "la invasión de Estados Unidos a Panamá sugiere tanto una emasculación como una feminización. Que

Noriega y Bush carecían de poder fálico y compensaron esta caren-
cia con una exagerada mímica de virilidad que indica histeria masculina".[49] El artículo—que avanza sugiriendo que la invasión de Panamá
involucró dos escenarios de violación, siendo el segundo "el de un hombre travestido contra una mujer"— es un excelente ejemplo de la lectura simbólica de un choque en el que los intereses políticos, económicos y estratégicos son ignorados en provecho de un despliegue astuto
del lenguaje psicoanalítico, lo que conlleva el peligro —sé que sona-
rá irremediablemente pasado de moda— de confundir lo metafórico
con lo real. Hay, sin embargo, espacio para una comprensión psicoanalítica más materialista de las relaciones internacionales, en especial
para explicar cómo las disputas en torno del género y la sexualidad se
desplazan en conflictos externos. Este desplazamiento a menudo parece tener un elemento sexual, que se refleja en la preocupación de
muchos fundamentalistas religiosos con la sexualidad, y los vínculos
entre estas preocupaciones y el uso de la violencia.[50]

Una perspectiva "psicoanalítica materialista" podría sonar ten-
denciosa o populista, pero su finalidad es señalar los intentos, más tempranos, de este siglo por reconciliar a Marx y a Freud, y replantear su
valor. Sin tomar ninguna de estas tradiciones teóricas como canóni-
cas, hay una forma importante en la cual la exploración simultánea
de las estructuras socioeconómicas y psicológicas de poder y autoridad
pueden proveer un conocimiento particular para la comprensión de
la sociedad humana, lo cual es más profundo que los discursos dominantes ya sea del positivismo liberal o del relativismo posmoderno.
Como el psicoanalista estadunidense Joel Kovel nos recuerda: "Al colocar a Freud dentro del marco del materialismo histórico, eliminamos
del psicoanálisis la mano de hierro del determinismo biológico, mientras que conservamos una relación radical con la naturaleza [...] Como dijo Marx en otro contexto: no sólo hacemos nuestra propia historia, hacemos nuestra propia naturaleza —pero no hacemos ninguna
de las dos como queremos".[51]

Pero aun sin un respaldo particular del psicoanálisis, podemos usar el concepto de "masculinidad hegemónica" para comprender ciertos patrones subyacentes en la interrelación de lo sexual y lo político. En términos de género, las pruebas son mujeres poderosas —desde Isabel I y Catalina la Grande hasta Golda Meir, Indira Gandhi, Margaret Thatcher y Madeleine Albright. Aunque figuras así parecerían cuestionar el dominio masculino en terrenos casi siempre vedados para las mujeres, en la práctica son consideradas como "hombres honorarios", cuyo poder hace poco por cambiar la naturaleza homosocial que constituye la esencia del ámbito militar. Uno piensa, también, en el papel de las esposas poderosas, un rasgo de muchos regímenes dictatoriales recientes, en los que han gobernado de facto junto con sus maridos, ya sea Imelda Marcos, Eva Perón o Elena Ceausescu. Es difícil pensar en cualquier figura política femenina en tiempos recientes que no haya sentido la necesidad de probar que era "uno de los muchachos" o que, por desgracia, falló en el intento.

Los hombres homosexuales también pueden incorporarse a las estructuras hegemónicas de poder *siempre y cuando permanezcan en el clóset*: puede pensarse en Edgar J. Hoover, o en el papel que Roy Cohn representó durante las audiencias de McCarthy de los años cincuenta. La hipocresía de Cohn es un tema central de la obra *Angels in America,* y queda resumida en el discurso —extrañamente reminiscente de las definiciones del "macho latino" tradicional— en el que alardea de que "a diferencia de casi cualquier otro hombre de quien esto sea cierto, yo traigo a la Casa Blanca al tipo al que me estoy cogiendo y Ronald Reagan lo saluda de mano [...] Roy Cohn no es homosexual. Roy Cohn es un hombre heterosexual que coge con hombres".[52] Sin embargo, el precario lugar de los homosexuales se infiere por las continuas conexiones entre homosexualidad, espionaje y traición, ya sea en la literatura de Genet o en el infame círculo de Cambridge en torno a los espías Burgess y Maclean.[53] Los nazis son sólo los más conocidos entre los regímenes autoritarios por su combinación de fuertes lazos masculinos y una homofobia exacerbada.[54]

Sin duda, uno podría desarrollar teorías psicoanalíticas que

207

vincularan la violencia "masculina" con el miedo a "lo femenino" y con
la homosexualidad reprimida, aunque pocos conservadores son tan
honestos sobre sus sentimientos como Paul Cameron, fundador del
Family Research Institute (Instituto de Investigación de la Familia),
quien justifica sus ataques a los homosexuales porque "si se restringe
la sexualidad como algo sólo para el entretenimiento personal y todo
lo que se quiere es lograr el orgasmo más satisfactorio (y eso parece
ser la homosexualidad), entonces la homosexualidad parece demasiado poderosa para poder resistirse a ella [...] El sexo marital tiende
hacia un final aburrido. Por lo general, no ofrece el tipo de placer sexual absoluto que tienen las relaciones homosexuales".[55] Estos análisis
no explican por sí solos la violencia organizada ni el tipo de movilización total que impera en los conflictos de Estado. De todas maneras,
ofrecen ideas que complementan más análisis convencionales acerca
del interés nacional, ya sea económico o estratégico, o las ventajas políticas locales que explican por qué los Estados van a la guerra —y tales ideas son por demás útiles en un mundo donde la guerra cada vez
está más asociada con la caída del sistema de Estado y el fracaso de los
gobiernos por controlar la violencia interna.

Aun sin mucha confianza en la teoría psicoanalítica, existen
ciertas relaciones entre el poder del Estado y las formas particulares
de regulación sexual que vale la pena explorar. En la novela *1984*,
George Orwell planteó un totalitarismo que buscaba restringir el placer sexual: "A diferencia de Winston, [Julia] había entendido el significado intrínseco del puritanismo sexual del Partido. No era sólo
que el interés en el sexo creara un mundo propio que quedaba fuera del control del Partido y que, por lo tanto, debía destruirse en la
medida de lo posible. Lo más importante era la histeria inducida por
la privación sexual, deseable porque podía transformarse en fiebre
bélica y culto al liderazgo".[56]

En efecto, los mayores regímenes autoritarios del siglo XX han
compartido un fuerte puritanismo, ya sea que hablemos de la Alemania nazi, la Rusia estalinista, la Sudáfrica del apartheid, o los regímenes

militares en Argentina y Grecia, incluso a pesar de que los dictadores mismos a menudo han ignorado las reglas impuestas para los demás. Mao Tse-tung es un buen ejemplo, así como Kim Jong-il de Corea del Norte, de quien se dice que tiene un selecto grupo de jóvenes mujeres guardaespaldas, a quienes se les conoce como "el equipo del deleite".[57] (Por supuesto que es frecuente buscar relaciones entre las perversiones sexuales y la patología política, como ocurre con las historias que circularon acerca de Hitler y su presunta relación con su sobrina.) Donde hay excepciones, éstas parecen relacionadas con un interés económico en promover el turismo sexual, como lo hizo el gobierno de Batista en Cuba y el de Marcos en Filipinas. Al escribir sobre la represión de los homosexuales en la España franquista, Ricardo Llamas y Fefa Vila dicen que "toda disidencia sexual era definida como un espacio simbólico ajeno a los valores sobre los cuales se apoyaba el régimen".[58] Esta tradición tuvo eco en la extrema homofobia de los gobiernos comunistas de Rumania y Albania.[59]

Los gobiernos totalitarios parecen amenazados no sólo por organismos (¿y orgasmos?) que no pueden controlar, sino por cualquier clase de expresión libre que, en lo posible, coloque el placer fuera de los límites decretados por el Estado. Así, los regímenes comunistas de China y Vietnam, y las reglas fundamentalistas de Irán y de Sudán buscan imponer formas particulares de comportamiento sexual, que reconocen, aunque tal vez sólo de manera implícita, como necesarias para mantener el control total e interno del Estado, lo cual es la naturaleza del totalitarismo. Por mucho, las opciones sexuales son más amplias en las democracias liberales ricas, aunque existen variaciones interesantes: Alemania Oriental era más propensa a aceptar el aborto que Alemania Occidental, mientras que Estados Unidos es el único país del mundo occidental que no ha despenalizado por completo los actos homosexuales de adultos.

Los argumentos para la libertad sexual no pueden separarse de los razonamientos más amplios sobre los derechos individuales, las obligaciones sociales y la necesidad de un gobierno legítimo, capaz de brindar seguridad y una relativa equidad para sus ciudadanos. Así como criticaría algunos discursos occidentales contemporáneos sobre el placer individual como la única meta de la actividad política, sería igual de crítico con los regímenes que no dan lugar para la satisfacción individual y privada. La demanda de la secta revolucionaria Weatherpeople de abolir la monogamia en los años setenta, o el temor de algunos sectores radicales respecto del sexo y feministas de que las fantasías son a menudo inconvenientes y políticamente incorrectas, sirven para subrayar el hecho de que existen ámbitos en el comportamiento humano que siguen reglas diferentes, y ni los gobiernos totalitarios ni los movimientos progresistas deben tratar de borrar esas diferencias.

CUADRAR EL CÍRCULO:
LA BATALLA POR LA MORALIDAD "TRADICIONAL"

△

> *La ortodoxia frenética nunca está arraigada en la fe sino en la duda. Cuando no estamos seguros estamos doblemente seguros.*
>
> Reinhold Niebuhr

En el Foro Económico de Davos, celebrado a principios de 1999, el primer ministro de Singapur, Lee Kuan Yew, externó sus inquietudes de que el viajar y las nuevas tecnologías amenazan con destruir la cohesión de la sociedad de Singapur. "Una vez que se renuncia a la responsabilidad que conlleva traer niños al mundo —dijo—, nos volvemos tan débiles como algunas otras sociedades".[1]

Mientras tanto, justo al otro lado del mundo los fiscales republicanos, que suplicaban al senado procesar al presidente Clinton, luchaban contra la misma paradoja que molestaba a Lee. Las transformaciones sociales forjadas por la globalización han cambiado fundamentalmente las normas en torno al comportamiento sexual, y al disolverse la división entre "lo privado" y "lo público", han introducido nuevos problemas y tensiones dentro de la vida política diaria. Luchamos constantemente para que tenga sentido un orden global cambiante en el que se vuelve cada vez más evidente que el capitalismo internacional es al mismo tiempo capaz de vulnerar casi todos los ámbitos de la vida y generar enormes movimientos de resistencia en su contra. El más poderoso de estos movimientos parece añorar el regreso a un pasado imaginario en el que el orden "tradicional" del orden sexo-género simbolizaba una sociedad donde el orden social estaba ampliamente convenido y era lerdo para cambiar.

Cuando empecé este libro, en 1998, uno leía historias sobre mujeres que eran forzadas a la segregación obligatoria del nuevo régimen fundamentalista Talibán en Afganistán;[2] mientras que en Estados Unidos el linchamiento del joven gay Matthew Shepard vino a simbolizar el grado al cual el odio hacia los homosexuales puede llegar. Aunque casi todos los países ofrecen sus propios ejemplos de histeria sexual y de la politización de problemas en torno a la moralidad sexual, parece existir un elemento común en las inquietudes expresadas acerca de la rapidez del cambio social y su impacto en la moralidad y el comportamiento sexual. Algunas veces esta politización ha tomado la forma de ataques antioccidentales explícitos; por ejemplo, en Rusia se criticó a la educación sexual, a la que se percibía que llevaba a "la violación de la ecología del alma".[3] Otro caso fueron los ataques de la multitud en 1998 contra los cines indios que proyectaron la película *Fire* de Deepa Mehta, que narra el romance entre dos cuñadas. Estos ataques estuvieron dirigidos por el grupo hindú Shiv Sena, que proclamaba que la película era una afrenta a la moral nacional. Mientras que el incremento en la tasa de divorcios en China —13% nacional, pero más de 25% en algunas de las principales ciudades— provocó un debate nacional sobre la posibilidad de penalizar el adulterio, ya que un creciente número de mujeres eran abandonadas por sus maridos.

Tal vez la mejor manera de entender la relación entre, digamos, el grupo Moral Majority de Estados Unidos y el Talibán de Afganistán es verlos tanto como reacciones al rápido cambio económico como social; en otras palabras, a la globalización misma. Ambos casos representan un refugio de la globalización y ataque al laicismo y al racionalismo, y una determinación de hacer desaparecer la división entre lo religioso y lo político. El fundamentalismo es, en sí mismo, un asunto de género, y aunque pueda estar respaldado por algunas mujeres, se muestra, por lo común, como una forma de afirmación masculina con la apariencia de malestar debido al cambio social.[4] Al discutir la tendencia de los fundamentalistas a buscar el control de los cuerpos femeninos, Karen Brown argumenta que "el fundamentalismo nace en tiempos y lugares donde, por una variedad de razones, el mundo repentinamente parece demasiado complejo para comprenderse", y a menudo surge "donde el poder social, cultural y económico está disponible para hacerse de él".[5] Bajo tales condiciones, llamar la atención sobre miedos e inseguridades sexuales es una verosímil respuesta desde los sectores gubernamental y no gubernamental, como rupturas en el viejo orden género-sexo, a menudo una consecuencia directa de la globalización, se convierten en un objetivo tanto para la derecha como para la izquierda. Esto es más evidente en movimientos fundamentalistas, ya sea en Argelia o en Estados Unidos, pero casi en todas partes se manifiesta una enorme confusión alrededor de estos problemas. Hay un abundante simbolismo en la historia del primer concurso de belleza celebrado en Rabat, Marruecos. Allí, la oposición de los fundamentalistas no condujo a la cancelación del acto, sino a que las concursantes desfilaran con túnicas hasta los tobillos y capuchas que hacían las veces de velos.[6]

Con frecuencia este tipo de fundamentalismo se expresa como el deseo de excluir al resto del mundo, y alcanza su auge en las horribles matanzas del Khmer Rojo o en los ataques de terroristas de Argelia contra cualquiera que no esté de acuerdo con ellos. La yuxtaposición de esos dos ejemplos nos recuerda que el fundamentalismo no se apoya necesariamente en creencias religiosas; el fundamentalismo político de Pol Pot o de los nazis compartía con el fundamentalismo religioso el deseo de exterminar, de manera bastante literal, toda divergencia dentro de la sociedad. A medida que el mundo está más y más sujeto a la influencia y las imágenes del capitalismo de consumo, los intentos por rechazar la globalización se vuelven o pueden volverse más salvajes, ya sea en el nombre de la religión, la tradición o la soberanía nacional (como en Myanmar y en Corea del Norte). V. S. Naipaul sugiere que el fortalecimiento del Islam en Malasia se ha dado, en parte, para crear un bastión contra las fuerzas de la globalización,[7] y los judíos ultraortodoxos de Israel advierten contra los peligros de Internet por sus vínculos con el mundo exterior.[8]

Parece haber una creencia, asombrosamente difundida, de que estamos viviendo en un periodo donde se colapsan los valores morales. Carol Jenkins escribió sobre Papua Nueva Guinea en términos que podrían aplicarse por igual a muchos países ricos: "El mito de la era dorada de las restricciones sexuales circula entre los mayores de Papua Nueva Guinea (como en todos lados), y casi cada hombre y mujer en una muestra de más de 400 personas entrevistadas en todo el país en 1991 creía que el comportamiento sexual se había vuelto más licencioso".[9] En Laos, los funcionarios de gobierno lamentan el declive de la moralidad de la "juventud", e ignoran el hecho de que, en gran parte, es consecuencia de sus propias políticas económicas. Contradicciones y creencias similares parecen sustentar en los llamados a un regreso al conservadurismo moral en Estados Unidos de parte de la derecha cristiana y movimientos como True Love Waits — que desde 1993 ha buscado que los adolescentes se comprometan a abstenerse de tener relaciones sexuales premaritales.

En el centro de todas estas formas de fundamentalismo existe una visión en la que no hay lugar para la incertidumbre o la ambigüedad, y una hostilidad hacia lo que es visto como amenazas extranjeras y cosmopolitas para una imaginaria identidad étnica o nacional. Como lo describe Lynn Freedman: "Mientras la propia comunidad fundamentalista es reinventada con un pasado justo y glorioso, el Otro es satanizado y envilecido, prestando así una cualidad apocalíptica a la batalla que se está fraguando".[10] A menudo las identidades nacional y religiosa están vinculadas a una visión particular de las mujeres, a quienes se venera como las defensoras de la pureza moral y teme por su sexualidad, la cual escapa al control total masculino. Mientras que este tipo de análisis es común en la percepción que tiene Occidente del Islam fundamentalista, ya existían factores similares en la creación del mito de la condición femenina blanca sureña, o en la retórica contemporánea de la derecha religiosa "pro familia". Esto es mucho más evidente cuando consideramos el papel de la religión organizada, probablemente la fuerza más poderosa que se opone a los cambios en la moralidad y el orden sexo-género determinados por los mercados globales y las economías neoliberales. (El papa Juan Pablo II, con todo su anticomunismo, también ha sido un crítico de lo que él mira como

214

los excesos del capitalismo.) Después de que la administración Clinton revirtió la línea dura contra el aborto adoptada por Estados Unidos durante los gobiernos de Reagan y Bush, el Vaticano se convirtió —en el ámbito internacional— en el líder de esta posición y cabildeó con denuedo en la Conferencia de El Cairo en 1994, para prevenir cualquier aceptación del aborto en el documento final, con el apoyo de algunos países islámicos.[11]

A lo largo del siglo XX, los movimientos por la igualdad de la mujer fueron descritos con frecuencia por sus opositores sólo en términos sexuales, igualando a menudo feminismo con promiscuidad y lesbianismo en un intento por desacreditarlo. De esta forma se atacó a la propuesta de Enmienda de Equidad de Derechos a la Constitución de Estados Unidos por estar encaminada al uso de retretes unisex, la inclusión de mujeres en combate y la legalización de los matrimonios entre homosexuales. Al final fue derrotada tras no conseguir la ratificación en suficientes legislaturas estatales.[12] Tanto el temor al embarazo como las enfermedades de transmisión sexual fueron factores principales que se usaron para ganar el apoyo de las mujeres a una moralidad "tradicional" hasta que los avances biomédicos los hicieron argumentos menos persuasivos. Hubo versiones encontradas de la derecha y de la izquierda acerca de lo anterior; los comunistas culparon al capitalismo por la prostitución y la degradación de la mujer, y la derecha habló de izquierdistas radicales que minaban la moral con ideas subversivas de igualdad femenina y amor libre.

No es sorprendente que el pánico sexual sea un elemento tan importante oculto detrás de muchas de las reacciones furiosas contra el cambio social, ya que aun los no freudianos pueden reconocer hasta qué punto el miedo al cambio a menudo sirve de base a los temores inconscientes de una sexualidad desenfrenada. Piensen en las historias sexuales subyacentes en el odio del Ku Klux Klan a los negros o en la reacción de los "cuellos rojos" con respecto a los hippies en los sesenta, descrita en la película *Easy Rider*. Sólo aquellos mayores de cincuenta años pueden recordar el extraordinario frenesí con que se

215

recibió en los años setenta la moda del pelo largo entre los varones jóvenes; reacción que parecía nacer de todo un conjunto de ansiedades sexuales y de género, aun cuando por algunos años, en algunos países del Lejano Oriente, los funcionarios de inmigración ordenarían cortes de pelo inmediatos a los jóvenes cuyas mechas fueran demasiado largas. A pesar de las enormes implicaciones homoeróticas inconscientes para muchos políticos extremistas, éstas tendieron a coexistir con la apasionada hostilidad hacia cualquier reconocimiento a la homosexualidad, como ocurre entre los skinheads europeos de hoy o los grupos de extrema derecha estadunidenses. Así, dementes como los Phineas Priesthood (Clero de Phineas) se oponen al sistema bancario y al matrimonio interracial y "quieren extirpar a los sodomitas de la tierra".[13]

Hoy se reconoce ampliamente que existe un elemento sexual en el racismo, y los miedos al "otro" exótico se abastecen con el incremento en la migración y en los movimientos de población, que hoy son parte indispensable de la economía global. Tanto en el sur de Estados Unidos en la época anterior a los derechos civiles, como en la Sudáfrica del apartheid existía una obsesión por la "pureza racial", manifiesta en severas leyes contra la "mezcla de razas". No causa sorpresa que un observador afirme que desde el fin del apartheid "el sexo interracial y homosexual [...] se dejan ver en la publicidad de Sudáfrica con mayor frecuencia que en la mayoría de los países occidentales".[14] Recientemente han surgido ecos del miedo a la mezcla sexual a través de líneas raciales y religiosas en virulentos sentimientos contra los inmigrantes en muchas partes de Europa, mientras que en Estados Unidos el Ku Klux Klan ha sumado el odio a los homosexuales y a los abortistas a sus anteriores temores de mezcla racial.

La búsqueda de chivos expiatorios en torno al sexo tiene una larga historia, con la prostitución y las enfermedades venéreas atribuidas por lo regular a los extranjeros —la sífilis se asociaba, por lo general, con cualquier nacionalidad menos la propia. De la misma manera, los miedos y las fantasías sexuales han desempeñado un papel significativo en las persecuciones, ya sea en las cruzadas medievales contra los albigenses, temidos por sus votos de castidad, o en el estereotipo de monstruos depredadores sexuales que se tenía de los chinos en Estados Unidos en el siglo XIX, o de los judíos en la Alemania nazi. Tales persecuciones son resultado de lo que Stanley Cohen llamó "pánicos morales", condición en la que "una situación, episodio, persona o grupo de personas surgen para ser definidos como una amenaza para los valores e intereses de la sociedad".[15] En su revisión del concepto, Kenneth Thompson relaciona la aparente frecuencia de "pánicos morales" en el mundo contemporáneo con los tipos de cambios estructurales, tecnológicos, culturales y discursivos que caracterizan lo que se ve, generalmente, como parte de la "globalización", aunque no usa este término.[16] Los "pánicos morales" no necesitan centrarse en temas de sexualidad, aunque por lo regular tendrán algunas características sexuales.

En su discusión sobre la reacción ante el crecimiento de la pornografía y de la libre expresión de la sexualidad en la Rusia posterior a la perestroika, Igor Kon usa el término "pánico moral",[17] y los pánicos recurrentes sobre raza, drogas y juventud si bien muchas veces representados como amenazas a la "ley y el orden", tienden a evocar imágenes de una sexualidad adolescente, salvaje y descontrolada. Las discusiones sobre el "tráfico de mujeres", tema ya tratado, pueden relacionarse con los "pánicos morales" que en varios países giran alrededor del miedo a la sexualidad y a la aversión frente a la forma en que la migración está cambiando el orden social. Es interesante ver que hay ejemplos de tales pánicos lo mismo en países que son el origen y en aquellos que reciben a los trabajadores sexuales inmigrantes. Jo Doezema cita a trabajadores de las misiones y a policías en Nigeria y Rumania que recurren a los valores tradicionales y al orgullo nacional como justificaciones para negar a las mujeres el permiso para salir del país.[18]

Los "pánicos morales" pueden entenderse tanto como reacciones populistas específicas así como exhortaciones calculadas que llevan a cabo las elites políticas y económicas a estas reacciones como formas de ganar apoyo a otros cambios de política. Reagan y Thatcher fueron hábiles al combinar la economía neoliberal con el conservadurismo social, al usar la retórica de los "valores familiares" y la "moralidad tradicional" para disfrazar el grado al que sus propias políticas estaban minando el tejido social. Así, Reagan adoptó una línea muy dura contra el aborto, y Thatcher introdujo restricciones a la discusión sobre la homosexualidad —la infame Sección 28 que prohibía a los gobiernos locales "promover intencionalmente la homosexualidad",[19] y que finalmente fue abolida por el gobierno de Blair (no sin oposición) en 2000. Tales medidas fueron calculadas para ganar el apoyo de los conservadores de la clase trabajadora que podrían estar inconformes con los ataques a los sindicatos y el desmantelamiento de los programas de bienestar social, problemas centrales en los planes de ambos líderes.[20]

Ambos, Reagan y Thatcher, entendieron que podían desplazar los verdaderos miedos y ansiedades originados por los rápidos cambios económicos hacia la supuesta desintegración social representada por el incremento de divorcios, madres solteras, lesbianas y gays declarados, así como otros símbolos de los cambios en el orden sexo-género. También comprendieron la necesidad de la derecha, al final de la guerra fría, de remplazar al enemigo externo —representado por el comunismo— con otro más cercano a casa. (Por supuesto, otro tipo de problemas y grupos, principalmente inmigrantes y minorías étnicas, han sido aprovechados como chivos expiatorios en muchos países industrializados para explicar las víctimas de la economía neoliberal.) Y tal vez ambos creyeron en los argumentos de capitalistas triunfalistas como George Gilder y Charles Murray, quienes afirmaban que al reducir el bienestar público y fortalecer el libre mercado se mejoraría la estabilidad de la familia, a pesar de la contundente evidencia que había a su alrededor de lo contrario.[21]

Una de las justificaciones de los políticos conservadores de Estados Unidos para "ponerse duros en cuanto al bienestar social" era vincular explícitamente las nuevas restricciones en este tema con los miedos a la supuesta degeneración sexual de los pobres. Puede verse un ejemplo en los ataques contra aquellas mujeres que, según se afirmaba, buscaban quedar embarazadas para obtener los beneficios del estatus de madre soltera. Murray inclinó la balanza del lado de la "reforma" del bienestar social, defendida por los republicanos conservadores en los noventa, cuando declaró que la "ilegitimidad es el problema social más importante de nuestro tiempo [...] porque conduce a todo lo demás".[22] De manera simbólica, las reformas al bienestar social, que finalmente obtuvieron rango legal en 1996, se conocieron como la Ley de Reconciliación de la Responsabilidad Personal y la Oportunidad de Trabajo, cuyo preámbulo establecía que el Congreso encuentra que: "1. El matrimonio es el fundamento de una sociedad exitosa; 2. el matrimonio es una institución esencial de una sociedad exitosa que promueve los intereses de los hijos". De modo similar, se emprendieron campañas muy publicitadas para cerrar burdeles como herramienta política para establecer "la probidad pública y la virtud privada",[23] según escribió Ian Buruma sobre una campaña de estas características en Taipei.

En el mundo contemporáneo, el sida se ha vuelto un foco central en torno al cual puede generarse todo tipo de pánicos sexuales.[24] Al igual que con la sífilis, con frecuencia se culpa a extranjeros de las primeras etapas de la propagación del sida. Al comienzo de la epidemia los dirigentes japoneses proclamaban que podían evitar el sida porque ellos no tenían "homos", y los bares gay prohibían la entrada a extranjeros con el pretexto de que podrían traer la infección.[25] En su notable estudio sobre la negación japonesa del VIH, John Treat sugiere que ésta fue estimulada por el miedo a lo extranjero y por un tipo particular de voyeurismo, al permitir un desplazamiento hacia los otros, en especial a los estadunidenses.[26] Una película egipcia, *Love in Taba*, transmitida por televisión en 1992, relata la seducción de tres hombres egipcios por mujeres occidentales, quienes les dejan una nota que dice "Bienvenidos al mundo del sida"[27] (en otras versiones de esta historia las mujeres son explícitamente israelíes). En un año tan tardío como 1998, los informes en Pakistán reportaban que el VIH todavía se vinculaba con "el impacto de la sociedad occidental".[28] En un sentido, como el argumento de este libro lo ilustra, hay algo de cierto en esto, pero uno teme que el estereotipar la decadencia occidental pueda usarse como una excusa para evitar la honestidad en relación con el comportamiento sexual y el uso de agujas en Pakistán. De la misma manera, he conocido funcionarios vietnamitas que afirman que sus prostitutas vinieron de Camboya y sus drogadictos de China. En todos estos casos la metáfora de la contaminación es clara: el miedo al VIH se mezcla con un temor mayor y más amorfo a ser infectado por extranjeros.

Muchos de estos pánicos se relacionan con la creación del sida como el dominio de "los otros", a través de la satanización de los "extranjeros", de los hombres bisexuales, de los negros sementales promiscuos, de los trabajadores sexuales, y así sucesivamente. Ejemplos de esto abundan en los veinte años de historia de la epidemia, durante los cuales ha sido común convertir a individuos —que pueden definirse como "portadores del sida"— en convenientes chivos expiatorios para todo un conjunto de miedos y fobias no examinados. En los países occidentales estos chivos expiatorios han sido frecuentemente asociados con un estereotipo racial; con una particular histeria dirigida a los hombres africanos, que juega con mitos existentes acerca de la hipersexualidad y el miedo al sida como una enfermedad ligada particularmente a África.[29] El terror al contagio se ha convertido en un nuevo mito urbano, como las historias de personas que asaltan bancos amenazando a las cajeras con jeringas infectadas. Otros casos son más serios; hay al menos un reporte fidedigno, de un pueblo de la India, sobre un hombre quemado vivo porque era sospechoso de "diseminar el sida mediante una jeringa y... faltar al respeto a las mujeres".[30]

Más allá de estereotipar el sida como una "enfermedad extranjera", la implementación de programas preventivos lleva a elaborar argumentos morales más amplios sobre el comportamiento (y la introducción del mismo) sexual. Así, después de al menos diez años de trabajo de prevención del VIH en Filipinas, un portavoz de la Conferencia de Obispos Católicos pudo decir que "la solución es que los esposos permanezcan fieles a sus esposas, y así no hay sida".[31] La afirmación de monseñor Quitorio ignoró uno de los verdaderos dilemas en el trabajo contra el VIH, a saber: que aquellas personas en riesgo son por lo general monógamas y, sin embargo —como es una realidad para las mujeres en la mayoría de las culturas—, no están en posición de exigir fidelidad a sus parejas. El rasgo característico más grande es que la epidemia ha provocado una serie de problemas alrededor de los cuales los defensores de la "moralidad tradicional" se han forzado a tomar decisiones embarazosas, que involucran un reconocimiento de que las medidas de salud públicas para prevenir la propagación del VIH y otras infecciones de transmisión sexual a menudo están en pugna con los códigos religiosos dominantes. Muchos países han librado amargas batallas en sus intentos de publicitar condones, desarrollar programas de educación sexual en las escuelas o discutir de manera abierta la homosexualidad.

Desde los noventa, las alarmas por el turismo/pedofilia sexual ha servido como pánico moral para desplazar los verdaderos problemas de justicia social y desarrollo. Con la legítima indignación ante los relatos de horror de niños que son vendidos a la industria del sexo éstos se exageran con facilidad, de la misma manera que en panfletos y en Internet circulan afirmaciones absurdas, tales como: "En Tailandia 12% del producto interno bruto proviene de la prostitución infantil".[32] En parte debido al trabajo de End Child Prostitution, Pornography, and Trafficking (Terminemos con la Prostitución Infantil, la Pornografía y el Tráfico de Infantes) (ECPAT, por sus siglas en inglés) ha habido un incremento en los arrestos por pedofilia en el sureste asiático en la medida en que los países occidentales han legislado para penalizar la pedofilia, aun cuando ésta suceda fuera de sus fronteras. (ECPAT se estableció en Bangkok en 1990 gracias a un grupo de trabajadores de una ONG y ahora tiene filiales en casi treinta países, ricos y pobres. En colaboración con la UNICEF y el gobierno sueco organizó el Primer Congreso Mundial contra la Explotación Sexual de Niños en 1996, al que acudieron 122 gobiernos.)

Tailandia misma ha prohibido el comercio sexual con cualquier menor de 18 años, si bien esto supuso una larga batalla para que se aprobara la ley. Un miembro del parlamento que apoyó el proyecto de ley de 1996 dijo que algunos habían criticado las avanzadas para castigar a aquellos que vendieron a sus hijos para la prostitución "por ir en contra de las normas que obligan a los niños a respetar, obedecer y ser agradecidos con sus padres".[33] Japón siguió el ejemplo en 1999 al establecer la edad para el sexo pagado en los 18 años, dentro y fuera del país. Aunque han habido ocasionales juicios a turistas, muy publicitados, acusados de comprar servicios de prostitución a menores en varios países de Asia, es difícil creer que esta legislación tenga algo más que una mera importancia simbólica.

Si bien hay mucho escrito sobre el crecimiento de la prostitución infantil, sobre todo en el sureste asiático, es muy difícil tener cifras precisas. Parte del problema es de definición: es indiscutible que alguien de ocho años es un niño, pero ¿qué hay acerca de un chico o una chica de catorce? En 1995 la UNICEF publicó cifras que consideraban a cualquier menor de 18 años como "un niño"; en sus estimaciones India (con 450,000) y Estados Unidos (con 300,000) estaban muy por delante de Tailandia, Filipinas y Camboya en el número de niños que trabajan en la prostitución.[34] Sin embargo, dada la realidad de la vida en ciudades como Calcuta y Manila —o Elizabeth, New Jersey— ¿tiene algún sentido considerar como "niños" a los jóvenes de 16 y 17 años para estos propósitos? Cuando el *Sunday Mirror* de Londres publicó acusaciones contra el autor de ciencia-ficción Arthur Clarke por haber tenido relaciones sexuales con niños en Sri Lanka, uno de los "niños" que rindió testimonio tenía 17 años en el momento de los hechos;[35] esto en un país donde niños mucho menores son reclutados como soldados para la guerra civil. Más aún ¿cuán confiables pueden ser estas cifras, cuando la misma definición de prostitución es vaga y a menudo las autoridades que hacen cumplir las leyes tienen una participación en "arreglos" vigentes?

Es conveniente para los gobiernos locales y las campañas de moral occidentales retratar la pedofilia como consecuencia de un expansivo comercio sexual internacional, aunque la evidencia indique que la pedofilia extranjera, que acecha en las playas y bares de Sri Lanka o de República Dominicana, es sólo una cifra menor tanto en el sostenimiento de la prostitución como del abuso infantil. (Un estudio de 1998 de UNICEF en Filipinas informa que 80% del abuso sexual fue cometido por nativos.)[36] Se han incrementado los informes policiacos poniendo al descubierto "redes internacionales" de pornografía infantil y prostitución y, por lo común, tales informes pasan por alto distinciones tan esenciales como las que existen entre los seis y los quince años de edad. La pedofilia casi siempre es protagonizada por hombres, pero ECPAT también ha señalado que algunas mujeres occidentales han abusado sexualmente de "niños" en la ciudad vietnamita costera de Hoi An.[37]

De alguna manera, el pánico en torno al sexo con niños es un desplazamiento de los pánicos de antes a la homosexualidad, y se manifiesta en el énfasis que se hace en proteger a los niños con campañas contra de los homosexuales, así como en el énfasis desproporcionado en la pederastia homosexual, aunque ésta sólo signifique un mínimo porcentaje en el "abuso sexual" de los niños.[38] Al parecer la hostilidad que podía haberse desplegado en los ataques a los homosexuales en el pasado reciente —que ahora se considera ideológica y políticamente incorrecta y capaz de afectar a significativos grupos de intereses— se está convirtiendo, cada vez más, en una nueva mitología de la omnipresente figura del abusador infantil, que puede ilustrarse como un malvado impune y, a menudo, protegido por amigos poderosos. Ésta fue una característica de la histeria que rodeó a la pedofilia que acompañó a la serie de investigaciones (muy publicitada) realizada en el estado australiano de Nueva Gales del Sur a finales de los años noventa,[39] que condujo a varios suicidios de gente acusada de pedófila.

En el pasado pueden encontrarse pánicos equivalentes, pero la globalización permite su internacionalización, así que las historias de pederastia alrededor de figuras públicas como Michael Jackson encienden pánicos en todo el mundo. La fama de Michael Jackson como superestrella global desde mediados de los ochenta —se vendieron cien mil boletos para un concierto en Bangkok en 1993, un récord para Tailandia— atrajo la atención de los medios internacionales cuando se le acusó de abuso sexual a niños ese mismo año.[40] Tales acusaciones permitieron un despliegue de indignación moralista que parecía trascender toda división geográfica, de clase o raza, y permitía a los medios y a los políticos tanto de países ricos y pobres evitar enfrentarse a problemas más difíciles, como la explotación y el abuso sistemáticos de los niños como consecuencia de los ajustes estructurales y la economía global.

La cuestión de la pedofilia es un problema en particular para los gay, quienes con frecuencia están atrapados entre dos tensiones contradictorias. Por un lado, prevalece una tendencia constante en los medios a equiparar pederastia con homosexualidad, a pesar de que la forma más común de abuso sexual infantil es la de hombres mayores contra niñas pequeñas; por el otro lado, muchos gay saben, por propia experiencia, que los muchachos adolescentes son los que, con frecuencia, buscan y entablan el contacto sexual con hombres adultos, y están conscientes de la hipocresía de la norma que ubica la edad para el consentimiento legal en un nivel más elevado para el sexo homosexual. Parte de la literatura gay contemporánea más interesante resulta de estos conflictos —pienso en *Mysterious Skin* (Piel misteriosa) de Scott Heim, *Glove Puppet* (Títere inseparable) de Neal Drinnan y *Allan Stein* de Matthew Stadler. Todos ellos pueden leerse como algo ambivalentes ante el problema del sexo entre adultos y "niños",[41] pero no menos interesados en examinar los problemas con seriedad. Más comunes, por supuesto, son las novelas sensacionalistas como *Batman: The Ultimate Evil* de Andrew Vachss, en cuya portada se lee: "los enemigos más viciosos y sin remordimientos que él haya enfrentado [...] aquéllos que trafican con la carne de los niños".[42] La trama de la novela se desarrolla en una versión disfrazada de Tailandia, y el autor convocó posteriormente a un boicot total a los productos tailandeses en protesta por el supuesto impulso del gobierno

a la "explotación sexual de niños como una atracción turística".[43]
Existe al menos una exploración literaria de pedofilia femenina, en
The End of Alice, el tour de force de A. M. Homes, mucho más horri-
ble que los escritos gay mencionados.[44]

En el corazón de lo global:
la paradoja de Estados Unidos

> *Sexo. En Estados Unidos, una obsesión. En
> otras partes del mundo, una realidad.*
>
> Rabih Alameddine,
> *Koolaids*, 1998

Mientras a la par comunistas y fundamentalistas de países no
occidentales pueden culpar a las influencias extranjeras de los verti-
ginosos cambios en el orden género-sexo, es más difícil para quienes
comparten sus temores dentro de Estados Unidos, origen de muchos
de los cambios globalizadores responsables de esos movimientos. Con
todo los pánicos morales parecen particularmente manifiestos en Estados Unidos, y se caracterizan por la constante tensión entre el consumismo enormemente exitoso y los valores puritanos profundamente
atrincherados —el contraste que tanto azoró a los extranjeros cuando se puso en escena durante los juicios de Clinton. Al decir de Steven
Seidman: "Los estadunidenses están divididos entre una ética sexual
romántica y una liberal, dos construcciones que sirven como grandes
marcos de referencia a través de los cuales los estadunidenses pien-
san en la sexualidad".[45] Esto lo simboliza los mitos duales de la fundación de Estados Unidos: un lugar para la libertad individual y un refugio para aquellos cuyas creencias religiosas eran tan fuertes que eran
incapaces de hallar un hogar apacible en Europa. No es necesario decir que ninguno de los mitos tiene mucho que decir de los pueblos
indígenas desplazados en nombre de la "libertad", ni de los descen-
dientes de los que llegaron como esclavos a ese país.

225

Estados Unidos siempre ha estado atrapado entre su herencia dual de puritanismo religioso y capitalismo liberal. Como apunta Richard Hofstadter en su ensayo clásico "The Paranoid Style in American Politics" (El estilo paranoico de la política estadunidense):

> La libertad sexual, a menudo atribuida [al enemigo], su falta de inhibición moral, su dominio de técnicas especialmente efectivas para satisfacer sus deseos, brinda a los exponentes del estilo paranoico una oportunidad de sobresalir y expresar sin reserva aspectos que no aceptan de sus propios pensamientos. A los clérigos y patriarcas mormones, por lo común, se les atribuía un atractivo especial para las mujeres y, por tanto, acceso a ciertos privilegios licenciosos. Así, católicos y mormones —y después negros y judíos— se prestaron a la preocupación por el sexo ilícito. A menudo las fantasías de los verdaderos creyentes sirven como escapes sadomasoquistas, expresados de manera vívida, por ejemplo, en la preocupación de los detractores de la masonería por la supuesta crueldad de los castigos impuestos por la logia.[46]

Esto se escribió en 1963, pero las contradicciones nunca han sido tan agudas como en los últimos veinte años.[47] Los cambios en la naturaleza de la economía, el surgimiento de una sociedad dependiente del consumo masivo y la implacable colonización de casi todas las áreas de la vida a instancias de enormes corporaciones hace cada vez más difícil mantener la economía de mercado y, a la vez, el carácter puritano. Por eso, los conservadores religiosos han boicoteado varios de los espectáculos de la compañía Walt Disney (dueña de la cadena ABC), así como la serie de televisión *Ellen*, y el líder republicano en la Cámara de Representantes, Newt Gingrich, señaló lo que vio como una "degeneración" de la cultura popular contemporánea: "Noten las señales enfermizas que hoy enviamos a través de la industria del entretenimiento y la cultura popular. ¿Es para asombrarnos que la sociedad esté tan confundida si no es que por completo degenerada?".[48]

Gilbert Herdt ha argumentado que algunos cambios políticos y económicos causados por la globalización están contribuyendo a causar nuevas ansiedades y reacciones en torno a la sexualidad en Estados Unidos.[49] La pregunta es ¿por qué ansiedades similares en otros países ricos de Occidente no causan la misma fijación sobre la sexualidad, y la misma polarización vinculada con problemas de sexo y género? Mientras que algunos problemas de regulación sexual han generado grandes ansiedades en otros países occidentales —el aborto en Alemania, Irlanda y Polonia; la homosexualidad en Inglaterra— hay mucho menos evidencia de las pasiones que han originado bombazos en clínicas de aborto y linchamientos de gays en Estados Unidos.[50] Incluso Irlanda, con su cultura profundamente católica, tiene leyes considerablemente relajadas contra el aborto, aunque no sin debates muy amargos que han destacado la identificación entre las doctrinas católicas y el "ser irlandés".[51] La razón de las pasiones que provoca la sexualidad en Estados Unidos parece provenir del peculiar énfasis en la moralidad sexual durante el curso de su historia, combinado con la ausencia de la política más disciplinada basada en la clase que se encuentra en Europa. Sin embargo Canadá, que comparte al menos esto último con Estados Unidos, en los años recientes ha experimentado una menor movilización alrededor de una agenda moral de la derecha. Tal vez la variable más significativa es el alto grado de fe religiosa en Estados Unidos (casi todos los estudios encuentran en este país un grado mucho mayor de creencias fundamentalistas que en cualquier otra democracia liberal) y la movilización política alrededor de las creencias religiosas en las últimas décadas.[52]

Poco después de los movimientos liberacionistas de los años sesenta la gente empezó a hablar de un "retroceso" moral, muy en relación con lo racial, el feminismo y la sexualidad en Estados Unidos, de modo que la oposición a asuntos como el combate a la segregación racial en las escuelas, el aborto y la Enmienda de Equidad de Derechos se describió como la reacción de quienes apoyan el statu quo frente al cambio rápido. El vuelco en las distinciones entre "público" y "privado" en los últimos treinta años ha significado amargos debates sobre el equilibrio entre "liberación" y "responsabilidad", por lo cual muchos ámbitos de la vida social se han convertido en áreas de confrontación política. Susan Faludi cita al doctor Jean Baker Miller cuando dice: "Un retroceso puede ser un indicio de que las mujeres realmente han recibido una impresión, pero los retrocesos suceden cuando los avances han sido pequeños, antes de que los cambios sean suficientes para ayudar a mucha gente [...] Es casi como si quienes encabezan los retrocesos usaran como amenaza el temor al cambio antes de que ocurra un cambio mayor".[53] Por eso, el peligro de usar el término "retroceso" es que éste subestima el hecho de considerar hasta qué punto el conservadurismo moral es, en sí mismo, un movimiento social, con su propia visión para el cambio y un futuro deseable.[54]

Los primeros ejemplos contemporáneos de tal "retroceso" motivado por cuestiones sexuales se encuentran en las reacciones a los movimientos feministas y gay de los sesenta y en los virajes más generales en torno a género y sexualidad, a menudo librados sobre problemas como aborto, divorcio, homosexualidad y pornografía.[55] Richard Nixon contendió por la presidencia en 1972 como un campeón de los valores tradicionales, y retrató a George McGovern como el candidato del "ácido, la amnistía y el aborto", y su vicepresidente Spiro Agnew era afecto a atacar a sus oponentes llamándolos "intelectuales afeminados", haciendo eco de la homofobia implícita en el macartismo. Después de 1973, cuando la Suprema Corte decidió (en el caso *Roe versus Wade*) que el aborto era un derecho constitucional, el debate se convirtió en un tema central de la alta política estadunidense. Por tradición, los cristianos fundamentalistas se han mantenido lejos de esa política, pero hubo un cambio significativo en la medida en que un número cada vez mayor de cristianos "vueltos a nacer" se convirtieron en activistas políticos, representados por la Moral Majority (Mayoría Moral), fundada en 1979 por el reverendo Jerry Falwell.[56] En el aborto encontraron un tema que les permitió establecer alianzas con su enemigo tradicional, la Iglesia católica, y se convirtió en el pivote de la creciente influencia de la derecha religiosa dentro del Partido Republicano.

En los tiempos de la presidencia de Reagan el aborto se había vuelto la piedra de toque para juzgar a todos los candidatos republicanos, por lo que Reagan prometió nombrar sólo a conocidos antiabortistas como jueces federales. La elección de 1984 tuvo un frente común entre los líderes evangélicos protestantes y católicos en el ataque contra Geraldine Ferraro, nominada a la vicepresidencia por el Partido Demócrata, una católica en pro de la facultad de elección, particularmente vulnerable porque era mujer. Bajo presión de la derecha, George Bush renunció a sus actitudes un tanto más liberales, y de haber ganado la elección de 1992 es posible imaginar que sus nombramientos para la Suprema Corte de Justicia hubieran llevado a la derogación de *Roe versus Wade*. Como era de esperarse, la Corte impuso varias restricciones para el aborto a fines de los ochenta: en la práctica limitó el acceso de las mujeres pobres al aborto.[57] La pasión política en torno al aborto excedió por mucho la de otros países occidentales, incluso la de aquellos que, como Irlanda o la Polonia poscomunista, tienen una Iglesia católica muy fuerte. Al mismo tiempo que el lenguaje cargado de significado de "ilegitimidad" y "nacimientos fuera de matrimonio" ha desaparecido en los países más ricos de Europa, en Estados Unidos combina el llamado a la moralidad "tradicional" y al miedo a la "clase baja" (en su mayoría no blanca). De manera irónica, esa parte del conservadurismo estadunidense, que no permite una educación sexual efectiva en las escuelas ni la provisión de anticonceptivos a los adolescentes, es responsable, en gran medida, de las madres solteras a quienes los conservadores condenan.

En los noventa, el tema del aborto significó menos un voto ganador para la derecha. En 1996 Bob Dole ganó la postulación del Partido Republicano a pesar de tener una posición indiferente sobre muchos puntos de la agenda de la derecha religiosa, y Mary Landrieu, quien apoyaba la facultad de elección personal frente al aborto, fue elegida para el senado por Louisiana, estado del que podría esperarse la fuerte combinación de votantes católicos y protestantes fundamentalistas. Con todo, a pesar de esto, la derecha ha buscado usar otros temas —pornografía, homosexualidad, creacionismo— para obtener el apoyo de grupos cuyos intereses económicos podrían llevarlos fuera del Partido Republicano. El odio de la derecha hacia Clinton, tan visible en la determinación de los republicanos para removerlo de su cargo, a pesar del apoyo popular, es un reflejo del ascenso de la política construida en torno de la retórica de la "moralidad tradicional". Que Clinton adoptara mucha de la retórica conservadora sobre asuntos como la reforma del bienestar social y un presupuesto equilibrado sólo aumentó las pasiones de la derecha sobre sus posiciones frente a cuestiones como el derecho de abortar y permitir que homosexuales se enrolaran en el ejército. El que fuera forzado a establecer un compromiso incómodo respecto al último tema —la fórmula "no preguntes, no digas", la cual todavía permitía al ejército dar de baja a personal por su condición homosexual—[58] hizo que Estados Unidos, una vez más, se apartara de la mayoría de los países occidentales. Aun Israel, donde el ejército es una institución central y la presión ortodoxa es significativa, abolió la mayoría de las restricciones en esa materia en 1993.

Desde finales de los setenta, cuando Anita Bryant dirigió una campaña muy difundida para revocar una disposición contra la discriminación en el condado de Dade, Florida, bajo el lema "Salven a Nuestros Niños", la homofobia era central en el debate político de Estados Unidos. Una vez más este país era una anomalía peculiar. A pesar de que otras leyes implicaban el derecho constitucional a la privacía, en el caso *Hardwick versus Bowers*, de 1986, la Suprema Corte rehusó denegar las leyes estatales contra la sodomía, aún vigentes en algunos estados, últimas en su tipo en el mundo occidental. Al mismo tiempo, Estados Unidos tiene, por mucho, el movimiento lésbico-gay más grande y mejor organizado del mundo, que ha hecho donaciones significativas a muchas campañas políticas liberales.[59] A pesar de la decisión de la Suprema Corte, muchos estados y ciudades de Estados Unidos han promulgado decretos contra la discriminación sexual, y en unos cuantos casos se ha reconocido la sociedad conyugal. Tal vez en las leyes sobre sodomía de la Corte estadunidense haya un paralelismo con su compromiso con la pena capital, que se ha proscrito en la mayoría de las otras democracias occidentales; y esto también se vincula con una religiosidad peculiar, que no ve contradicciones entre predicar el respeto a la vida y ejecutar a un gran número de criminales. No es fortuito que la pena capital y la posesión de armas tengan mayor peso en las zonas, sobre todo en el sur y en el oeste, donde predomina el protestantismo fundamentalista.

Las hipocresías del acceso de los estadunidenses al sexo es un "punching bag" permanente, y en ninguna parte es más patente que en torno al sexo adolescente. Cuando en 1998 la revista del PLWHA, *Poz,* incluyó tres condones en un número especial sobre la juventud y el VIH, muchos distribuidores, entre ellos la gran cadena de librerías Barnes and Noble, se rehusaron a vender la edición. Mientras que los medios y la publicidad promueven asiduamente la atracción sexual de los adolescentes, en la vida real se penaliza o se somete a diagnóstico médico. Tal es el caso de la maestra de escuela y su amante de trece años que fue tratado bajo esa doble moral: la maestra sentenciada a prisión tras declararla culpable de violación en segundo grado, y luego arrestada de nuevo por buscar al muchacho después de ser liberada; mientras los medios —que reconocían que el muchacho "se veía y actuaba como alguien mayor a su edad"— explicaban que los actos de la maestra eran producto de un "trastorno bipolar, también conocido como enfermedad maniaco-depresiva".[60] También fueron notables las dificultades que tuvieron los productores de la película *Lolita,* de 1997, para encontrar un distribuidor estadunidense que finalmente fue exhibida en Estados Unidos, un año más tarde, después de varios cortes. En este caso, la película siguió el camino de la novela, la cual fue rechazada por cuatro editores estadunidenses antes de ser aceptada por Olympia Press en París. Pero esto ocurrió en 1955 y tres años después Putnam la publicó en Estados Unidos.[61] En Australia se presentaron problemas similares, donde la decisión de proyectar la película, con restricciones de edad, provocó un alud de protestas, orquestado por miembros del parlamento del ala derecha; no obstante, en la mayor parte de Europa la película se exhibió sin quejas. Es probable que lo que más perturbó a sus detractores es el retrato de una niña de catorce años que busca, de manera consciente, la atención de un hombre mayor, alterando así la imagen de la víctima pasiva que es primordial para la forma convencional de entender la pedofilia.

En 1994 la legislación conocida como Ley Megan —por un caso particularmente notorio de abuso infantil—, que exigía el registro obligatorio —y público— de pedófilos aun después de ser liberados de prisión, se adoptó en New Jersey. Poco a poco, leyes similares se acogieron en todo el país, requisito primordial para recibir fondos federales para la lucha contra el crimen. La validez de estas leyes está ahora en duda después de que la Suprema Corte de Pennsylvania, en julio de 1999, encontrara su ley estatal "constitucionalmente repugnante", pero esto no ha impedido que en otros países se sigan aprobando leyes parecidas.[62] Y la presión de Estados Unidos llevó a la ILGA a perder su calidad de observadora en el Consejo Económico y Social de las Naciones Unidas porque algunos de sus miembros se rehusaron a condenar el "amor entre un hombre adulto y un muchacho".[63]

La peculiar combinación de economía de libre mercado con una moralidad sexual restrictiva —propia de Estados Unidos— significa que los pánicos sexuales no siempre se han extendido a otras naciones. Es verdad que el derecho moral estadunidense, a pesar de considerables esfuerzos, ha tenido a lo más una deshilvanada influencia en el resto del mundo, a pesar de su intervención en debates como en Nueva Zelandia sobre la despenalización de la homosexualidad a mediados de los ochenta (cuando los evangelistas estadunidenses vincularon la llamada línea "suave" del gobierno sobre temas morales con la prohibición de visitar naves de guerra nucleares). A finales de los años noventa hubo reportes de grupos estadunidenses que financiaron campañas contra los intentos de reducir la edad para el consentimiento de actos homosexuales en Gran Bretaña, además de otras campañas, más generales, contra la homosexualidad en Australia y Nueva Zelandia. Desde el fin del apartheid han surgido en Sudáfrica varios partidos cristianos cuya retórica se acerca a la de la derecha religiosa estadunidense, al combinar llamados a la moralidad "tradicional" con apoyos a la pena capital y al "libre mercado" (justificados por las citas bíblicas apropiadas).[64] Considerables cantidades de dólares han fluido a varias campañas contra el aborto al otro lado del oceano.

La posición de Reagan frente al aborto tuvo un impacto global, ya que se impuso como condición para que su país apoyara programas de salud reproductiva, y en algunas ocasiones su administración fue aún más lejos, al cuestionar la ayuda a cualquier tipo de planificación familiar. En la Conferencia Internacional de Población, realizada en la ciudad de México en 1984, la delegación de Estados Unidos, encabezada por el senador republicano de derecha James Buckley, no sólo se opuso a cualquier mención acerca del aborto sino que cuestionó la hipótesis de que la rapidez del crecimiento de la población es necesariamente un problema.[65] Cuando la administración Clinton revirtió esta posición y regresó a la anterior —de apoyo entusiasta a los programas de control natal—, el tema se enredó en un conflicto entre el congreso y el presidente sobre el pago de las cuotas a Naciones Unidas, y condujo a la decisión de detener todas las subvenciones destinadas al Fondo de Población de Naciones Unidas (UNFPA, por sus siglas en inglés).

El problema que enfrentan los conservadores de la tradición moral estadunidense al querer exportar sus valores es que se hallan debilitados por los placeres del consumo, que representan "the American way of life" para la mayoría del mundo, y a menudo ellos mismos se encuentran dentro de una alianza incómoda con los gobiernos (como los de China, Cuba e Irán) a los que más detestan. De manera similar, los argumentos de las feministas y homosexuales estadunidenses parecen irrelevantes fuera de su país. Para los noventa las comunidades gay de las zonas urbanas de ese país estaban amargamente divididas entre las que peleaban por una cultura de la aventura sexual y las que veían en esto una actitud necesariamente irresponsable con res-

233

pecto al VIH. En 1996 surgió en Nueva York el grupo Sex Panic (Pánico Sexual) como protesta por la clausura de varias zonas de tolerancia sexual, reclamando que aquello representaba un significativo retroceso en la libertad sexual. Quizá estos reclamos fueron exagerados, pero apuntaban a una forma particular de moralismo que ahora surgía desde *dentro* de la comunidad gay y creaba divisiones extremadamente explosivas en él; escritores y activistas prominentes chocaban sobre el alcance con que el movimiento gay debiera promover formas particulares de sexualidad, de modo parecido a las feministas que todavía tienen conflictos sobre la pornografía;[66] por cierto, Sex Panic integró a varias mujeres que habían tenido un papel relevante en los debates sobre pornografía en los ochenta. Las confrontaciones fueron complejas, e involucraban tanto diferencias radicales respecto de las estrategias apropiadas para la prevención del VIH como discusiones sobre hasta qué punto el movimiento lésbico-gay-queer debería acoger el llamado al reconocimiento de matrimonios entre personas del mismo sexo. Los defensores y opositores de la nueva moralidad mostraron ese particular desinterés lo mismo en historia que en geografía —otros tiempos, otros lugares— que tanto caracteriza el provincianismo intelectual de Nueva York.

Pero si Sex Panic mostraba desinterés hacia el resto del mundo, este desinterés no era recíproco, y es por la naturaleza global de los medios que millones de nosotros fuera de Estados Unidos sabremos más de ellos que ellos de nosotros. La influencia estadunidense ayuda a exportar sus ansiedades al resto del mundo, así como a la propagación del evangelismo estadunidense. (La cruzada de Billy Graham en los sesenta ejerció una importante influencia en el cruzado protestante australiano más conocido, Fred Nile, quien desde 1981 ha mantenido su cargo como senador por Nueva Gales del Sur.) Hay algunos ejemplos de evangelismo que vienen de otras partes; el más notable es la Iglesia de la Unificación de Sun Myung Moon, que desde su base en Corea ha hecho algunas incursiones en Estados Unidos, y apoya causas políticas de la derecha, en particular mediante el control del periódico *Washington Star*. Su fuerza puede verse en el apoyo de estadunidenses influyentes como el del exconsejero de Nixon y Reagan, el general Alexander Haig.[67] Uno podría ver algunos paralelismos en la influencia de gurúes indios, como Krishnamurti, en California desde los años veinte y, más recientemente, en la propagación del budismo en algunos países occidentales, pero en ningún caso se trata de una misma movilización política involucrada.

Los misioneros mormones, enviados en parejas al exterior para difundir su particular interpretación de la palabra de Dios, se han unido a un poderoso pentecostalismo evangélico, importante en Corea del Sur y partes de África. (Los televangelistas estadunidenses aparecen con regularidad en la televisión sudafricana.) En particular, este tipo de evangelismo ha ido ganando un número significativo de conversos en los países católicos de América Latina. En Guatemala, hasta 40% de la población es ahora protestante, como lo es alrededor de 30% de los habitantes del estado de Chiapas, en México, semillero de amargas protestas en contra del gobierno federal. En Brasil el voto protestante ha cobrado importancia y comparte con la derecha estadunidense la preocupación por defender la moralidad tradicional y la familia, aun cuando no son necesariamente conservadores en temas económicos.[68] Con todo, si bien existen similaridades significativas con la derecha religiosa estadunidense, en algunos asuntos, sería engañoso ver el crecimiento del protestantismo evangélico en América Latina sólo como otro ejemplo del imperialismo estadunidense, como lo sugiere David Martin al cuestionar si la religión en América Latina se ha "estadunizado". Como él señala, también es verdad que el protestantismo se ha "latinoamericanizado".[69] Al igual que la rígida ortodoxia de algunos judíos estadunidenses ha tenido una enorme influencia en Israel, y ha sido uno de los más grandes obstáculos para cualquier reconciliación con los palestinos. Junto con las películas de Disney y la música pop estadunidense la particular vena apocalíptica de la religiosidad estadunidense se está exportando, diría yo, con consecuencias potenciales mucho más serias.

Conclusión: ¿Una política sexual global?

△

En una gran cantidad de escritos filosóficos del siglo XIX pueden encontrarse indicaciones de que lo sexual es político, pero la idea se volvió central para un gran número de pensadores del siglo XX, ya sea que recurrieron a las teorías de Freud (como Reich y Marcuse) o, como en el caso de muchas feministas de la segunda ola, fueran hostiles, de manera consciente, al psicoanálisis. En un mundo globalizante hay una necesidad de repensar estas conexiones, tanto en lo práctico como en lo teórico.

Una política sexual para este nuevo siglo necesita trazarse sobre varias teorías de la sexualidad pero también sobre los recientes avances en el estudio de las relaciones internacionales, y las conceptualizaciones sobre el Estado y lo global. Necesitamos con urgencia una economía política de la sexualidad, la cual reconozca la interrelación de las estructuras políticas, económicas y culturales, y evite la tendencia a ver la sexualidad como privada y lo político y lo económico como público. Tal economía política, como sugiere el término, está más interesada por las condiciones materiales y la acción política que por las teorías del discurso y la representación, pero también se interesa en las formas en que el Estado está siendo socavado por la combinación de fuerzas económicas globales y movimientos políticos particularistas. La globalización implica el declive de la soberanía del Estado y permite el nacimiento de movimientos sociales trasnacionales como actores políticos. Así, Manuel Castells argumenta:

La creciente incapacidad de los Estados para atacar los problemas globales que influyen en la opinión pública [...] obliga a la sociedad civil a tomar cada vez más en sus propias manos las responsabilidades de la ciudadanía global. Así, Amnistía Internacional, Greenpeace, Médicos sin Fronteras, Oxfam y tantas otras organizaciones humanitarias no gubernamentales se convirtieron en los noventa en una gran fuerza en el campo internacional, ya sea al recaudar más fondos, actuar de manera más efectiva y recibir mayor legitimidad que los esfuerzos internacionales patrocinados por los gobiernos. La "privatización" de la ayuda humanitaria global está minando gradualmente una de las últimas razones para la existencia del Estado-nación.[1]

Aun así, puede haber grandes trampas tanto en la retórica como en la realidad sobre el repliegue del Estado, ya que cualquier genuino sistema de justicia social depende del papel distributivo y de bienestar social que desempeña el gobierno. En parte influido por la noción de "micropolítica" de Foucault, se ha puesto de moda dar importancia al papel del activismo radical sin ninguna atención equivalente a las macrofuentes del poder, las corporaciones, el Estado y los militares (para parafrasear la noción de C. Wright Mills de la "elite del poder"). Simpatizo con el llamado de R. W. Connell hacia una política fresca de masculinidad en torno a "por ejemplo, la política del currículum, el trabajo en torno al VIH-sida y la política antirracista [...] mucho más internacionalista de lo que ha sido la política de masculinidad hasta ahora, desafiando la globalización-desde-arriba".[2] Pero también debemos reconocer que los Estados-nación y los gobiernos, como el cuerpo, son realidades materiales imposibles de trasponer. Las instituciones políticas importan, al igual que las corporaciones, las instituciones religiosas y educativas, que mantienen particulares regímenes culturales de poder. Además, el surgimiento de organizaciones de la sociedad civil, como las llaman los estadunidenses, no deja de ser una ventaja ambigua. Poderosas fuerzas nacionalistas y sexistas, legitimadas por enseñanzas religiosas y que atraen su apoyo de las rabias y las frustraciones reprimidas, forman parte de la sociedad civil tanto como los internacionalistas liberales a los que se refiere Castells.

Una política práctica para un gran cambio social debe comprometerse de manera simultánea con las fuentes convencionales del poder político y económico, así como con las formas más heterogéneas y vinculadas en que se constituyen y perpetúan las creencias y prácticas hegemónicas. Tal postura incluye un reconocimiento de las interconexiones entre las diferentes formas de poder, y de las maneras en que el Estado puede tanto reprimir como proteger. Y también necesita tomar en cuenta la naturaleza ambivalente de la esfera no gubernamental, que incluye al Ku Klux Klan y al Frente Nacional, así como a los grupos de mujeres y de ecologistas.

El feminismo posmoderno y las teorías queer son relativamente inútiles en la construcción de este tipo de política por su falta de énfasis en las instituciones políticas como algo diferente al discurso, por su primermundismo y por su falta de interés en los movimientos sociales.[3] (Cualquiera que dude del centralismo Atlántico de los teóricos posmodernos debiera echar una mirada a los consejos editoriales de las publicaciones que, típicamente, son una larga lista de gente de prestigiosas universidades del norte, con uno que otro indio o argentino incrustado para justificar el título de "internacional".) Hay dos problemas principales en el giro posmoderno de la teoría sexual, así como uno menor: la creencia de que mientras más impenetrable sea el lenguaje más profundo es el pensamiento.

La primera objeción es que el énfasis en el discurso, el performance y el juego a menudo dan a entender un desinterés por las realidades materiales y las desigualdades. Como argumenta Connell:

> Esta vía de entrada es estimulante para los participantes, e involucra un cierto riesgo personal el simular ser queer en las calles, si éstas son patrulladas por homófobos. No involucra nada más [...] Sin duda, la concentración en el juego, en la parte

de los jugadores que gozan de grandes privilegios en términos globales, podría considerarse el equivalente semiótico de lo que Marcuse llamó "desublimación represiva", lo que ahora podríamos llamar: perderse en el ciberespacio sexual".[4]

En segundo lugar, el énfasis en el discurso tiende a negar el papel de los movimientos sociales y el trabajo político en la creación de las condiciones para que pueda prosperar la teoría queer. Como escribió Lisa Duggan, para nada opuesta a la teoría queer:

> Hay una tendencia entre algunos teóricos queer a involucrarse en debates académicos de un alto nivel de sofisticación intelectual, en donde borran las raíces políticas y activistas de sus puntos de vista y preocupaciones teóricas. Tales teóricos citan, modifican o difieren de Foucault, Lacan y Derrida, al mismo tiempo que las figuras políticas e innovaciones feministas, lesbianas y gay desaparecen de su atención.[5]

Al leer trabajos de jóvenes académicos queer en Australia me impresiona la frecuencia con que invocan a Butler y a Foucault, mientras ignoran *sus* historias de los movimientos australianos.

El deseo feminista, queer y posmoderno de escapar a las limitaciones de la política de identidad es encomiable. La resistencia de mucha teoría contemporánea a cualquier análisis marxista —que llega a ser equiparado con la "gran narrativa" y el "izquierdismo pasado de moda"— significa que no tienen nada útil con qué remplazar la limitada política de identidad. De allí la atracción de teorías del deseo más y más intrincadas, que evaden cuestiones de poder y desigualdades sociales y económicas, y en efecto ignoran la inconveniente realidad de que el sexo se manifiesta tan a menudo por la lujuria por el poder, la venganza o la crueldad como por una expresión de deseo.

Sin embargo, los teóricos posmodernos están en lo correcto cuando insisten en la importancia simbólica del sexo. Las sociedades "tradicionales" tendían a usar la sexualidad como parte de los ritos de

240

transición, ya sea mediante coitos ritualizados, como en el famoso ejemplo de Zambia citado por Gilbert Herdt,[6] o a través del sacrificio de vírgenes, como en un gran número de ceremonias religiosas. Tales usos simbólicos del sexo podrían parecer extraños, incluso "primitivos", para los occidentales contemporáneos; no obstante, nosotros tendemos a esperar demasiado del sexo, a verlo como una parte central de nuestras relaciones, cohesión social y sentido de identidad. Desempeña un papel en todo esto, pero en cuanto a que esperemos que nos dé tanto nuestros mayores placeres como nuestro sentido más auténtico de yo, le queremos dar al sexo una carga mayor de la que puede soportar. Así como la globalización proyecta los conceptos occidentales de identidad, consumismo y autorrealización a otras sociedades, así también remplaza los guiones existentes sobre el sexo por los de Hollywood y las novelas románticas (profusamente leídas, si es que significa algo su profusión en los estantes de la mayoría de las librerías de segunda mano en todo el mundo). Las interrogantes planteadas por los pequeños círculos del amor libre en la Bohemia de entreguerras, o por los movimientos estudiantiles del 68, están cobrando creciente vigor en todo el mundo.

La idea de liberación sexual como algo integral para una mayor liberación social y política fue un tema fundamental en las teorías radicales y románticas desde principios del siglo XIX, y se volvió central para la contracultura y los movimientos de la nueva izquierda de los años setenta. Mientras esta idea ha desaparecido en gran medida en los países ricos del norte, todavía influye en los activistas gays y feministas de América Latina, y fue una realidad en Sudáfrica, donde la participación de los homosexuales en el Congreso Nacional Africano fue decisiva para lograr que la protección contra la discriminación sexual se incorporara a la constitución después del apartheid. Los movimientos liberacionistas de los setenta gozan en la actualidad de mala fama aunque también hay signos de nostalgia por ellos, reflejados en películas como *Boogie Nights, 54* (*Estudio 54*) y *That's the Way I Like It*,[7] rodada en Singapur. Los enormes Love Parades (Desfiles del Amor)

241

que se realizan cada verano en Berlín desde 1989 también parecen ecos de las celebraciones contraculturales de los sesenta.

Hay dos grandes problemas (al menos) con el proyecto liberacionista: daba por sentada una relación entre la libertad sexual y otras libertades lo que resultaba ingenuo (nótese la lectura de Freud en *Eros* y *civilización* de Marcuse); y en la práctica se orientaba principalmente a los hombres. En el primer caso, aquellos de nosotros que fuimos atrapados por el entusiasmo radical del periodo, subestimamos el grado hasta el cual la "liberación" sexual podría ser cooptada exitosamente por el consumismo comercial. Conforme las grandes editoriales comerciales producen libros eróticos lustrosos y los juguetes sexuales se venden en emporios de sexo con apariencia de malls, la esperanza de que esa libertad de las restricciones sexuales llevaría a un cambio revolucionario parece cada vez más utópica. Mathew Stadler retrata un posible futuro:

> Si las tremendas ganancias de la liberación gay siguen a este ritmo, pronto estaremos uniéndonos a esos travestis con panza de jarra de las orillas de las supercarreteras de doce carriles que parecen ir adelante para siempre [...] La luz brillante de la liberación sexual iluminará las ciudades hasta alcanzar pueblos y desparramarse, y todo será distinto tanto que a la perversidad se le permitirá medrar también en ese purgatorio, donde podremos unirnos a nuestros hermanos, los exesposos borrachos, en R. U. O'Bliterated Ale House, Blande Woode Towne Center Branch, 250550 Blande Parkway (old Highway 3).*[8]

Para los gay, que pudieron verse favorecidos más fácilmente por la nueva libertad sexual y por el corto periodo durante el cual la aventura sexual parecía chic —en los setenta Bette Midler tuvo audien-

---

* La dirección es un juego de palabras en torno a la idea Are you obliterated? (¿Ha quedado alguna huella de ti?) y los términos *ale house*, "cervecería" y *blande wood*, "bosque tranquilo", y aluden al olvido y la indiferencia en torno a los temas centrales del movimiento de liberación homosexual. *(N. del E.)*

cias gays y heterosexuales durante sus actuaciones en los baños públicos gays de Nueva York—, los beneficios de la liberación se han vuelto en particular problemáticos debido a sus vínculos con el sida. Los debates sobre la aventura sexual dentro de la comunidad gay precedieron a la epidemia hasta cierto punto. Larry Kramer era ya crítico con la promiscuidad en su novela de 1978 *Faggots* (Maricas), posición que retomó, con más intensa urgencia, en su obra de teatro *The Normal Heart* (El corazón normal) ocho años más tarde. Pero aun quienes éramos más partidarios de la libertad sexual que Kramer podíamos cuestionar los límites del sexo sin emoción —cuando escribí *Homosexual: Oppression and Liberation* (El homosexual: opresión y liberación) a principios de los setenta, cité las líneas de la obra musical de rock *Salvation*:

> *Si me dejas hacerte el amor,*
> *luego, ¿por qué no puedo tocarte?*[9]

Vale la pena reconocer que la liberación sexual puede entrañar un reconocimiento del exceso de importancia que las sociedades modernas le atribuyen a la sexualidad. En palabras de Jeffrey Weeks: "El camino lejos del autoritarismo moral no se dirige a la elevación del Rey Sexo, ya sea en la sagrada forma del puritanismo o en la forma profana de la permisividad, sino más bien a su derrocamiento".[10]

En cuanto a la segunda crítica, Julie Burchill escribió en 1998: "Irónicamente la rev-sex fracasó porque, freudiana o no, fracasó en preguntar a las mujeres lo que quieren".[11] Pero contra esto estaba el reconocimiento de algunas feministas de que no todo el sexo sin compromiso era indeseable, como en la invocación que hace Erica Jong de "coger sin vigor" en su novela *Fear of Flying* (Miedo de volar) o en el relato de Rita Mae Brown de su incursión para ligar en unos baños gays disfrazada de hombre.[12] (Esta visión del potencial para gozar el sexo ocasional sigue viva en muchas historias posteriores de mujeres detectives.) Linda Grant sostiene que la celebración de Jong del sexo renació en los noventa y cita el libro *Sex* de Madonna y el de Annie

243

Sprinkle, *Post Porn Modernist Manifesto* (Manifiesto Modernista Posporno): "Los modernistas posporno celebran el sexo como una fuerza que nutre y da vida. Utilizamos nuestros genitales como parte integral, y no separada, de nuestros espíritus [...] Nos reforzamos a nosotros mismos con esta actitud de positivismo sexual. Y con este amor de nuestro yo sexual tenemos diversión, sanamos al mundo y perduramos".[13] Lo que Grant no reconoce es que esta visión de la liberación ha perdido el compromiso con un cambio social mayor que impulsó a los movimientos liberacionistas de los setenta.

En el mundo rico el sexo se ve cada vez más como una forma de recreación. "Necesitamos despertar a todos", dice uno de los personajes de la irónica novela de J. C. Ballard, *Cocaine Nights* (Noches de cocaína): "La gente [...] está desesperada por nuevos vicios".[14] Para la mayoría de la gente en el mundo, sin duda para la mayoría de las mujeres, los vicios verdaderos de la pobreza, el hambre, las enfermedades y la guerra son suficientes problemas. Aun en el mundo rico el divorcio entre las ideas de placer sexual y cualquier preocupación social mayor tiene tristes consecuencias. Cuando se celebró el trigésimo aniversario de Woodstock con un concierto masivo en el mismo lugar, hubo reportes de violaciones masivas a jóvenes mujeres.[15] ¿Esto capta el peligro que existe en la sociedad del consumidor moderno donde la gratificación individual se ha elevado como principio dominante?

Aun así, es demasiado fácil desestimar la búsqueda de placer como un mero lujo de los ricos. Cada vez hay más testimonios de mujeres de muchas sociedades para quienes, una vez que son capaces de hablar, el placer sexual se vuelve importante. Elizabeth Jelin escribió sobre América Latina: "Oculto y prohibido en palabras, pero real y en práctica todos los días, hacer la sexualidad visible y exponer la opresión sexual sufrida por la mayoría de las mujeres, ha sido uno de los logros más significativos del movimiento feminista".[16] Y los estudios de jóvenes en diversos países revelan una conciencia y deseo creciente entre las mujeres de gozar en el ejercicio de su sexualidad.[17]

Tal vez ahora se sospeche del seudoreichianismo de la liberación sexual, pero en este proyecto hay algo digno de rescatarse, sobre todo el énfasis que se da a la interconexión entre justicia social y sexual.[18] Si en realidad no hay tal, entonces ¿por qué la represión sexual es tan importante para la religión organizada y la mayoría de los regímenes autoritarios? El capitalismo neoliberal parece escapar del moralismo de ambos, al permitir que las satisfacciones privadas compensen la erosión de la esfera pública: ¿son los videos pornográficos y los antros de strippers los equivalentes contemporáneos de las luchas de gladiadores romanos? En un nivel son, en el mejor de los casos, evasiones temporales, y en el peor, nuevas formas de explotación, y es fácil argumentar que las cuestiones de la liberación sexual son irrelevantes para gente que lucha por sobrevivir. Sin embargo, con demasiada frecuencia la gente experimenta opresión real y violenta y explotación debido a ciertos regímenes de sexualidad, y a la violencia que usan para mantener su hegemonía. Liberación sexual puede ser un término inapropiado, pero es difícil argumentar que sea irrelevante para mujeres que son lapidadas por adulterio en Irán o desfiguradas con ácido en Bangladesh por haber escogido al marido equivocado. Desde una perspectiva más que diferente a la mía, Robin Morgan argumenta: "¿Qué tal si nunca más pedimos perdón por enfatizar la 'política sexual', sino descubrimos que, como lo advierten Jain de India y Lugo de México, los temas de la anticoncepción, el aborto, la violencia sexual y las agresiones *son* preocupaciones conscientes incluso de la campesina más pobre que lucha por la supervivencia diaria?".[19]

Tal vez debiéramos invertir los preceptos de los setenta y reconocer no sólo que la libertad sexual está conectada con otras luchas, sino que no tiene sentido en ausencia de otras formas de libertad e igualdad. Sólo si las mujeres obtienen poder en la esfera económica y social pueden alcanzar la igualdad con los hombres en el campo sexual, y para que esto suceda se requiere, como lo proclamamos en aquellos distantes días dorados de la política de liberación, un cambio revolucionario. Sin la satisfacción de las necesidades básicas de

245

supervivencia es muy probable que el sexo sea desagradable, brutal y breve, y que sea construido por completo para servir a la conveniencia de los hombres poderosos. La violencia contra las mujeres puede que exista en todas las sociedades, pero es menos probable donde haya suficiente bienestar, educación y sentido de integridad personal que permitan a las mujeres deshacerse de las relaciones abusivas.

Recurro a mi exposición anterior sobre la distinción de Nancy Fraser entre la política de *redistribución* y la política de *reconocimiento*, para argumentar que una política sexual significativa en un mundo globalizado debe involucrar tanto las desigualdades de un orden socioeconómico más grande, como aquéllas implicadas en las estructuras más amplias de sexo y género, las cuales se relaboran constantemente a través del mismo proceso de globalización. Implícita en la expansión del capitalismo neoliberal en más y más partes del mundo, se halla la creciente disgregación entre los "valores tradicionales" y el consumismo (pos)moderno. Pero esto no es sólo un debate acerca de valores o un pleito académico sobre discursos. Las estructuras sociales que proveían al menos un nivel módico de bienestar y seguridad están siendo destruidas por la marcha implacable del mercado, el crecimiento masivo de la urbanización, la atomización de las relaciones sociales y el declive de los servicios del gobierno. La globalización está creando enormes riquezas y enormes desequilibrios: los tres hombres más ricos del mundo, se dice, controlan más capitales que los cuarenta países más pobres. Al mismo tiempo, las estructuras sociales que están siendo destruidas por lo general se originaron en supuestos con profundas desigualdades en torno a género, raza y clase, como en el sistema de castas del sureste asiático, o en las estructuras de género de la mayoría de las religiones ortodoxas. Éste es el dilema que apunta Penny Andrews: "En Sudáfrica se volvió cada vez más obvio que la metamorfosis de un país europeo a uno africano requiere que su africanismo se refleje en el sistema legal y que incorpore ciertos aspectos de la ley tradicional. Pero esta realidad debe reconocer que las estructuras de la ley tradicional mantienen a la mujer en perpetuo tutelaje".[20]

246

En la lucha por dar sentido a las disgregaciones y desigualdades del mundo contemporáneo debemos evitar la retórica triunfalista del neoliberalismo y la nostalgia romántica de los tradicionalistas. El mercado no puede aportar la felicidad a las personas, pero igualmente no hay un pasado imaginado al que podamos regresar para abolir la injusticia y la desigualdad. Las exhortaciones a la religión, la tradición y la cultura, por lo general, no son más que justificaciones para perpetuar las peores fórmulas de subordinación y barbarie institucionalizadas. En última instancia, las ideas de derechos humanos, justicia social, aceptación de la diversidad y el empoderamiento de aquellos a quienes se ha marginado y desposeído son metas universales que siguen siendo relevantes sin importar la cultura en particular. Además, se requerirá de un orden global fortalecido y de gobiernos nacionales efectivos: irónicamente los saqueos de la globalización son peores cuando los Estados no pueden —o no quieren— proveer de medios para ayudar a sus poblaciones a beneficiarse del cambio socioeconómico.

La lección principal que he aprendido de una década de trabajo en el mundo del VIH-sida en el nivel internacional es que la interconexión del mundo es, al mismo tiempo, una amenaza y una oportunidad. La política sexual que irrumpió en los países occidentales a finales de los sesenta se expresó en un vago lenguaje sobre internacionalismo, pero sus preocupaciones fueron mayormente con lo inmediato y el Estado-nación. Tres décadas después el mundo es muy distinto. Mucho por lo que peleamos entonces se ha alcanzado de modo parcial en Occidente, pero de igual forma el triunfo del capitalismo liberal —a un grado no previsto por sus seguidores ni por sus detractores— ha creado nuevos retos y nuevas formas de opresión. Aquellos de nosotros que somos parte de la elite privilegiada cuyas vidas se enriquecen con los procesos de globalización no debemos olvidar nunca cuán precario y peligroso es el mundo para la mayoría de la población.

No hay una certeza predeterminada de que tendremos éxito en alcanzar las metas de un mundo más justo y equitativo, y está cla-

247

ro que la lucha para obtenerlo trae consigo muchísimas víctimas. Pero la forma en que nos adaptemos a estas disgregaciones dirá mucho sobre las perspectivas para la dignidad humana y la felicidad en las próximas décadas. En esta lucha, la sexualidad es, al mismo tiempo, un campo de batalla y un ámbito legítimo para la acción política.

NOTAS

PREFACIO: SEXO Y POLÍTICA

[1] Russell Baker, "The Great Meltdown", en *International Herald Tribune*, 23 de septiembre de 1998.

[2] Véase la entrevista con Mahathir en *International Herald Tribune*, 23 de septiembre de 1998.

[3] "10 Years of Presidential Sodomy", en *Australian*, 20 de enero de 1999.

[4] Jeremy Seabrook, *In the Cities of the South*, Verso, London, 1996, p. 24.

[5] John MacInnes, *The End of the Masculinity*, Open University Press, Buckingham, 1998, pp. 134-35.

[6] Thomas Friedman, *The Lexus and the Olive Tree*, Farrar, Straus and Giroux Publishers, New York, 1999, pp. 26-27.

[7] Mary Kaldor, *New and Old Wars*, Polity, Cambridge, 1999, p. 4.

[8] E. L. Doctorow, *The Waterworks*, Macmillan, New York, 1994, pp. 26-27.

INTRODUCCIÓN: PENSANDO EN SEXO Y POLÍTICA

[1] Roland Robertson, *Globalization*, Sage Publications, London, 1992, p. 8.

[2] Gilbert Herdt, *Third Sex, Third Gender*, Zone Books, New York, 1994, p. 12.

[3] Alison Murray, "Femme in the Streets, Butch in the Sheets", en D. Bell y G. Valentine, eds., *Mapping Desire*, Routledge, London, 1995, p. 70.

[4] Nancy Fraser, *Justice Interruptus*, Routledge, New York, 1995, en especial el capítulo 1, "From Redistribution to Recognition?", pp. 11-39.

[5] En los debates del construccionismo véase David Greenberg, *The Construction of Homosexuality*, University of Chicago Press, Chicago, 1998; Carole Vance, "Social Construction Theory: Problems in the History of Sexuality", en A. van Kooten Niekerk y T. van der Meer, eds., *Homosexuality, Which Homosexuality?*, Gay Men's Press, London, 1989, pp. 13-34.

[6] La misma sensación del baño como zona de placer se encuentra en la película de 1988 de Ferzan Ospetek *Hammam*, una coproducción turco-italiana. Otras culturas han creado espacios eróticos similares de los baños públicos comunales. Véase, por ejemplo, Scott Clark, "The Japanese Bath: Extraordinarily Ordinary", en J. Tobin, ed., *Re-Made in Japan*, Yale University Press, New Haven, 1992.

[7] Michael Ignatieff, "The Temple of Pleasure", en *Time Magazine*.

[8] Beryl Langer, "The Body in the Library", en L. Dale y S. Ryan, eds., *Cross/Cultures: Readings in the Post/Colonial Literatures in English*, Rodopi, Amsterdam, 1994, pp. 15-34.

[9] *The New York Times*, 21 de julio de 1962, citado en Charles Kaiser, *The Gay Metropolis, 1940-1996*, Houghton Mifflin, Boston, 1997, p. 80.

[10] Gayle Rubin, "The Traffic in Women: Notes on the Political Economy of Sex", en R. Reiter, ed., *Toward an Anthropology of Women*, Monthly Review Press, New York, 1975. Éste y su ar-

tículo posterior ("Thinking Sex: Notes for a Radical Theory of the Politics of Sexuality", en C. Vance, ed., *Pleasure and Danger*, Routledge & Kegan Paul, Boston, 1984, pp. 267-319) han tenido una enorme influencia en la continuación de las teorías feministas y gay acerca de la sexualidad.

[11] "Looking for Love", en *Far Eastern Economic Review*, 20 de enero de 2000, p. 32.

[12] En los noventa, las tasas más altas de divorcios se encontraron en países europeos de la antigua Unión Soviética (Estonia, Letonia y Rusia). Véase Joni Seager, *The State of Women in the World Atlas*, Penguin, London, 1997, p. 23.

[13] Compárese Eduardo Archetti, "Playing Styles and Masculine Virtues in Argentine Football", en M. Melhuus y K. A. Stole, eds., *Machos, Mistresses, Madonnas*, Verso, London, 1996, pp. 34-55.

[14] Brian Pronger, *The Arena of Masculinity: Sports, Homosexuality, and the Meaning of Sex*, St. Martin's Press, New York, 1990.

[15] Kim Berman, "Lesbians in South Africa", en M. Krouse, ed., *The Invisible Ghetto: Lesbian and Gay Writing from South Africa*, Gay Men's Press, London, 1995, p. XVIII.

[16] V. Spike Petersen y Jacqui True, "'New Times' and New Conversations", en M. Zalewski y J. Parpart, eds., *The "Man" Question in International Relations*, Westview, New York, 1998, p. 25, nota 11.

[17] Gary Dowsett y Peter Aggleton, "Young People and Risk-Taking in Sexual Relations", en *Sex and Youth: Contextual Factors Affecting Risk for HIV/AIDS*, UNAIDS, Genève, 1999, p. 36. Los siete países fueron Camboya, Camerún, Chile, Costa Rica, Papua Nueva Guinea, Filipinas y Zimbabwe.

[18] Grace Osakue y Adriane Martin-Hilber, "Women's Sexuality and Fertility in Nigeria", en R. Petchesky y K. Judd, eds., *Negotiating Reproductive Rights*, Zed, London, 1998, p. 196.

[19] Anthony Giddens, "Family", en 1999 BBC Reith Lectures, núm. 4 (news.bbc.co.uk/hi/english/static/events/reith_99).

[20] Gail Pheterson, *The Prostitution Prism*, Amsterdam University Press, Amsterdam, 1996, p. 24.

[21] R. W. Connell, *Masculinities*, Allen & Unwin, Sydney, 1995, p. 77.

[22] Marta Lamas, "Scenes from a Mexican Battlefield", en NACLA *Report on the Americas*, enero-febrero de 1998, p. 17.

[23] David Landes, *The Wealth and Poverty of Nations*, Norton, New York, 1998, p. 414.

[24] Silvana Paternostro, *In the Land of God and Man*, Dutton, New York, 1998, p. 308.

[25] Hay una breve discusión sobre los significados de machismo en Marit Melhuus, "Power, Value, and the Ambiguous Meaning of Gender", en M. Melhuus y K. A. Stole, *Machos, Mistresses, Madonnas, op. cit.*, pp. 240-44.

[26] Sarah Radcliffe. "Women's Place in Latin America", en M. Keith y S. Pile, eds., *Place and the Politics of Identity*, Routledge, London, 1993, p. 111.

[27] Martha Macintyre, "Melanesian Women and Human Rights", en A. M. Hilsdon, M. Macintyre, V. Mackie y M. Stivens, eds., *Human Rights and Gender Politics: Asia-Pacific Perspectives*, Routledge, London, 2000, p. 154.

[28] Jan Jindy Pettman, *Wordling Women*, Allen & Unwin, Sydney, 1996, p. 187.

[29] Lillian Ng, *Swallowing Clouds*, Penguin Books, Melbourne, 1997, pp. 153-54.

[30] Richard Parker, *Beneath the Equator*, Routledge, New York, 1999, p. 74.

[31] Peter Gordon y Kate Crehan, "Dying of Sadness: Gender, Sexual Violence, and the HIV Epidemic", UNDP HIV and Development Program Paper FF964, UNDP, New York, 1999.

[32] "Migration and HIV", en *Newspaper of the XII International AIDS Conference*, Genève, 2 de julio de 1998. Véase también Vesna Nikolic-Ristanovic, "War and Violence against Women", en J. Turpin y L. Lorentzen, eds., *The Gendered New World Order*, Routledge, New York, 1996; Amnesty International, *Bosnia-Herzegovina: Rape and Sexual Abuse by Armed Forces*, Amnesty International, London, 1993.

[33] Véase Boris Davidovich, *Serbian Diaries*, Gay Men's Press, London, 1996.

[34] Linda Grant, *Sexing the Millenium*, Grove, New York, 1994, p. 5.

[35] Nikos Papastergiadis, *Dialogues in the Diasporas*, Rivers Oram, London, 1998, p. 149.

[36] Véase Penny Andrews, "Violence against Women in South Africa", en *Temple Political and Civil Rights Law Review* 8:2, 1999, pp. 425-57.

[37] Graeme Simpson y Gerald Kraak, "The Illusions of Sanctuary and the Weight of the Past: Notes on Violence and Gender in South Africa", en *Development Update* (Braamfontein) 2:2, 1998, p. 8.

[38] Véase Jeffrey Alexander, "Modern, Anti, Post, Neo", en *New Left Review*, marzo-abril de 1995, pp. 63-101.

LAS MÚLTIPLES CARAS DE LA GLOBALIZACIÓN

[1] Bruce Rich, *Mortgaging the Earth*, Beacon, Boston, 1994, p. 2.

[2] Véase Thanh-dam Truong, *Sex, Money, and Morality*, Zed, London, 1990; Rita Brock y Susan Thistlethwaite, *Casting Stones: Prostitution and Liberation in Asia and the United States*, Fortress Press, Minneapolis, 1996.

[3] Debo esta historia a Michael Connors, quien la investigó en varios números de la revista *Nation* (Bangkok), junio y julio de 1993. Véase también Annette Hamilton, "Primal Dream: Masculinism, Sin, and Salvation in Thailand's Sex Trade", en Lenore Manderson y Margaret Jolly, eds., *Sites of Desire, Economies of Pleasure*, University of Chicago Press, Chicago, 1997, p. 145.

[4] Elliott Kulick y Dick Wilson, *Thailand's Turn*, Macmillan, London, 1992, p. 121.

[5] William Greider, *A World, Ready or Not*, Simon & Schuster, New York, 1997, p. 348.

[6] Véase Lourdes Argüelles y Ruby Rich, "Homosexuality, Homophobia, and Revolution: Notes towards an Understanding of the Cuban Lesbian and Gay Experience", en *Signs* 9:4, 1984, pp. 686-87.

[7] Véase Ryan Bishop y Lillian Robinson, *Night Market: Sexual Cultures and the Thai Economic Miracle*, Routledge, New York, 1998, capítulo 2.

[8] Albert Goldman, *The Lives of John Lennon*, Bantam, New York, 1988, p. 683.

[9] Stefan Zweig, *The World of Yesterday*, University of Nebraska Press, Lincoln, 1964 (publicado originalmente en 1943), p. 83. Debo esta referencia a Judith Brett.

[10] Véase Donna Guy, *Sex and Danger in Buenos Aires*, University of Nebraska Press, Lincoln, 1990, en especial el capítulo 1.

[11] Sueann Caulfield, "The Bird of Mangue", en D. Balderston y D. Guy, eds., *Sex and Sexuality in Latin America*, New York University Press, New York, 1997, p. 89.

251

[12] Donna Guy, *Sex and Danger in Buenos Aires, op. cit.*, pp. 34-35.

[13] Peter Hall, *Cities in Civilization*, Weidenfeld & Nicolson, London, 1998, en especial pp. 192-200.

[14] Véase Jacques le Rider, "Between Modernism and Postmodernism", en E. Timms y R. Robertson, eds., *Vienna 1990*, Edinburgh University Press, Edinburgh, 1990, p. 3.

[15] Alex Callinicos, *Against Postmodernism*, Polity Press, Cambridge, 1989, p. 45.

[16] John Updike, "Can Genitals Be Beautiful?", en *New York Review of Books*, 4 de diciembre de 1997, pp. 10-12.

[17] Sobre los temas sexuales del arte de Klimt, véase Carl Schorske, *Fin-de-Siècle Vienna*, Knopf, New York, 1990, pp. 224-25.

[18] Este título es una traducción francesa del original alemán, *Reigen*, y es el título de una película francesa de 1950 dirigida por Max Ophüls. También es conocida como *The Round Dance* (versión inglesa de Charles Osborne [Carcanet New Press, Manchester, 1982], y fue la base para *Blue Room* de David Hare, que alcanzó un considerable éxito en Londres y Nueva York al final de los noventa. Freud admiró mucho a Schnitzler por su examen de la sexualidad burguesa. Véase Bruce Thompson, *Schnitzler's Vienna*, Routledge, New York, 1990, en especial el capítulo 3.

[19] Jeremy Seabrook, *In the Cities of the South*, Verso, London, 1996, capítulo 10.

[20] Véase Carl Schorske, *Fin-de-Siècle Vienna, op. cit.*, capítulo 2.

[21] Para ver dos recientes intentos de captar al Bangkok contemporáneo: Lawrence Chua, *Gold by the Inch*, Grove, New York, 1998; y Gregory Bracken, *Unusual Wealth*, Asia Books, Bangkok, 1998.

[22] Por ejemplo, Bryan Turner, *Orientalism, Postmodernism, and Globalism*, Routledge, London, 1994, p. 108.

[23] Peter Beinart, "An Illusion for Our Time", en *New Republic*, 20 de octubre de 1997, p. 21; "The Century the Earth Stood Still", en *The Economist*, 20 de diciembre de 1997.

[24] Karl Marx, "Manifesto of the Communist Party", en Marx, *The Revolutions of 1848* (edición de D. Fernbach), Penguin, Harmondsworth, 1973, p. 70.

[25] Theo Varlet, *Roc d'Or*, Serpent de Plumes, Paris, 1997 (publicada originalmente en 1927), p. 15 (traducción mía).

[26] Véase Pattara Danutra, "A Useful Catchword or Linguistic Lamprey?", en *Bangkok Post*, 8 de julio de 1995; Charnvit Kasetsiri, "Siam/Civilization-Thailand/Globalization: Things to Come", investigación presentada en la Conferencia de la Asociación Internacional de Historiadores de Asia, Chulalongkorn University, Bangkok, mayo de 1996.

[27] David Held, "Democracy, the Nation-State, and the Global System", en *Economy and Society* 20:2, 1991, p. 145. Este argumento se expande en D. Held, A. McGrew, D. Goldblatt y J. Perraton, *Globals Transformations*, Polity Press, Cambridge, 1999, pp. 424-35. Véase también Manuel Castells, *The Information Age*, 3 vols., Blackwell, Oxford, 1996-1998; y el largo artículo de Peter Waterman, "The Brave New World of Manuel Castells", en *Development and Change*, núm. 30, 1999, pp. 357-80.

[28] Ulrich Beck, *World Risk Society*, Polity Press, Cambridge, 1999, pp. 1-8. Compárese con Frederick Jameson, "Postmodernism, or the Cultural Logic of Capitalism", en *New Left Review*, julio-agosto de 1984, pp. 53-93; Deena Weinstein y Michael Weinstein, *Postmodern(ized) Simmel*, Routledge, London, 1993.

[29] Véase, por ejemplo, David Harvey, *The Condition of Postmodernism*, Blackwell, Oxford, 1989.

252

[30] Véase por ejemplo, Kim Dovey, *Framing Places: Mediating Power in Built Form*, Routledge, London, 1999, pp. 158-60.

[31] Un argumento similar es sustentado por Ian Taylor, Karen Evans y Penny Fraser, *A Tale of Two Cities: Global Change, Local Feeling, and Everyday Life in the North of England*, Routledge, London, 1996, pp. 9-11. Hay una perspectiva muy diferente en Zygmunt Bauman, *Work, Consumerism, and the New Poor*, Open University Press, Buckingham, 1998, capítulo 1.

[32] Tony Judt, "À la recherche du temps perdu", en *New York Review of Books*, 3 de diciembre de 1998, p. 52.

[33] Julian Barnes, "Always True to France", en *New York Review of Books*, 12 de agosto de 1999, p. 29.

[34] Shelly Simonds, "Satellite TV Loosens Mid-East Regimes", en *Australian National University Reporter*, 8 de abril de 1998, p. 8. Para una visión del impacto de la televisión en la globalización, véase Philip Carl Salzman, "The Electronic Trojan Horse", en L. Arizpe, ed., *The Cultural Dimensions of Global Change*, UNESCO, Paris, 1996, pp. 197-216.

[35] Wang Jiang y Chang Tsan-kuo, "From Class Ideologue to State Manager: TV Programming and Foreign Imports in China, 1970-1990", en *Journal of Broadcasting and Electronic Media* 40:2, 1996, pp. 196-207. Agradezco esta referencia a Chris Carroll.

[36] Saskia Sassen ha discutido los nuevos patrones de migración y sus relaciones con la globalización. Véase su *Globalization and Its Discontents*, New Press, New York, 1998, sección 1.

[37] Iain Chambers, *Migrancy, Culture, Identity*, Routledge, London, 1994, p. 3.

[38] Esta descripción del campo de detención de Yanaua está tomada de un reporte de 1995 del Alto Comisionado de las Naciones Unidas para los Refugiados, citado en las noticias MAHA mahanews@lists.e-net.ch. MAHA significa Migrantes Contra el VIH-sida, y tiene su base en Bagnolet, Francia.

[39] Sobre la nueva elite internacional, véase Christopher Lasch, *The Revolt of the Elites*, Norton, New York, 1995; y Peter Berger, "Globalization and Culture: Not Simply the West versus the Rest", investigación del Centre for Development and Enterprise, Johannesburg, enero de 1999.

[40] Jane Margold, "Narratives of Masculinity and Transnational Migration", en A. Ong y M. Peletz, eds., *Bewitching Women, Pious Men: Gender and Body Politics in Southeast Asia*, University of California Press, Berkeley, 1995, pp. 292-93. Hay un retrato gráfico, aunque picaresco, que da cuenta de un grupo de trabajadores migratorios filipinos en Timothy Mo, *Renegade or Halo?*, Paddlepress, London, 1999.

[41] Véase Joel Kahn, *Culture, Multiculture, Postculture*, Sage Publications, London, 1995, p. 106.

[42] Estas cifras fueron tomadas de un número especial sobre migración, *The New Internationalist*, septiembre de 1998, pp. 18-19.

[43] A mediados de los noventa se estimaba que había seis millones de trabajadores filipinos en el extranjero, una décima parte de la población total. Véase *Asian and Pacific Migration Journal* 7:1, 1998.

[44] Andrew Kilvert, "Golden Promises", en *The New Internationalist*, septiembre de 1998, pp. 16-17.

[45] Para antecedentes, véase Richard Lloyd Parry, "What Young Men Do", en *Granta* 62, verano de 1998, pp. 85-123.

[46] Arjun Appadurai, "Patriotism and Its Futures", en *Public Culture* 5:3, 1993, p. 424.

[47] Leila Gandhi, *Postcolonial Theory*, Allen & Unwin, Sydney, 1998, p. 4.

[48] Tony Burke, "Faithful Son Is Primed", en *Age* (Melbourne), 3 de noviembre de 1998, Sección Deportiva, p. 1.

[49] Hay muchos ejemplos de este tipo de argumento. Por ejemplo, Stephen Gill, "New Constitutionalism, Democratisation, and Global Political Economy", en *Pacifica Review* 10:1, 1998, pp. 23-38.

[50] Para un ejemplo del impacto del neoliberalismo, véase Lynne Haney, "'But We Are Still Mothers': Gender, the State, and the Construction of Need in the Postsocialist Hungary", en M. Buroway y K. Verdery, eds., *Uncertain Transition*, Rowman & Littlefield, Lanham, 1999, pp. 151-87.

[51] Zygmunt Bauman, *Globalization: The Human Consequences*, Polity Press, Cambridge, 1998, pp. 103-04.

[52] Véase, por ejemplo, Susan George y Sabelli Fabrizio, *Faith and Credit: The World Bank's Secular Empire*, Penguin, London, 1994; D. Ghai, *The IMF and the South*, Zed, London, 1991; Walden Bello, *Dark Victory: The United States Structural Adjustment, and Global Poverty*, Pluto, London, 1994.

[53] Richard Cornwell, "Who Will Control Africa in the Twenty First Century?", investigación no publicada, Institute for Security Studies, Johannesburg, 1998.

[54] UNDP, *Human Development Report*, Oxford University Press, New York, 1998.

[55] Joseph Hanlon, "A Pound of Flesh", en *The New Internationalist*, marzo de 1999, p. 27.

[56] "Drop the Debt", en *The New Internationalist*, mayo de 1999, p. 9.

[57] Jeremy Seabrook, *In the Cities of the South, op. cit.*, p. 298.

[58] William Greider, *One World, Ready or Not, op. cit.*, p. 467.

[59] Paul Smith, *Millennial Dreams: Contemporary Culture and Capital in the North*, Verso, London, 1997, p. 56.

[60] Debo este último ejemplo a Richard Parker, quien lo discute en *Beneath the Equator, op. cit.*, pp. 159-60.

[61] La lista de tales novelas futuristas es enorme. Tal vez la más conocida es la de Phillip K. Dick, *Do Androids Dream of Electric Sheep?*, Grafton, London, 1972, adaptada al cine como *Blade Runner*. Pero también debemos considerar a Phillip Kerr, *A Philosophical Investigation*, Chatto & Windus, London, 1992; Paul Johnston, *Body Politic*, Hodder & Staughton, London, 1997; Neal Stephenson, *The Diamond Age*, Bantam, New York, 1995; Adrian Mathews, *Vienna Blood*, Jonathan Cape, London, 1999.

[62] Véase a Om Prakash Mathur, "Sustaining India's Megacities", en Toh Thian Ser, ed., *Megacities, Labour, and Communications*, Institute for Southeast Asian Studies, Singapore, 1998.

[63] Michael Dutton, *Streetlife in China*, Cambridge University Press, Cambridge, 1998, pp. 10-11.

[64] George Yudice, Jean Franco y Juan Flores, introducción de *On Edge: The Crisis of the Contemporary Latin American Culture*, University of Minnesota Press, Minneapolis, 1992, p. VIII.

[65] Benjamin Barber, "Yihad versus MacWorld", en *Atlantic Monthly*, marzo de 1992, p. 53 (más tarde ampliado en *Yihad versus MacWorld*, Times Books, New York, 1995).

[66] "Tunisia" (edición patrocinada), en *International Herald Tribune*, 7-8 de noviembre de 1998, p. 22.

[67] Véase, por ejemplo, George Ritzer, *The McDonaldization of Society*, Pine Forge Press, Thou-

sand Oaks, 1993, y *The MacDonaldization Thesis*, Sage Publications, London, 1998; James Watson, *Golden Arches East*, Stanford University Press, Stanford, 1997. El último proporciona varios ejemplos del impacto de McDonald's en prácticas culturales, como el mejoramiento en los niveles de higiene.

[68] Thomas Friedman, *The Lexus and the Olive Tree*, Farrar, Straus and Giroux Publishers, New York, 1999, pp. 195-96, 235.

[69] Eric Reguly, "The Devouring of Corporate Canada", en *Report On Bussines* (Toronto), 4 de septiembre de 1999. Cuando este artículo fue publicado parecía probable que las dos más grandes líneas aéreas canadienses se fusionarían y caerían bajo el control de una compañía canadiense con ligas muy cercanas a United Airlines.

[70] Gearoid Tuathail, Andrew Herod y Susan Roberts, "Negotiating Unruly Problematics", en Herod, Tuathail y Roberts, *An Unruly World?*, Routledge, London, 1998, p. 12.

[71] Bales estima que hay 27 millones de esclavos en el mundo hoy día, definiendo esclavitud como "el control total de una persona por otra con el propósito de explotación económica" (Kevin Bales, *Disposable People: New Slavery in the Global Economy*, University of California Press, Berkeley, 1999, p. 6).

[72] Anatol Lieven, "History Is Not Bunk", en *Prospect*, octubre de 1998.

[73] Lester Thurow, *The Future of the Capitalism*, Morrow, New York, 1996, p. 119.

[74] Aunque una canción "turbofolk" en Serbia, que apoyaba mucho al régimen de Milosevic, invocaba "Coca-Cola, Marlboro, Suzuki/discotecas, guitarras y bouzouki". Citado por Laura Secor, en la revisión de Eric Gordy, *The Culture of Power in Serbia, Lingua Franca*, otoño de 1999, B27.

[75] Harold Pinter, *"Party Time" and "The New World Order": Two Plays*, Grove, New York, 1993.

[76] Como lo hacen Jozsef Borocz y David Smith en su introducción a Smith y Borocz, eds., *A New World Order?*, Greenwood, Westport, 1995, p. 23. Paul Elkins usa el término para discutir diferentes enfoques a los propuestos por Bush en *A New World Order: Grassroots Movements for Global Change*, Routledge, London, 1992.

[77] Neal Stephenson, *Snow Crash*, Bantam, London, 1992.

[78] William Greider, *One World, Ready or Not, op. cit.*, en especial pp. 192-93. La preocupación de Stephenson con Japón tiene eco en *Idoru* de William Gibson, Putnam, New York, 1996.

[79] Martin Walker, "The Clinton Doctrine", en *The New Yorker*, 7 de octubre de 1996, pp. 6-8.

[80] Éste es el argumento de Alfredo Valladao, *The Twenty First Century Will Be American*, Verso, New York, 1996. Compárense las variadas contribuciones a la obra de D. Slater y P. Taylor, eds., *The American Century*, Blackwell, Oxford, 1999.

[81] Para un argumento de cómo la CNN ha ayudado a globalizar la industria de la moda véase Rebeca Mead, "Elsa's Reign", en *The New Yorker*, 20 de septiembre de 1999, pp. 76-83.

[82] Mark Johnson, *Beauty and Power: Transgendering and Cultural Transformation in the Southern Philippines*, Berg, Oxford, 1997.

[83] Deborah Amory, *"Mashoga, Mabasha*, and *Magai*: 'Homosexuality' on the East African Coast", en S. Murray y W. Roscoe, eds., *Boy-Wives and Female-Husband*, St. Martin's Press, New York, 1998, p. 85.

[84] Salman Rushdie, *The Ground Beneath Her Feet*, Jonathan Cape, London 1999, p. 59.

[85] Leo Ching, "Imaginings in the Empire of the Sun", en J. Treat, ed., *Contemporary Japan and Popular Culture*, University of Hawaii Press, Honolulu, 1997, p. 171.

[86] Michael Keane, "Ethics and Pragmatism: China's Television Producers Confront the Cultural Market", en *Media International Australia*, noviembre de 1998, en especial pp. 77-78.

[87] Sam Quinones, "Hooked on Telenovelas", en *Hemispheres* (American Airlines), noviembre de 1997.

[88] Wim Lunsing, "The 5th Asian Congress of Sexology, Seoul, november 1998", en *Sexualidades* 2:2, 1999, p. 383.

[89] Véase James Larson y Heung-Soo Park, *Global Television and the Politics of the Seul Olympics*, Westview, Boulder, 1993.

[90] Beryl Langer, "Coca-Colonials Write Back", en K. Burridge, L. Foster y G. Turcotte, eds., *Canada-Australia, 1895-1995: Towards a Second Century of Partnership*, Carleton University Press, Ottawa, 1997, p. 487. Compárese John Street, "The Limits of Global Popular Culture", en A. Scott, ed., *The Limits of Globalization*, Routledge, New York, 1997, pp. 75-89.

[91] Edward Herman y Robert McChesney, *The Global Media*, Cassell, London, 1997, p. 19.

[92] "Star Wars", en *The Economist*, 22 de marzo de 1997.

[93] Lester Thurow, *The Future of the Capitalism, op. cit.*, p. 133.

[94] Véase Simon During, "Popular Culture on a Global Scale", en *Critical Inquiry* 23, verano de 1997, pp. 808-33.

[95] Para una discusión de la importancia de las "corporaciones culturales multinacionales", propiedad —o con una amplia base— estadunidense, véase D. Held, A. McGrew, D. Goldblatt y J. Perraton, *Globals Transformations, op. cit.*, pp. 346-50.

[96] "Survey: Technology and Entertainment", en *The Economist*, 21 de noviembre de 1998, p. 12.

[97] Wayne Ellwood, "Inside the Disney Dream Machine", en *The New Internationalist*, diciembre 1978, p. 7. Vale la pena regresar a Ariel Dorfman y Armand Mattelart, *How to Read Donald Duck*, International General, New York, 1975; originalmente publicado en 1971 en Chile, es uno de los primeros análisis del impacto de la cultura del cómic estadunidense en el Sur.

[98] Kathi Maio, "Disney's Dolls", en *The New Internatonalist*, diciembre de 1998, pp. 12-14.

[99] Para una advertencia contra una visión demasiado triunfalista del crecimiento del inglés, véase Joshua Fishman, "The New Linguistic Order", en *Foreign Policy*, invierno de 1998-1999, pp. 26-40.

[100] Compárese la extraordinaria reticencia que rodea a los personajes homosexuales en programas como *Melrose Place* y *Will and Grace* con el rudo realismo de *This Life* o *Queer as Folk*.

[101] "Video Quotas", en *Straights Times* (Singapore), 5 de febrero de 1999.

[102] Lexington, "The Versace Controversy", en *The Economist*, 19 de julio de 1997, p. 40.

[103] Christopher Hitchens, *Blood, Class, and Nostalgia*, Farrar, Straus and Giroux Publishers, New York, 1990, p. 30.

[104] Robert Kaplan, *The Ends of the Earth*, Random House, New York, 1996, p. 279.

[105] Arjun Apparudai, *Modernity at Large*, University of Minnesota Press, Minneapolis, 1996, p. 40.

[106] Cynthia Enloe, *The Morning After: Sexual Politics at the End of the Cold War*, University of California Press, Berkeley, 1993, pp. 72-75.

[107] Kasian Tejapira, "The Postmodernization of Thainess", acta de sesiones de la Sexta Conferencia Internacional sobre Estudios de Tailandia, Chiang Mai, 14-17 de octubre de 1996, p. 397.

SEXO Y ECONOMÍA POLÍTICA

[1] Nancy Folbre, "The Improper Arts: Sex in Classical Political Economy", en *Population and Development Review* 18:1, 1992, pp. 105-21.

[2] Véase, por ejemplo, Rhonda Gottlieb, "The Political Economy of Sexuality", en *Review of Radical Political Economics* 16:1, 1984, pp. 143-65.

[3] Estoy pensando aquí en particular en *Essay on Liberation* de Herbert Marcuse, Beacon, Boston, 1969.

[4] Joel Kovel, *The Radical Spirit*, Free Association Books, London, 1988, p. 5. Agradezco a Robert Reynolds por llevarme hacia Kovel.

[5] Michaela di Leonardo y Roger Lancaster, "Gender, Sexuality, Political Economy", en *New Politics*, verano de 1996, pp. 29-43.

[6] Jan Jindy Pettman, *Worlding Women*, Allen & Unwin, Sydney, 1996 (me inclino más que Pettman a ver el género sólo como un eje de desigualdad).

[7] Como Aijaz Ahmad escribe: "Esta reducción del marxismo a un elemento entre otros, en el análisis de lecturas textuales significa —por lo menos, y aun donde esa hostilidad está menos marcada— que el problema del grupo determinado de mediaciones que conectan las producciones culturales de un periodo con otra clase de producciones y procesos políticos —uno de los problemas centrales de la historiografía cultural marxista— rara vez se cita con algún grado de rigor precisamente en esas ramas de teoría literaria donde los temas de colonización e imperio se analizan con mayor amplitud" (*In Theory*, Verso, London, 1992, p. 5). Compárese con Nigel Thrift, "The Rise of Soft Capitalism", en Andrew Herod, Gearoid Tuathail y Susan Roberts, *An Unruly World?*, Routledge, London, 1998, en especial las pp. 26-28; Etienne Balibar, "Has 'the World' Changed?" en A. Callari, S. Cullenberg y C. Biewener, eds., *Marxism in the Postmodern Age*, Guilford, New York, 1995, pp. 405-14.

[8] Diane Nelson, *A Finger in the Wound: Body Politics in Quincentennial Guatemala*, University of California Press, Berkeley, 1999, p. 351.

[9] Véase Nancy Fraser, *Justice Interruptus*, y su "Heterosexism, Misrecognition, and Capitalism: A Response to Judith Butler", en *Social Text* 52-53, otoño-invierno de 1997, pp. 279-89.

[10] Nancy Fraser, *Justice Interruptus, op. cit.*, p. 15.

[11] Teresa Ebert, *Ludic Feminism and After*, University of Michigan Press, Ann Arbor, 1995, p. 214.

[12] Megan Vaughan, "Syphilis in Colonial East and Central Africa: The Social Construction of an Epidemic", en T. Ranger y P. Slack, eds., *Epidemics and Ideas*, Cambridge University Press, Cambridge, 1992, pp. 269-302.

[13] Por ejemplo, Biliana Vassileva y Milena Komarova, "Young People, Social Relationships, and Sexuality in Bulgaria", en J.-P. Moatti et al., *AIDS in Europe*, Routledge, London, 2000, pp. 135-46.

[14] "Auto-da-Fe", en *Candide*, música compuesta por Leonard Bernstein, letra de Richard Wilbur (versión final revisada, 1989).

[15] R. W. Connell, "Sexual Revolution", en L. Segal, ed., *New Sexual Agendas*, Macmillan, London, 1997, pp. 60-76. Compárese Edward Lautmann, John Gagnon, Robert Michael y Stuart Michaels, *The Social Organization of Sexuality*, University of Chicago Press, Chicago, 1994.

[16] Véase "The Condom Controversy", en *Asiaweek*, 19 de enero de 1994, pp. 30-31.

[17] Francis Fukuyama, "Why Japan Has Been Right to Wonder about the Pill", en *International Herald Tribune*, 10 de junio de 1999.

[18] Durante los noventa las ventas mundiales de condones se incrementaron quince por ciento al año, de acuerdo con un reporte de una compañía. Véase "Go Forth and Don't Multiply", en *The Economist*, 19 de junio de 1999, p. 68. ONUSIDA afirma haber tenido un gran éxito en la promoción del uso del condón en un buen número de países pobres, incluidos Tailandia, Senegal y Uganda.

[19] Churnrutai Kanchanchitra, "Income Generation and Reduction of Women Entering Sex Work in Thailand", investigación presentada en el Encuentro de Acercamientos Efectivos para la Prevención del VIH-sida en las Mujeres, Genève, febrero de 1995.

[20] Véase Ronald Ingelhart, *Modernization and Postmodernization*, Princeton University Press, Princeton, 1997, pp. 276-80.

[21] Anthony Giddens, "Dare to Care, Conserve, and Repair", en *New Statesman and Society*, 29 de octubre de 1994, p. 18.

[22] Don DeLillo, *Underworld*, Picador, London, 1998, p. 786.

[23] Arthur Golden, *Memoirs of a Geisha*, Chatto & Windus, London, 1997, p. 153.

[24] La palabra *sekuhara* ha sido ampliamente usada en Japón para designar el hostigamiento sexual. Véase Yoshio Sugimoto, *An Introduction to Japanese Society*, Cambridge University Press, Cambridge, 1997, p. 157.

[25] Nicholas Bornoff, *Pink Samurai*, Grafton, London, 1991, pp. 119-20.

[26] Marta Savigliano, "Tango in Japan and the World Economy of Pleasure", en J. Tobin, ed., *Re-Made in Japan*, Yale University Press, New Haven, 1992, p. 237.

[27] José Quiroga, "Homosexualities in the Tropic of Revolution", en D. Balderston y D. Guy, eds., *Sex and Sexuality in Latin America*, New York University Press, New York, 1997, p. 134.

[28] Marina Warner, *No Go the Bogeyman*, Chatto & Windus, London, 1998, p. 363.

[29] Para una discusión de cómo el reggae ha cambiado a medida que Jamaica se ha incorporado más efectivamente dentro de la "economía global", véase Andrew Ross, "Mr. Reggae DJ, Meet the International Monetary Fund", en Ross, *Real Love*, Routledge, London, 1998, pp. 35-70.

[30] Neville Hoad, "Arrested Development or the Queerness of Savages", en *Postcolonial Studies* 3:2, julio de 2000, p. 138.

[31] C. Vance, ed., *Pleasure and Danger*, Routledge & Kegan Paul, Boston, 1984.

[32] Jill Julius Matthews, "The 'Present Moment' in Sexual Politics", en R. W. Connell y G. W. Dowsett, eds., *Rethinking Sex*, Melbourne University Press, Melbourne, 1992, p. 126.

[33] Véase Christopher Murray y Alan Lopez, *Health Dimensions of Sex and Reproduction*, Harvard School of Public Health, Boston, 1998.

[34] Lenore Manderson y Margaret Jolly, eds., *Sites of Desire, Economies of Pleasure*, University of Chicago Press, Chicago, 1997, introducción, p. 24.

[35] Cynthia Enloe, *The Morning After: Sexual Politics at the End of the Cold War*, University of California Press, Berkeley, 1993, p. 104.

[36] R. W. Connell, "New Directions in Gender Theory, Masculinity Research, and Gender Politics", en *Ethnos* 61:3-4, 1996, p. 175.

[37] John MacInnes, *The End of the Masculinity*, Open University Press, Buckingham, 1998, p. 1.

[38] Barbara Ehrenreich, *The Hearts of Men: American Dreams and the Flight from Commitment*, Doubleday, New York, 1983.

[39] Claire Miller, "Women Fight for a Nation Losing Its Hope", en *Age*, Melbourne, 12 de diciembre de 1983.

[40] Joni Seager, *The State of Women in the World Atlas*, Penguin, London, 1997, pp. 20-21.

[41] Agnes Runganaga y Peter Aggleton, "Migration, the Family, and the Transformation of a Sexual Culture", en *Sexualities* 1:1, 1998, p. 73.

[42] *The Wedding Banquet*, 1993, dirigida por Ang Lee; *Happy Together*, 1997, dirigida por Wong Kar-wai.

[43] Véase Karen Kelsky, "Intimate Ideologies: Transnational Theory and Japan's Yellow Cabs", en *Public Culture* 6, 1994, pp. 465-78.

[44] Véase Janet Hadley, *Abortion: Betwen Freedom and Necessity*, Vintage, London, 1996, pp. 15-23 y 135.

[45] Wan Yan-hai, "Sexual Work and Its Public Policies in China", investigación presentada en la Conferencia Internacional sobre Prostitución, Van Nuys, California, marzo de 1997. Para una visión de la situación china véase Borge Bakken, "Never for the First Time 'Premature Love and Social Control in Today's China'", en *China Information* (Leiden) 7:3, 1992-1993.

[46] Comparemos las actuales descripciones del sexo en China —por ejemplo, George Wehrfritz, "Unbuttoning a Nation", en *Newsweek*, 16 de abril de 1996— con Steven Mosher, *Broken Earth: The Rural Chinese*, Free Press, New York, 1986, p. 7.

[47] National AIDS Committee y ONUSIDA, *Partnership in Action: HIV/AIDS in Vietnam*, Hanoi, 1998, p. 7.

[48] Todd Crowell y Anne Naham, "A Communist Theme Park", en *Asiaweek*, 22 de enero de 1999, pp. 34-37.

[49] Estas cifras fueron reportadas en una conferencia de sida en 1999. Véase Daniel Kwan, "HIV Cases to Reach 1.2 m. Next Year", en *South China Morning Post*, primero de febrero de 1999. Para una visión de lo que esto puede significar, véase Neal Stephenson, *The Diamond Age*, Bantam, New York, 1995.

[50] "STD Rise Highest in the Decade", en *South China Morning Post Online*, 7 de mayo de 1999 (www.scmp.com).

[51] Francis Fukuyama. "Asian Values and the Asian Crisis", en *Commentary*, febrero de 1998, p. 27.

[52] Véase Julia Suryakusuma, "The State and Sexuality in New Order Indonesia", en L. Sears, ed., *Fantasizing the Feminine in Indonesia*, Duke University Press, Durham, 1996, pp. 92-119.

[53] David Hill y Krishna Sen, "Rock'n'Roll Radicals", en *Inside Indonesia*, octubre-diciembre de 1997, p. 27.

[54] Véase Aihwa Ong, "State Versus Islam: Malay Families, Women's Bodies, and the Body Politics in Malasia", en A. Ong y M. Peletz, eds., *Bewitching Women, Pious Men: Gender and Body Politics in Southeast Asia*, University of California Press, Berkeley, 1995, pp. 159-94.

[55] Anthony Pramualratana, "HIV/AIDS in Thailand", investigación sobre la situación de ONUSIDA, enero de 1998.

[56] Michel Caraël, Anne Buvé y Kofi Awusabo-Asare, "The Making of HIV Epidemics: What Are the Driving Forces?", en *AIDS* 11, sup. B, 1997, p. S27.

[57] "The Price of Honor", en *Time Magazine*, 18 de enero de 1999.

[58] Karen Thomas, "Women Fight Jordan's License to Kill", en *Age* (Melbourne), 8 de septiembre de 1999.

[59] Véase, por ejemplo, Marlise Simons, "Unmarried Mothers Outcasts in Morocco", en *International Herald Tribune*, 2 de febrero de 1999, p. 2.

[60] Véase, por ejemplo, Yoshio Sugimoto, *Introduction to Japanese Society*, *op. cit.*, p. 241; Prangtip Daorueng, "Sole Sisters", en *Far Eastern Economic Review*, 3 de septiembre de 1998, pp. 36-37.

[61] Ruth Adam, *A Woman's Place*, Chatto & Windus, London, 1975; Tuula Gordon, *Single Woman*, Macmillan, London, 1994.

[62] Para el final del siglo, las relaciones del mismo sexo gozaban de varias formas de reconocimiento legal en cerca de una docena de países europeos, principalmente en el noroeste de Europa, y también en la República Checa y Cataluña.

[63] "Having It Both Ways, à la Française", en *The Economist*, 26 de septiembre de 1998, p. 60.

[64] Rex Wockner, "Canada Defines Marriage Heterosexually", en *International News* (San Francisco), 14 de junio de 1999.

[65] Véase Jonathan Goldberg-Hiller, "The Status of Status: Domestic Partnership and the Politics of Same-Sex Marriage", en *Studies in Law, Politics, and Society* 19, 1999, pp. 3-38.

[66] Sue Willmer, "Lesbians in Mexico", en R. Phillips, D. Watt, y D. Shuttleton, eds., *Decentering Sexualities*, Routledge, London, 2000, pp. 177-78.

[67] "Activists Battle to Preserve Constitutional Rights for Sexual Minorities", en *Action Alert* 7:1, International Gay and Lesbian Human Rights Commission, San Francisco, 1999. En varias formas la orientación sexual tiene protección constitucional en Canadá, Sudáfrica y Ecuador; en este último los activistas locales lo consiguieron tomando como modelo la constitución sudafricana.

[68] National Colition for Gay and Lesbian Equality, "A Lesbian and Gay Guide to the 1999 Election", Johannesburg, 1999.

[69] Citado en *8th May Newsletter* (London), mayo de 1999.

[70] Peter Drucker, "Introduction: Remapping Sexual Identities", en Peter Drucker, ed., *Different Rainbows*, Gay Men's Press, London, 2000, p. 15.

EL (RE)DESCUBRIMIENTO DEL SEXO

[1] Hay un comentario interesante sobre los éxitos, al menos en parte, de la agenda liberal en "After the Closet", en Henning Bech, *Sexualities* 2:3, 1999, pp. 343-46.

[2] Véase Margaret Keck y Kathryn Sikkink, *Activists Beyond Borders*, Cornell University Press, Ithaca, 1998, capítulo 2.

[3] Kenneth Dutton, *The Perfectible Body*, Continuum, New York, 1995, p. 12.

[4] Véase Bryan Turner, *The Body and Society* (segunda edición), Sage, London, 1996, p. 172.

[5] Dennis Wrong, "The Over-socialized Conception of Man in Modern Sociology", en *American Sociological Review* 26, 1961, p. 129.

[6] Michel Foucault, "Nietzsche, Genealogy, History", citado por Deborah Lupton, *The Imperative of Health*, Sage Publications, London, 1995, p. 6. Éste es uno de múltiples libros escritos en los noventa muy influidos por una lectura foucaultiana de la gobernabilidad y el cuerpo.

[7] Un intento reciente —y más bien menospreciado— de explorar formas de vincular un enfoque marxista y posmoderno al cuerpo es *The Body in Late-Capitalist USA* de Donald Lowe, Duke University Press, Durham, 1995.

[8] Bryan Turner, *The Body and Society, op. cit.*, p. 2.

[9] Jean Starobinski, "A Short History of Body Consciousness", en *Humanities in Review* 1 (New York Institute for the Humanities), 1982, p. 38.

[10] Rosalyn Baxandall, "Marxism and Sexuality: The Body as Battleground", en A. Callari, S. Cullenberg y C. Biewener, eds., *Marxism in the Postmodern Age*, Guilford, New York, 1995, p. 244.

[11] Emily Martin, "The End of the Body?", en *American Ethnologist* 19:1, 1992, pp. 121-22.

[12] John D'Emilio, "Capitalism and Gay Identity", en A. Snitow, C. Stasell, y S. Thompson eds., *Powers of Desire*, Monthly Review Press, New York, 1983; Dennis Altman, *The Homosexualization of America*, St. Martin's, New York, 1982, capítulo 3. Gran parte de la literatura corriente acerca del cuerpo ignora los escritos lésbico-gays. Un ejemplo típico es Anthony Synnott, *The Body Social*, Routledge, London, 1993, que dada su fecha de publicación es asombrosamente ajeno a la literatura relevante.

[13] Un buen ejemplo de esto es la estricta lectura de Rubin en Nancy Hartsock, *The Feminist Standpoint Revisited and Other Essays*, Westview, Boulder, 1998, pp. 192-204.

[14] Véase David Halperin, *Saint Foucault*, Oxford University Press, New York, 1995, p. 31.

[15] Aquí la literatura es inmensa. Véase, por ejemplo, Jeffrey Escoffier, "From Community to University", en Jeffrey Escoffier, *American Homo*, University of California Press, Berkeley, 1998, pp. 118-41; Steven Seidman, *Difference Troubles*, Cambridge University Press, New York, 1997; y teóricas feministas posmodernas como Jane Flax, Joan Scott y Judith Butler.

[16] Shulamith Firestone, *The Dialectic of Sex*, Morrow, New York, 1970.

[17] Agatha Christie, *At Bertram's Hotel*, Fontana, London, 1967, pp. 97-98.

[18] Thomas Disch asegura que el término "cyberpunk" fue usado por primera vez en 1982, por el escritor australiano Damien Broderick, y cita la definición de William Gibson de "ciberespacio" propuesta en su novela de 1986 *Burning Chrome*: "El sistema nervioso eléctrico de la humanidad extendido, acumulando datos y crédito en la matriz llena de gente, el no espacio monocromático donde las únicas estrellas son densas concentraciones de información, y arriba de todo esto se encienden galaxias corporativas y los brazos fríos espirales de los sistemas militares" (Thomas Disch, *The Dreams Our Stuff Is Made Of*, Free Press, New York, 1998, p. 216).

[19] Donna Haraway, "A Manifesto for Cyborgs: Science, Technology, and Socialist Feminism in the 1980s", en *Socialist Review* 80, 1985, pp. 65-66. Haraway ya escribía acerca de los *cyborgs* al menos dos años antes de que este artículo fuera publicado.

[20] Roland Tolentino, "Bodies, Letters, Catalogs: Filipinas in Transnational Space", en *Social Text* 14:3, otoño de 1996, p. 53.

[21] John Nguyet Erni, "Queer Figurations in the Media: Critical Reflections on the Michael Jackson Sex Scandal", en *Critical Studies in Mass Communication* 15:2, 1998, p. 162.

[22] Publicidad para Robbie Davis-Floyd y Joseph Dumit, eds., *Cyborg Babies*, Routledge, New York, 1998, en *New York Review of Books*, 24 de septiembre de 1998, p. 39.

[23] Carole Parker, "Getting It on Line", en *Australian Magazine*, 30-31 de mayo de 1998, p. 43.

[24] Ziauddin Sardar, "alt.civilizations.faq: Cyberspace as the Darker Side of the West", en Ziauddin Sardar y J. Ravetz, *Cyberfutures*, Pluto, London, 1996, p. 35.

[25] Véase, por ejemplo, Tad Williams, *Otherland*, New American Library, New York, 1996; William Gibson, *Idoru*, Putnam, New York, 1996.

[26] Dominic Eichler, *Diagnostic Tools for the New Millennium* (ensayo para catálogo de exposición), Berlin, 1997, citado por Josephine Starrs y Leon Cmielewski, *Embodying the Information Age*, New Media Arts Fund and Audience Development and Advocacy Division, Australia Council, Sydney, 1998, p. 4.

[27] Véase, por ejemplo, Frances Negron-Muntaner, "Jennifer's Butt", en *Aztlan* 22:2, 1997, pp. 181-94.

[28] Michael Tan, "Walking the Tightrope: Sexual Risk and Male Sex Work in the Philippines", en P. Aggleton, ed., *Men Who Sell Sex*, UCL Press, London, 1998, p. 256.

[29] Amelia Simpson, *Xuxa: The Mega-marketing of Gender, Race, and Modernity*, Temple University Press, Philadelphia, 1993, p. 39.

[30] Perry Johansson, "White Skin, Large Breasts: Chinese Beauty Product Advertising", en *China Information*, 12:2-3, 1998, pp. 59-84.

[31] John Thornhill, "Marx and Spenders", en *Weekend Financial Times*, 28 de septiembre de 1998, p. 8.

[32] Véase Colleen Ballerino Cohen y Richard Wilk con Beverley Stoeltje, introducción a Cohen, Wilk y Stoeltje, eds., *Beauty Queens on the Global Stage*, Routledge, New York, 1996, p. 5.

[33] Joni Seager, *The State of Women in the World Atlas*, Penguin, London, 1997, pp. 50-51.

[34] Penny van Esterik, "The Politics of Beauty in Thailand", en Cohen, Wilk y Stoeltje, eds., *Beauty Queens on the Global Stage*, *op. cit.*, en especial pp. 206-11.

[35] Véase Elizabeth Waters, "Soviet Beauty Contests", en I. Kon y J. Riordan eds., *Sex and Russian Society*, Indiana University Press, Bloomington, 1993. Compárese Lena Moskalenko, "Beauty, Women and Competition: 'Moscow Beauty, 1989'", en Cohen, Wilk y Stoeltje, eds., *Beauty Queens on the Global Stage*, *op. cit.*, pp. 61-74.

[36] Harry Knowles, "Beauty with a Conscience as Party Pressures Pageant", en *South China Morning Post*, 11 de noviembre de 1998.

[37] Nicodemus Odhiambo, "Tanzania Lifts 'Bikini Ban'", en *Mail and Guardian* (Johannesburg), 18-24 de junio de 1999, p. 16.

[38] Vanessa Baird, "The World Made Flesh", en *The New Internationalist*, abril de 1998, p. 9.

[39] Erica Goode, "Fijians Starving on TV-Rich Diet", en *Age* (Melbourne), 22 de mayo de 1999.

[40] Germaine Greer, *The Whole Woman*, Doubleday, London, 1999, p. 5.

[41] Sobre la obsesión por la delgadez, véase Chilla Bulbeck, *Re-Orienting Western Feminism*, Cambridge University Press, Cambridge, 1998, p. 213.

[42] Hamideh Sedghi, "Women, the State, and Development", en J. Turpin y L. Lorentzen, eds., *The Gendered New World Order*, Routledge, New York, 1996, pp. 113-26.

[43] Poroma Rebello, "Politics of Fashion in Dubai", en *ISIM Newsletter* (International Institute for the Study of Islam in the Modern World, Leiden), octubre de 1998, p. 18. Para un análisis profundo de estos temas, véase Arlene Elowe MacLeod, "Hegemonic Relations and Gender Resistance: The New Veiling as Accommodating Protest in Cairo", en B. Laslett, J. Brenner y Y. Arat, eds., *Rethinking the Political*, University of Chicago Press, Chicago, 1995, pp. 185-209.

[44] Arzu Merali, "Ataturk's Children", en *The New Internationalist*, agosto de 1999, p. 35. Hay

un punto de vista concordante de este argumento en John Keane, *Civil Society: Old Images, New Visions*, Polity, Cambridge, 1998, p. 28.

[45] Véase Sam Fussell, *Muscle*, Poseidon, New York, 1991; y la maravillosa novela de Harry Crews, *Body*, Simon & Schuster, New York, 1990.

[46] Ralph Austen, "The Moral Economy of Witchcraft", en J. Comaroff y J. Comaroff, eds., *Modernity and Its Malcontents*, University of Chicago Press, Chicago, 1993, p. 102.

[47] Betsy Hartmann, *Reproductive Rights and Wrongs* (edición revisada), South End Press, Boston, 1995, pp. 50-51.

[48] Gail Kligman, "Political Demography: The Banning of Abortion in Ceaucescu's Romania", en F. Ginsburg y R. Rapp, eds., *Conceiving the New World Order*, University of California Press, Berkeley, 1995, pp. 234-55.

[49] "Happy Family? Survey: The Nordic Countries", en *The Economist*, 23 de enero de 1999, p. 4.

[50] Véase Cynthia Enloe, *The Morning After: Sexual Politics at the End of the Cold War*, University of California Press, Berkeley, 1993, pp. 241-43.

[51] "Stresses of Milosevic's Rule Blamed for a Decline in the Serbian Birth Rate", en *The New York Times*, 5 de julio de 1999.

[52] Marcus Warren, "Abortions Rise as Economy Falls in Russia", en *Sunday Telegraph* (London), 24 de enero de 1999.

[53] World Health Organization, *Abortion: A Tabulation of Available Data on the Frecuency and Mortality of Unsafe Abortion*, World Health Organization, Genève, 1994.

[54] Stephanie Boyd, "Secrets and Lies", en *The New Internationalist*, julio de 1998, p. 16. Para una discusión acerca de la esterilización en varios países, incluyendo Brasil, México y Estados Unidos, véase R. Petchesky y K. Judd, eds., *Negotiating Reproductive Rights*, Zed, London, 1998.

[55] Joni Seager, *The State of Women in the World Atlas*, *op. cit.*, pp. 38-40.

[56] "Abused Women Have Special Needs", en *Network* 18 (Familiy Health International), verano de 1998, p. 4.

[57] Véase Tola Olu Pearce, "Women's Reproductive Practices and Biomedicine: Cultural Conflicts and Transformations in Nigeria", en F. Ginsburg y R. Rapp, *Conceiving the New World Order*, *op. cit.*, pp. 195-208.

[58] Janet Hadley, *Abortion: Betwen Freedom and Necessity*, Vintage, London, 1996, pp. 23-29; Ulla Kite, "Post-Unification: The Impact of Social Transformation on Women in Eastern Germany", en *Contemporary Politics* 5:2, 1999, en especial pp. 185-86.

[59] Véase Susan Greenhaigh, "The Social Construction of Population Science: An Intellectual, Institutional, and Political History of Twentieth Century Demography", en *Comparative Studies in Society and History*, 38:1, 1996, pp. 26-66.

[60] Para una muestra véase T. Disch, ed., *The Ruins of Earth*, Hutchinson, London, 1973; John Brunner, *Stand on Zanzibar*, Random House, New York, 1968.

[61] P. D. James, *The Children of Men*, Faber, London, 1992; Liz Jensen, *Ark Baby*, Bloomsbury, London, 1998; Greg Bear, *Darwin's Radio*, HarperCollins, New York, 1998.

[62] Véase Stanley Johnson, *World Population and the United Nations*, Cambridge University Press, Cambridge, 1987, capítulo 5.

[63] Betsy Hartmann, *Reproductive Rigths and Wrongs* (edición revisada), *op. cit.*, 1995, pp. 113-24.

[64] Sobre los juicios en Puerto Rico, véase Linda Grant, *Sexing the Millenium*, Grove, New York, 1994, capítulo 3.

[65] Véase "A History of Reproduction, Contraception, and Control", en *The New Internationalist*, julio de 1998, pp. 26-27.

[66] Véase Betsy Hartmann, *Reproductive Rigths and Wrongs, op. cit.*, pp. 179-82.

[67] Véase C. Allison McIntosh y Jason Finkle, "The Cairo Conference on Population and Development: A New Paradigm?", en *Population and Development Review* 21:2, 1995, pp. 223-60.

[68] La mayoría de los reportes listan a Argentina, Benin, Ecuador, Honduras y Malta como los más fuertes aliados del Vaticano. Las naciones católicas e islámicas más populosas están conspicuamente ausentes de esta lista.

[69] Paul Lewis, "Conference Adopts Plan on Limiting Population", en *The New York Times*, 3 de julio de 1999. Para una discusión de algunas de las consecuencias de la Conferencia de El Cairo véase Sonia Correa y Gita Sen, "Cairo + 5: Moving Forward in the Eye of the Storm", en DAWN, diciembre de 1998 (www.dawn.org.fj).

[70] Véase Betsy Hartmann, *Reproductive Rights and Wrongs* (edición revisada), *op. cit.*, pp. 159-70.

[71] Véase Steven James, "Reconciling International Human Rights and Cultural Relativism: The Case of Female Circumcision", en *Bioethics* 8:1 (1994), pp. 1-26.

[72] Véase Semra Asefa, "Female Genital Mutilation: Violence in the Name of Tradition, Religion, and Social Imperative", en S. G. French, W. Teays y L. M. Purdy, eds., *Violence Against Women: Philosophical Perspectives*, Cornell University Press, Ithaca, 1998, p. 94.

[73] "Is It Crime or Culture?", en *The Economist*, 13 de febrero de 1999, p. 49.

[74] Bronwyn Winter, "Women, the Law, and Cultural Relativism in France: The Case of Excision", en B. Laslett, J. Brenner y Y. Arat, eds., *Rethinking the Political, op. cit.*, pp. 315-50.

[75] Zillah Eisenstein, *Global Obscenities: Patriarchy, Capitalism, and the Lure of Cyberfantasy*, New York University Press, New York, 1998, pp. 136-37. Véase también Nikki Craske, "Remasculisation and the Neoliberal State in Latin America", en V. Randall y G. Waylen, eds., *Gender, Politics, and the State*, Routledge, London, 1998, pp. 100-120.

IMAGINAR EL SIDA, Y LA NUEVA VIGILANCIA

[1] Laurence Altman, "AIDS Is on Course to Ravage Africa", en *International Herald Tribune*, 24 de junio de 1998.

[2] Sobre la epidemiología del VIH-sida véase J. Mann y D. Tarantola, eds., *AIDS in the World II*, Oxford University Press, New York, 1996; y actualizaciones constantes de ONUSIDA.

[3] Richard Parker, "Sexual Cultures, HIV Transmission, and AIDS Prevention", en *AIDS* 8, sup. 1, 1994, p. S312.

[4] Arjun Appadurai, *Modernity at Large*, University of Minnesota Press, Minneapolis, 1996, p. 31.

[5] "Three Kings", en *The Economist*, 19 de diciembre de 1998, p. 89.

[6] Ita Buttrose, *A Passionate Life*, Viking, Sydney, 1998, p. 166.

[7] Mark Merlis, *Pyrrhus*, Fourth Estate, London, 1998, p. 232.

[8] Anthony Smith, "AIDS Is... Reflections on the Australian Research Response to the HIV and AIDS Epidemics", en *International Journal of Health Services* 28:4, 1998, p. 794.

[9] Edward Hopper, *The River: A Journey Back to the Source of HIV and AIDS*, Little, Brown, Boston, 1999.

[10] Véase Ted Conover, "Trucking throught the AIDS Belt", en *The New Yorker*, 16 de agosto de 1993.

[11] Ha habido algún debate acerca de las características particulares del VIH en Camboya, y si éstas indican que el énfasis sobre el papel de las tropas de las Naciones Unidas se ha exagerado. De cualquier modo, prevalecen las ideas relacionadas con la transmisión a través de los militares.

[12] Richard Stern, "AIDS Taking Grim Toll in Poverty-Stricken Honduras", mensaje del Triángulo Rosa, Costa Rica, 27 de julio de 1998. Compárese Stephanie Kane, "Prostitution and the Military: Planning AIDS Intervention in Belize", en *Social Science and Medicine* 36:7, 1993, pp. 965-79.

[13] "A Global Disaster", en *The Economist*, 2 de enero de 1999, p. 43.

[14] Para un recuento detallado de cómo han intervenido estas relaciones en la epidemia haitiana véase Paul Farmer, *The Uses of Haiti*, Common Courage Press, Monroe, 1994, en especial pp. 321-44.

[15] Doug Porter, "A Plague on the Borders", en Lenore Manderson y Margaret Jolly, eds., *Sites of Desire, Economies of Pleasure*, University of Chicago Press, Chicago, 1997, pp. 213-14.

[16] Véase "The Hidden Epidemic", en *Asian Harm Reduction Network Newsletter* 10, enero-febrero de 1998.

[17] "The Flourishing Bussines of Slavery", en *The Economist*, 21 de septiembre de 1996, p. 49.

[18] "AIDS: Economic Crisis May Intensify AIDS Risk", presentación de prensa de ONUSIDA, Bangkok, 2 de abril de 1999.

[19] Para un ejemplo impactante del tráfico de niños, véase Gilberto Dimenstein, "Little Girls of the Night", en *NACLA Reports on the Americas*, mayo-junio de 1994.

[20] Por ejemplo, Josef Decosas, "AIDS and Development: What Is the Link?", investigación presentada en la Conferencia Internacional del Sida, Vancouver, 1996 (disponible en Development Express, www.acdi-cida.gc/xpress/dex/dev9607.htm); Doug Porter, "Plague on the Borders", *op. cit.*

[21] Esto se basa en el reporte de una investigación llevada a cabo por el Centro de Investigación de la Migración en Asia en la Universidad Chulalongkorn, Bangkok, incluido en un comunicado a la SEA-AIDS (sea-aids@bizet.inet.co.th), 20 de agosto de 1998.

[22] Kelley Lee y Richard Dodgson, "Globalization and Cholera: Implications for Global Governance", en *Global Governance* 6:2, 2000, p. 216.

[23] Gita Sen, "Globalization and Citizenship: Health and Reproductive Rights", investigación presentada en la Conferencia de Ciudadanía y Globalización, Instituto de Investigación de las Naciones Unidas para el Desarrollo Social, Genève, diciembre de 1996, pp. 18-19.

[24] Véase Peter Lurie, Percy Hintzen y Robert Lowe, "Socioeconomic Obstacles to HIV Prevention and Treatment in Developing Cultures", en *AIDS* 9:6, 1995, pp. 539-46. Para un recuento gráfico del impacto de los ajustes estructurales en Mozambique —un país muy vulnerable al VIH— véase Mark Whitaker, "Means Streets", en *The New Internationalist*, enero-febrero de 1997, pp. 19-20. Para una revisión del impacto sobre la salud véase Gita Sen y Anita Gurumuthy, "The Impact of Globalization on Women's Health", en *Arrows for Change* (Kuala Lumpur), mayo de 1998, pp. 1-2.

[25] Véase Daniel Whelan, "Gender and AIDS: Taking Stock of Research and Programmes", investigación no publicada, UNAIDS, Genève, 1999.

[26] John Grobler, "Battle over Namibian Rape Bill", en *Mail and Guardian*, 11-17 de junio de 1999, p. 6.

[27] Sheila Pelizzoni y John Casparis, "World Human Welfare", en T. Hopkins e I. Wallerstein, eds., *The Age of Transition*, Zed, London, 1996, pp. 117-47.

[28] Sobre GPA véase Jonathan Mann y Kathleen Kay, "Confronting the Pandemic: The WHO's GPA, 1986-1989", en *AIDS* 5, sup. 2, 1991, pp. S221-29; Daniel Tarantola, "Grande et petite historie des programmes sida", en *Journal du Sida*, junio-julio de 1996, pp. 109-16.

[29] Los copatrocinadores originales de ONUSIDA fueron la Organización Mundial de la Salud, el Programa de Desarrollo de las Naciones Unidas, la UNESCO, la Fundación Infantil de las Naciones Unidas, la Fundación de Población de las Naciones Unidas y el Banco Mundial. En 1999 se le unió el Programa de Control de Drogas de las Naciones Unidas.

[30] Carol Jenkins, "The Homosexual Context of Heterosexual Practice in Papua New Guinea", en P. Aggleton, ed., *Bisexualities and AIDS*, Taylor & Francis, London, 1996, p. 192.

[31] Declaración de Patrick Levy, Fuerza de Trabajo Israelí para el SIDA, al taller de las ONG en sida-VIH y Derechos Humanos, Genève, 26 de junio de 1998.

[32] Suzanne LeClerc-Madladla, "Enemy of the People", en *The New Internationalist*, junio de 1999, p. 35.

[33] Véase, por ejemplo, "Ashok to the System", entrevista con Ashok Row Kavi por William Hoffman, *Poz*, julio de 1998, pp. 92-97.

[34] Reporte del Apoyo al Proyecto Girasol, Taller de ONG's sobre VIH-sida y Derechos Humanos, Genève, junio de 1998. Compárese con Timothy Wright y Richard Wright, "Bolivia: Developing a Gay Community", en D. West y R. Green, eds., *Sociolegal Control of Homosexuality*, Plenum, New York, 1997, pp. 97-108.

[35] D. Civic y D. Wilson, "Dry Sex in Zimbabwe and Implications for Condom Use", en *Social Science and Medicine* 42:1, 1996, p. 91-98; L. Sandala et al., "Dry Sex and HIV Infection Among Women Attending a Sexually Transmitted Diseases Clinic in Lusaka, Zambia", en *AIDS* 9, sup. 1, 1995, p. S61-68.

[36] Muosa Kalid Nsubuga et al., "The Dilemmas of Cultural Reform in the Era of HIV-AIDS: The Case of Polygamy in the Muslim Community in Uganda", investigación presentada en la Vigesimosegunda Conferencia Internacional sobre VIH-sida, Genève, julio de 1998.

[37] Véase Chris Beyrer, *War in the Blood*, Zed, London, 1998, pp. 32-34.

[38] Dennis Altman, *AIDS in the Mind of America*, Doubleday, New York, 1986, pp. 161-62; Edward King, *Safety in Numbers*, Cassell, London, 1993, pp. 47-50; Simon Watney, "Safer Sex as Community Practice", en P. Aggleton, P. Davies y G. Hart, eds., *AIDS: Individual, Cultural, and Policy Dimensions*, Falmer, London, 1990, pp. 19-34; John Manuel Andriote, *Victory Deferred*, University of Chicago Press, Chicago, 1999, capítulo 4.

[39] Hay un gran número de ejemplos de tales programas de prevención en A. Klusacek y K. Morrison, eds., *A Leap in the Dark: AIDS, Art, and Contemporary Cultures*, Vehicule, Montreal, 1992; y en Dennis Altman, *Power and Community: Organizational and Cultural Responses to AIDS*, Taylor & Francis, London, 1994, pp. 44-47.

[40] La timidez estadunidense en relación a los condones la notó Mike Merson cuando ocu-

pó un puesto en Yale después de haber dirigido el Programa Global sobre el Sida, "Returning Home: Reflections on the USA's Response to the HIV-AIDS Epidemic", en *The Lancet*, 15 de junio de 1996, pp. 1673-76.

[41] Eda Chavez, "When Women Say No", en Martin Foreman, *AIDS and Men*, Panos-Zed, London, 1999, p. 52.

[42] Brendan Lemon, "Female Trouble", en *Christopher Street* 116, 1987, p. 48.

[43] Linda Singer, "Bodies-Pleasures-Powers", en *Differences* 1, 1989, p. 47.

[44] Frank Mort, *Cultures of Consumption*, Routledge, London, 1996, p. 79.

[45] Por ejemplo, John Wagenhauser, "Safe Sex without Condoms", en *Outlook* 11 (San Francisco), 1991, pp. 65-70.

[46] Véase A. M. Johnson, J. Wadsworth, K. Wellings y J. Field, *Sexual Attitudes and Life-styles*, Blackwell, Oxford, 1994. Para el estudio de un caso detallado, véase Anthony Smith, Heidi Reichler y Doreen Rosenthal, *An Analysis of Trends over Time in Social and Behavorial Factors Related to the Transmission of HIV Among the General Community, Sex Workers, and Sex Travellers*, evaluación de la National HIV-AIDS Strategy, apéndice técnico 5, Commonwealth of Australia, Canberra, 1996.

[47] Molara Ogundipe-Leslie, "Nigeria: Not Spinning on the Axis of Maleness", en R. Morgan, ed., *Sisterhood Is Global*, Anchor, New York, 1984, p. 501.

[48] En una investigación reciente 100% de los 759 participantes reportaron que habían sido objeto de abuso por parte de su pareja sexual, mientras que 77.5% tenía una enfermedad de transmisión sexual (ETS). Pero mientras que 90% de las mujeres dijo que informaría a su pareja si tuvieran una ETS, sólo 19% creía que su pareja se lo diría. Estas desigualdades llevan radicalmente a riesgos relativos por infección de VIH ("An Investigation into the Relationship between Domestic Violence and Women's Vulnerability to Sexually Transmitted Infections and VIH-AIDS", Musasa Project, Harare, 1998).

[49] Véase Dennis Altman, "Globalization and the AIDS Industry", en *Contemporary Politics*, septiembre de 1998, pp. 233-46. Compárese Paula Treichler, "AIDS, HIV, and the Cultural Construction of Reality", en G. Herdt y S. Lindenbaum, eds., *The Time of AIDS*, Sage Publications, London, 1992, pp. 65-98.

[50] Norman Spinrad, *Journals of Plague Years*, Bantam, New York, 1995, p. 141.

[51] Para 1990 John Brunner postuló a Sudáfrica donde el apartheid se mantenía vigente a través de la posesión de una vacuna contra el sida. Véase su obra *Children of the Thunder*, Sphere, London, 1990.

[52] Roger Lancaster, *Life Is Hard: Machismo, Danger, and the Intimacy of Power in Nicaragua*, University of California Press, Berkeley, 1992, p. 256.

[53] Sobre la comercialización del listón véase Simon Watney, "Signifying AIDS: 'Global AIDS', Red Ribbons, and Other Controversies", en P. Buchler y N. Papastergiadis, eds., *Random Access*, Rivers Oram, London, 1995, pp. 193-210.

[54] Para una panorámica, véase Gregory Woods, *A History of Gay Literature*, Yale University Press, New Haven, 1998, en especial los capítulos 29 y 31.

[55] Christopher Bram, *Gossip*, Dutton, New York, 1997, pp. 52-53. Hay una discusión que ilustra el impacto del sida en la obra de Douglas Crimp, "Mourning and Militancy", en *October* 51, invierno de 1989, pp. 3-18; Simon Watney, "Representing AIDS", en T. Boffin y S. Gupta, eds., *Ecstatic Antibodies*, Rivers Oram, London, 1990, pp. 165-90; Jeff Nunokawa, " 'All the

Sad Young Men': AIDS and the Work of Mourning", en D. Fuss, ed., *Inside/Out*, Routledge, New York, 1991, pp. 311-23; y la edición especial de *Ethnologie Française*, "AIDS: Mourning, Memory, New Rituals", enero-marzo de 1998.

[56] Ciertamente ha habido una significativa respuesta literaria en francés, español y, sospecho, italiano, alemán y portugués (por lo menos). Para una panorámica de muchos de los temas en la respuesta de la literatura francesa véase J.-P. Boule y M. Pratt, eds., "AIDS in France", en *French Cultural Studies* (edición especial), 27 de octubre de 1998.

[57] Jewelle Gomez, "Silence Equals Forgetting", en *Harvard Gay and Lesbian Review* 4:2, 1997, pp. 25-27.

[58] Robert Dessaix, *Night Letters*, MacMillan, Sydney, 1996.

[59] Salman Rushdie, *The Ground Beneath Her Feet*, Jonathan Cape, London, 1999, p. 542.

[60] Don DeLillo, *Underworld*, Picador, London, p. 243.

[61] Suzanne Poirier, "Writing AIDS: Introduction", en S. Poirier y T. Murphy, eds., *Writing AIDS: Gay Literature, Language, and Analysis*, Columbia University Press, New York, 1993, p. 7.

[62] Gregory Woods, *A History of Gay Literature, op. cit.*, p. 418.

[63] Richard Parker menciona varios trabajos brasileños en su obra *Beneath the Equator* (Routledge, New York, 1999), p. 253, nota 7; y Alberto Sandoval discute los trabajos puertorriqueños en "Staging AIDS: What's Latinos Got to Do with It?", en D. Taylor y J. Villegas, eds., *Negotiating Performance*, Duke University Press, Durham, 1994, pp. 54-55.

[64] Boris Davidovich, *Serbian Diaries*, Gay Men's Press, London, 1996; Colm Toibin, *The Story of the Night*, Picador, London, 1996; E. Lynn Harris, *Just as I am*, Doubleday, New York, 1994; Witi Ihimaera, *Nights in the Gardens of Spain*, Secker & Warburg, Auckland, 1995; Nigel Krauth, *JF Was Here*, Allen & Unwin, Sydney, 1990.

[65] Se ha escrito menos, sin embargo, de lo que uno podría esperar. Véase Barbara Browning, "Babaluiaye: Searching for the Text of the Pandemic", en E. Nelson, ed., *AIDS: The Literary Response*, Twayne, New York, 1992; "The Emergence of AIDS Literature", en Mots Pluriels (www.arts.uwa.edu.au/aids/guide/).

[66] Sobre el impacto de identidad de los programas del sida, véase Dennis Altman, "Political Sexualities: Meaning and Identities in the Time of AIDS", en R. Parker y J. Gagnon, eds., *Conceiving Sexuality*, Routledge, New York, 1995, pp. 97-106; Michael Bartos, "Community Versus Population: The Case of Men Who Have Sex with Men", en P. Aggleton, P. Davies y G. Hart eds., AIDS*: Foundations for the Future*, Taylor & Francis, London, 1994; Eric Ratliff, "Women as 'Sex-Workers', Men as 'Boyfriends': Shifting Identities in Philippine Go-Go Bars", en *Anthropology and Medicine* 6:1, 1999, pp. 79-101.

[67] Judith Walkowitz, *Prostitution and Victorian Society*, Cambridge University Press, New York, 1980.

[68] Susan Sontag, *AIDS and Its Metaphors*, Penguin, New York, 1990.

[69] R. Myers, "Nothing Mega about It Except the Applause", en *The New York Times*, 25 de mayo de 1997.

[70] Véase, por ejemplo, Amy Spindler, "The Decade That Just Won't Go Away", en *The New York Times*, 13 de octubre de 1997. El sentido de nostalgia por una libertad pre-sida se manifiesta en Stephen Barber, *Edmund White:The Burning World*, Picador, London, 1999.

[71] Para una extensa encuesta —pero exclusivamente estadunidense— véase David Roman, *Acts of Intervention*, Indiana University Press, Bloomington, 1998.

[72] Para ejemplos de las respuestas artísticas véase Ted Gott, ed., *Dont't Leave Me This Way: Art in the Age of AIDS*, Australian National Gallery, Canberra, 1994; Frank Wagner, *Les mondes du sida*, catálogo de la exposición en el Centre d'Art Contemporain, Genève, junio-octubre de 1997.

[73] Arlene Croce, "Discussing the Undiscussable", en *The New Yorker*, 26 de diciembre de 1994, pp. 54-60. Véase el comentario de Adam Mars-Jones, "Survivor Art", en *Blind Bitter Happiness*, Chatto & Windus, London, 1997, pp. 80-84.

[74] Randy Shilts, *And the Band Played On: People, Politics, and the AIDS Epidemic*, St. Martin's Press, New York, 1987. *Zero Patience* se discute en la obra de Paula Treichler, *How to Have Theory in an Epidemic*, Duke University Press, Durham, 1999, pp. 312-14.

[75] El trabajo de Collard ha sido elogiado con efusión por el historiador Theodore Zeldin, *An Intimate History of Humanity*, Sinclair-Stevenson, London, 1994, pp. 126-28.

[76] Véase la discusión en Kenneth McKinnon, *The Politics of Popular Representation*, Fairleigh Dickinson University Press, Madison, 1992. La mejor novela de este género que evoca al sida que he leído es *Glimmering*, de Elizabeth Hand (HarperCollins, London, 1997).

[77] Mark Edmudson, *Nightmare on Main Street*, Harvard University Press, Cambridge, 1997, p. 28.

[78] Publicada originalmente como *The Night Inside*, Ballantine, New York 1993.

[79] Véase, por ejemplo, Claudia Springer, *Electronic Eros*, University of Texas Press, Austin, 1996.

[80] Sarah Schulman, "Freedom Summer", en *Ten Percent*, junio de 1994, p. 22.

[81] Por ejemplo, las historias de Leavitt "The Term Paper Artist" y "Saturn Street", en David Leavitt, *Arkansas*, Houghton Mifflin, New York, 1997.

[82] Hay una discusión detallada de la Colcha Conmemorativa del Sida, aunque ignora su dimensión internacional, en Marita Sturken, *Tangled Memories*, University of California Press, Berkeley, 1997, capítulo 6.

[83] Sobre el Mardi Gras véase R. Wherrett, ed., *Mardi Gras! From Lock Up to Frock Up*, Penguin, Melbourne, 1999.

[84] Pero véase Stephanie Kane, *AIDS Alibis*, Temple University Press, Philadelphia, 1998, pp. 77-80, para una descripción de los ritos en Belice.

[85] David Halperin, *Saint Foucault*, Oxford University Press, New York, 1995, pp. 15-16.

[86] Véase Dennis Altman, "Globalization, Political Economy, and HIV-AIDS", en *Theory and Society* 28, 1999, pp. 559-84.

LA GLOBALIZACIÓN DE LAS IDENTIDADES SEXUALES

[1] Por ejemplo, Frances Fox Piven, "Globalizing Capitalism and the Rise of Identity Politics", en L. Panitch, ed., *Socialist Register*, Merlin, London, 1995, pp. 102-16; Leslie Sklair, "Social Movements and Global Capitalism", en F. Jameson y M. Miyoshi, eds., *The Cultures of Globalization*, Duke University Press, Durham, 1998, pp. 291-311; Mary Kaldor, *New and Old Wars*, Polity, Cambridge, 1999, pp. 76-86.

[2] Para una clara exposición de este punto de vista del construccionismo social, véase Jeffrey Weeks, *Sexuality and Its Discontents*, Routledge & Kegan Paul, London, 1985.

[3] Por ejemplo, Beverly Hooper, "Chinese Youth: the Nineties Generation", en *Current History* 90:557, 1991, pp. 264-69.

[4] Véase Sherrie Inness, ed., *Millennium Girls*, Rowman & Littlefield, Lanham, 1999; Marion Leonard, "Paper Planes: Travelling the New Girl Geographies", en T. Skelton y G. Valentine, eds., *Cool Places: Geographies of Youth Cultures*, Routledge, London, 1998, pp. 101-18.

[5] Gran parte de esta sección se basa en trabajos originalmente publicados a mediados de los noventa. Véase en especial Dennis Altman, "Rupture or Continuity? The Internationalization of Gay Identities", en *Social Text* 14:3, 1996, pp. 77-94; Dennis Altman, "On Global Queerring", en *Australian Humanities Review* 2, julio de 1996 (periódico electrónico, www.lib.latrobe.edu.au); Dennis Altman, "Global Gaze/Global Gays", en *GLQ* 3, 1997, pp. 417-36.

[6] Véase la bibliografía en D. Balderston y D. Guy, eds., *Sex and Sexuality in Latin America*, New York University Press, New York, 1997, pp. 259-77; los capítulos sobre Brasil y Argentina en B. Adam, J. W. Duyvendak y A. Krouwel, eds., *The Global Emergence of Gay and Lesbian Politics*, Temple University Press, Philadelphia, 1999; y el número especial de *Culture, Health, and Society*, 1:3, 1999, en "Alternative Sexualities and Changes Among Latin American Men", editado por Richard Parker y Carlos Carceres.

[7] Para una discusión de la posición francesa, véase David Caron, "Liberté, Egalité, Seropositivité: AIDS, the French Republic, and the Question of Community", en J.-P. Boule y M. Pratt, eds., "AIDS in France", en *French Cultural Studies* (edición especial), 27 de octubre de 1998, pp. 281-93. Sobre Holanda véase Judith Schuyf y Andre Krouwel, "The Dutch Lesbian and Gay Movement: The Politics of Accommodation", en Adam, Duyvendak y Krouwel, *The Global Emergence of Gay and Lesbian Politics, op. cit.*, pp. 158-83. Sobre Australia, véase Dennis Altman, "Multiculturalism and the Emergence of Lesbian/Gay Worlds", en R. Nile, ed., *Australian Civilization*, Oxford University Press, Melbourne, 1994, pp. 110-24.

[8] Debo agradecer a una larga lista de personas que a través de los años han discutido estos temas conmigo, incluyendo a Ben Anderson, Eufracio Abaya, Hisham Hussein, Lawrence Leong, Shivananda Khan, Peter Jackson, Julian Jayaseelan, Ted Nierras, Dede Oetomo y Michael Tan.

[9] Jim Marks, "The Personal is Political: An Interview with Shaym Selvadurai", en *Lambda Book Report* 5:2 (Washington), 1996, p. 7.

[10] El término original indonesio era *banci*. El término *waria* fue acuñado al final de los setenta combinando las palabras para "hombre" y "mujer". Véase Dede Oetomo, "Masculinity in Indonesia", en R. Parker, R. Barbosa y P. Aggleton, eds., *Framing the Sexual Subject*, University of California Press, Berkeley, 2000, pp. 58-59, nota 2.

[11] Véase Peter Jackson, "Kathoey><Gay><Man: The Historical Emergence of Gay Male Identity in Thailand", en Lenore Manderson y Margaret Jolly, eds., *Sites of Desire, Economies of Pleasure*, University of Chicago Press, Chicago, 1997, pp. 166-90.

[12] Véase Jeffrey Weeks, *Coming Out*, Quartet, London, 1977; John Lauritsen y David Thorstad, *The Early Homosexual Rights Movement*, Times Change Press, New York, 1974.

[13] A. T. Fitzroy, *Despised and Rejected*, Gay Men's Press, London, 1988 (publicado originalmente en 1918), p. 223.

[14] George Chauncey, *Gay New York*, Basic Books, New York, 1994, p. 65.

[15] John Rechy, *City of Night*, Grove Press, New York, 1963.

[16] Por ejemplo, Annik Prieur, *Mema's House, Mexico City*, University of Chicago Press, Chica-

go, 1998; Jacobo Schifter, *From Toads to Queens*, Haworth, New York, 1999; Peter Jackson y Gerard Sullivan, eds., *Lady Boys, Tom Boys, Rent Boys*, Haworth, New York, 1999; *Woubi Cheri*, 1998, dirigida por Philip Brooks y Laurent Bocahut.

[17] Saskia Wieringa, "Desiring Bodies or Defiant Cultures: Butch-Femme Lesbians in Jakarta and Lima", en E. Blackwood y S. Wieringa, eds., *Female Desires: Same-Sex Relations and Trasgender Practices Across Cultures*, Columbia University Press, New York, 1999, pp. 206-29.

[18] Gloria Wekker, "What's Identity Got to Do with It? Rethinking Identity in Light of the Mati Work in Suriname", en E. Blackwood y S. Wieringa, eds., *Female Desires, op. cit.*, pp. 119-38. Compárese con las muy complejas tipologías de los grupos del "mismo sexo" en S. Murray y W. Roscoe, eds., *Boy-Wives and Female-Husband*, St. Martin's Press, New York, 1998, pp. 279-82, y el capítulo de Rudolph Gaudio sobre "Male Lesbians and Other Queer Notions in Hausa", pp. 115-28.

[19] Gilbert Herdt, *Third Sex, Third Gender*, Zone Books, New York, 1994, p. 47.

[20] Véase Serena Nanda, "The Hijras of India: Cultural and Individual Dimensions of and Institutionalized Third Gender Role", en E. Blackwood, ed., *The Many Faces of Homosexuality*, Harrington Park Press, New York, 1986, pp. 35-54. Y lean sus comentarios acerca de Shivananda Khan, "Under the Blanket: Bisexualities and AIDS in India", en P. Aggleton, ed., *Bisexualities and AIDS*, Taylor & Francis, London, 1996, pp. 161-77.

[21] Véase Niko Besnier, "Polynesian Gender Liminality through Time and Space", en Gilbert Herdt, *Third Sex, Third Gender, op. cit.*, pp. 285-328. Nótese que el subtítulo del libro de Herdt es "Beyond Sexual Dimorphism in Culture and History".

[22] Véase Ramón Gutiérrez, "Must We Deracinate Indians to Find Gay Roots?", en *Outlook* (San Francisco), invierno de 1989, pp. 61-67.

[23] Niko Besnier, "Polynesian Gender Liminality through Time and Space", *op. cit.*, p. 300.

[24] Véase Lee Wallace, "*Fa'afafine: Queens of Samoa* and the Elision of Homosexuality", en GLQ 5:1, 1999, pp. 25-39.

[25] Roger Lancaster, "'That We Should All Turn Queer?' Homosexual Stigma in the Making of Manhood and the Breaking of Revolution in Nicaragua", en R. Parker y J. Gagnon, eds., *Conceiving Sexuality*, Routledge, New York, 1995, p. 150.

[26] Véase Henning Bech, *When Men Meet: Homosexuality and Modernity*, University of Chicago Press, Chicago, 1997; Kenneth Plummer, *The Making of the Modern Homosexual*, Hutchinson, London, 1981; Steven Seidman, *Difference Troubles*, Cambridge University Press, New York, 1997.

[27] Véase Lawrence Wai-teng Leong, "Singapore", en D. West y R. Green, eds., *Sociolegal Control of Homosexuality*, Plenum, New York, 1997, p. 134; y la sorprendente película de Singapur *Bugis Street* (1995), dirigida por Yon Fan —sorprendente por el solo hecho de haberse podido filmar.

[28] Por ejemplo, Sandy Stone, "The Empire Strikes Back. A Posttranssexual Manifesto", en P. Treichler, L. Cartwright y C. Penley, eds., *The Visible Woman*, New York University Press, New York, 1998, pp. 285-309.

[29] Véase Niko Besnier, "Sluts and Superwomen: The Politics of Gender Liminality in Urban Tonga", en *Ethnos* 62:1-2, 1997, pp. 5-31.

[30] Agradezco esta información a Arthur Chen del AIDS Prevention and Research Center, Taipei.

[31] Jennifer Robertson, *Takarazuka: Sexual Politics and Popular Culture in Modern Japan*, University of California Press, Berkeley, 1998, p. 207.

271

[32] Para algunas de las complicaciones al leer versiones cinematográficas de travestis, véase Marjorie Garber, *Vested Interests*, Routledge, New York, 1992.

[33] Véase Leslie Feinberg, *Transgender Warriors*, Beacon, Boston, 1996; Kate Bornstein, *Gender Outlaw*, Routledge, New York, 1993.

[34] Sereine Steakley, "Brazil Can Be Tough and Deadly for Gays", en *Bay Windows* (Boston), 16 de junio de 1994.

[35] Jerry Z. Torres, "Coming Out", en N. Garcia y D. Remoto, eds., *Ladlad: An Anthology of Philippine Gay Writing*, Anvil, Manila, 1994, p. 128.

[36] Chris Berry y Fran Martin, "Queer'n'Asian on the Net: Syncretic Sexualities in Taiwan and Korean Cyberspaces", en *Inqueeries* (Melbourne), junio de 1998, pp. 67-93.

[37] Pheng Cheah, "Posit(ion)ing Human Rights in the Current Global Conjuncture", en *Public Culture* 9, 1997, p. 261.

[38] Pedro Bustos-Aguilar, "Mister Don't Touch the Banana", en *Critique of Anthropology* 15:2, 1995, pp. 149-70.

[39] Kai Wright, "Industrializing Nations Confront Budding Movement", en *Washington Blade*, 23 de octubre de 1998.

[40] Pedro Albornoz, "Landlocked State", en *Harvard Gay and Lesbian Review*, 6:1, 1999, p. 17.

[41] Ann Ferguson, "Is There a Lesbian Culture?", en J. Allen, ed., *Lesbian Philosophies and Cultures*, State University of New York Press, Albany, 1990, pp. 63-88.

[42] Véase, por ejemplo, la entrevista de William Hoffman con el activista Mumbai Ashok Row Kavi, *Poz*, julio de 1998, que lo proclama como "el Larry Kramer de la India".

[43] Bing Yu, "Tide of Freedom", en *Capital Gay* (Sydney), 1 de mayo de 1998.

[44] En julio de 1999 la investigación ManilaOUT enlistó a más de veinte organizaciones gay, lésbicas y "amigas de gay y lesbianas" en Manila.

[45] Naeko, "Lesbian = Woman", en B. Summerhawk et al., eds., *Queer Japan*, New Victoria Publishers, Norwich, 1998, pp. 184-87.

[46] Malu Marín, "Going Beyond the Personal", en *Women in Action* 1 (ISIS International Manila), 1996, pp. 58-62.

[47] Manifiesto de la Conferencia Tongzhi de China, Hong Kong, diciembre de 1996. Gracias a Graham Smith por proveernos esta fuente.

[48] Véase Andrew Matzner, "Paradise Not", en *Harvard Gay and Lesbian Review*, 6:1, invierno de 1999, pp. 42-44.

[49] Peter Jackson, "Beyond Bars and Boys: Life in Gay Bangkok", en *Outrage* (Melbourne), julio de 1997, pp. 61-63.

[50] Aseveración en la revista *Male*, citado en *Brother/Sister* (Melbourne), 16 de septiembre de 1999, p. 51.

[51] Hay un argumento similar en Barry Adam, Jan Willem Duyvendak y Andre Krouwel, "Gay and Lesbian Movements beyond Borders?" en B. Adam, J. W. Duyvendak y A. Krouwel, eds., *The Global Emergence of Gay and Lesbian Politics, op. cit.*, pp. 344-71.

[52] Mark Gevisser, "Gay Life in South Africa", en Peter Drucker, ed., *Different Rainbows*, Gay Men's Press, London, 2000, p. 116.

[53] Dean Murphy, "Zimbabwe's Gays 'Out' at Great Risk", en *Los Angeles Times*, 27 de julio de 1998.

[54] Para una visión de la situación en Kenia, véase Wanjira Kiama, "Men Who Have Sex with Men in Kenya", en Martin Foreman, *AIDS and Men*, Panos-Zed, London, 1999, pp. 115-26.

[55] Chris McGreal, "Gays Are Main Evil, Say African Leaders", en *Guardian Weekly*, 7-13 de octubre de 1999, p. 4.

[56] Véase Carl Stychin, *A Nation by Rights*, Temple University Press, Philadelphia, 1998, cap. 3.

[57] *Times of India*, 9 de noviembre de 1994, citado por Sherry Joseph y Pawan Dhall, "No Silence Please, We're Indians!", en Peter Drucker, *Different Rainbows, op. cit.*, p. 164.

[58] Rodney Jones, "'Potato Seeking Rice': Language, Culture, and Identity in Gay Personal Ads in Hong Kong", en *International Journal of the Sociology of Language* 143, 2000, pp. 31-59.

[59] James Farrar, "Disco 'Super-Culture': Consuming Foreign Sex in the Chinese Disco", en *Sexualities* 2:2, 1999, p. 156.

[60] John Clark, "The Global Lesbian and Gay Movement", en A. Hendriks, R. Tielman y E. van der Veen, eds., *The Third Pink Book*, Prometheus Books, Buffalo, 1993, pp. 54-61.

[61] "The Asian Lesbian Network", en *Breakout* 4:3-4 (boletín de Can't Live in the Closet, Manila), 1998, p. 13.

[62] Sobre Sudáfrica, véase Graeme Reid, "Going Back to God, Just as We Are': Contesting Identities in the Hope and Unity Metropolitan Community Church", en *Development Update* 2:2 (Johannesburg), 1998, pp. 57-65. Para una discusión acerca de una iglesia gay en Azcapotzalco, en la ciudad de México, véase "Living la Vida Local", en *Economist*, 19 de diciembre de 1999, pp. 85-87.

[63] La cobertura de los juegos en Nueva York por la prensa brasileña se discute en la obra de Charles Klein, "'The Ghetto is over Darling': Emerging Gay Communities and Gender and Sexual Politics in Contemporary Brazil", en *Culture, Health, and Society* 1:3, 1999, pp. 239-41.

[64] Esta legislación, puede argumentarse, es otra forma del discurso occidental que se difunde para contrarrestar un fenómeno generado en gran medida por Occidente. Véase Eliza Noh, "'Amazing Grace, Come Sit on My Face', or Christian Ecumenical Representations of the Asian Sex Tour Industry", en *Positions* 5:2, 1997, pp. 439-65.

[65] Kathleen Barry, *Female Sexual Slavery*, New York University Press, New York, 1984. Esto debe leerse junto con los puntos de vista muy diferentes de G. Phetersen, ed., *A Vindication of the Rights of Whores*, Seal Press, Seattle, 1989. Para un comentario más contemporáneo basado en el trabajo de Barry, véase Sheila Jeffreys, *The Idea of Prostitution*, Spinifex, Melbourne, 1997. Para una revisión de parte de la literatura más relevante, véase Lynn Sharon Chancer, "Prostitution, Feminist Theory, and Ambivalence", en *Social Text* 37, 1993, pp. 143-71; Wendy Chapkis, *Live Sex Acts*, Cassell, London, 1997.

[66] Jo Bindham y Jo Doezema, *Redefining Prostitution as Sex Work on the International Agenda*, Anti-Slavery International, London, 1997, p. 1. Véase también Cheryl Overs y Paulo Longo, *Making Sex Work Safe*, Network of Sex Work Projects, London, 1997.

[67] *Sex Workers' Manifesto*, tema de la Primera Conferencia Nacional de Trabajadores Sexuales organizada por el Comité Durbar Mahila Samanwaya, Calcuta, 14-16 de noviembre de 1997. Compárese con el comentario de Wendy Chapkis "no hay tal cosa como la prostituta; sólo hay versiones competitivas de prostitución" (*Live Sex Acts, op. cit.*, p. 211).

[68] Véase Valerie Jennes, *Making It Work: The Prostitutes' Rights Movement in Perspective*, Aldine de Gruyter, New York, 1993.

[69] Cecile Hoigard y Liv Finstad, *Backstreets: Prostitution, Money, and Love* (traducción de K. Hanson, N. Sipe y B. Wilson), Polity, Cambridge, 1992, p. 181.

[70] Véase Kemala Kempadoo, "Introduction: Globalizing Sex Workers' Rights", y Angelita Abad et al., "The Association of Autonomous Women Workers, Ecuador", en Kemala Kempadoo y Jo Doezema, eds., *Global Sex Workers*, Routledge, New York, 1998, pp. 1-28 y 172-77.

[71] "The 'Fallen' Learn to Rise", y "Sex Worker's Co-operative", publicaciones del Comité Durbar Mahila Samanwaya, Calcuta, 1998-1999.

[72] "Prostitutes Seek Workmen Status", en *Statesman Weekly*, 22 de noviembre de 1997.

[73] Hay una entrevista con la figura central en el desarrollo del NSWP, Cheryl Overs, en Kemala Kempadoo y Jo Doezema, eds., *Global Sex Workers, op. cit.*, pp. 204-9. Aquí Overs rinde tributo a sus "compañeras en la aldea global" y a sus antecedentes australianos.

[74] Guenter Frankenberg, "Germany: The Uneasy Triumph of Pragmatism", en D. Kirp y R. Bayer eds., *AIDS in the Industrialized Democracies*, Rutgers University Press, New Brunswick, 1992, p. 121.

[75] "Sex Appeal", en *Far Eastern Economic Review*, 4 de febrero de 1999, pp. 29-31.

[76] Este tipo de "sexo trasnacional" se discute en Lori Heise y Chris Elias, "Transforming AIDS Prevention to Meet Women's Needs", en *Social Science and Medicine* 40, 1995, pp. 931-43.

[77] Chris Jones, "Making a Users Voice", investigación presentada en la Quinta Conferencia Internacional sobre Daños Relacionados con las Drogas, Toronto, marzo de 1994, p. 7.

[78] Véase Alfred Neequaye, "Prostitution in Accra", en M. Plant, ed., *AIDS, Drugs, and Prostitution*, Routledge, London, 1993, pp. 178-79.

[79] Matt Forney, "Voice of the People", en *Far Eastern Economic Review*, 7 de mayo de 1998, p. 10.

[80] Heather Montgomery, "Children, Prostitution, and Identity", en Kemala Kempadoo y Jo Doezema, *Global Sex Workers, op. cit.*, p. 147.

[81] Lenore Manderson, "Public Sex Performances in Patpong and Explorations of the Edges of Imagination", en *Journal of Sex Research* 29:4, 1992, p. 473. Véase también Barbara Zalduondo, "Prostitution Viewed Cross-Culturally: Toward Recontextualizing Sex Work in AIDS Intervention Research", en *Journal of Sex Research* 28:2, 1991, pp. 232-48.

[82] Sobre los radicales sexuales, véase Paul Robinson, *The Freudian Left*, Harper & Row, New York, 1969.

[83] Véase Frantz Fanon, *Black Skin, White Masks*, Pluto, London, 1986, y la introducción a ese volumen por Homi Bhabha, pp. VII-XXVI.

LA NUEVA COMERCIALIZACIÓN DEL SEXO:
DE LA PROSTITUCIÓN FORZADA AL SEXO CIBERNÉTICO

[1] Se dice frecuentemente que el turismo es el empleador más grande del mundo. Para 1995 el número de turistas internacionales había alcanzado los 500 millones de personas, con gastos anuales por encima de los 380,000 millones de dólares. Véase D. Held, A. McGrew, D. Goldblatt y J. Perraton, *Global Transformations*, Polity, Cambridge, 1999, p. 361.

[2] Jakob Arjouni, *One Man, One Murder*, No Exit Press, Harpenden, 1997 (originalmente publicado en alemán en 1991).

[3] Jeremy Seabrook, *Travels in the Skin Trade*, London, Pluto, 1996, pp. 169-70. Compárese con Thanh-dam Truong, *Sex, Money, and Morality*, Zed, London, 1990.

[4] Sueann Caulfield, "The Bird of Mangue", en D. Balderston y D. Guy, eds., *Sex and Sexuality in Latin America*, New York University Press, New York, 1997, p. 100 nota 33.

[5] Christopher Cox, "The Body Snatchers", en *Boston Herald*, 3 de agosto de 1999.

[6] Chris Ryan, *Recreational Tourism*, Routledge, New York, 1991, p. 163.

[7] Sobre las relaciones entre neoliberalismo, turismo y prostitución, véase la declaración de una de las mayores organizaciones protectoras de las mujeres en las Filipinas, GABRIELA: "Fleshing Out the Flesh Trade", en *Human Rights Defender*, University of NSW, Sydney, 1998.

[8] Don Greenlees, "New Life for Oldest Profession", en *Weekend Australian*, mayo de 1998, pp. 30-31. Sobre la historia "Official Prostitution Complexes", véase Terence Hull, Endang Sulistyaningsih y Gavin Jones, *Prostitution in Indonesia*, Pustaka Sinar Harapan, Jakarta, 1998.

[9] Mick Blowfield, "Working the Graveyard Shift", en *WorldAIDS* (Panos), mayo de 1994, p. 2.

[10] "Health: Sexually Transmitted Disease Sweeps the Former Soviet Union", telegrama IPS, 26 de mayo de 1998.

[11] "Plenty of Muck, Not Much Money", en *The Economist*, 8 de mayo de 1999, p. 58.

[12] Lynne Attwood, "Sex and the Cinema", en I. Kon y J. Riordan eds., *Sex and Russian Society*, Indiana University Press, Bloomington, 1993, p. 72. Zillah Eisenstein discute el impacto del fin del comunismo sobre la sexualidad en *Hatreds: Racialized and Sexualized Conflicts in the 21st Century*, Routledge, New York, 1996, pp. 155-60.

[13] Alma Guillermoprieto, "Love and Misery in Cuba", en *New York Review of Books*, 11 de junio de 1998, pp. 10-14.

[14] Shu-mei Shih, "Gender and a New Geopolitics of Desire: The Seduction of Mainland Women in Taiwan and Hong Kong Media", en *Signs* 23:2, 1998, p. 297.

[15] Anita Pleumarom, "'Make Love Not War' in New Social Order", en *Nation* (Bangkok), 3 de noviembre de 1997.

[16] Cynthia Enloe, *The Morning After: Sexual Politics at the End of the Cold War*, University of California Press, Berkeley, 1993, Berkeley, p. 145.

[17] Keith Richburg, "New AIDS Victims", en *International Herald Tribune*, 14 de agosto de 1998. Compárese Chris Beyrer, "Burma and Cambodia: Human Rights, Social Disruption, and the Spread of HIV/AIDS", en *Health and Human Rights* 2:4, 1998, pp. 85-96.

[18] Stephen Grey, "War on Women", en *Australian Magazine*, 27-28 de junio de 1998, p. 17; Rabih Alameddine, *Koolaids*, Picador, New York, 1998, p. 156.

[19] Patrick Larvie, "Natural Born Targets: Male Hustlers and AIDS Prevention in Urban Brazil", en P. Aggleton, ed., *Men Who Sell Sex*, UCL Press, London, 1998, pp. 159-77. Compárese la descripción del trabajo sexual en Santo Domingo por E. Antonio de Moya y Rafael Garcia en el mismo volumen, pp. 127-40.

[20] Véase John Rechy, *Numbers*, Grove Press, New York, 1967, en especial el capítulo 2.

[21] Para un interesante ejemplo de esto véase Matti Bunzl, "The Prague Experience: Gay Male Sex Tourism and the Neo-colonial Invention of an Embodied Border", en M. Bunzl, D. Berdahl y M. Lampland, eds., *Altering States: Ethnographies of Transition in Eastern Europe and the Former Soviet Union*, University of Michigan Press, Ann Arbor, 1998, pp. 70-95.

[22] Véase J. Mann, D. Tarantola y T. Netter, eds., *AIDS in the World*, Harvard University Press, Cambridge, 1992, p. 376.

[23] David Elias, "A Growing Interest in Women, Sex, and Money", en *Age* (Melbourne), 19 de noviembre de 1998.

[24] Peter Kellner, "We Are Richer Than You Think", en *New Statesman*, 19 de febrero de 1999.

[25] El burdel aparentemente se convirtió en parte de una lucha de poder local a mediados de 1999, en el transcurso de la cual al menos un trabajador fue asesinado (mensaje impreso por la Asia Pacific Network of Sex Work Projects, 30 de julio de 1999).

[26] "Sex Industry Assuming Massive Proportions in Southeast Asia", presentación de prensa de la OIT, 19 de agosto de 1998, Genève-Manila. El estudio es de Lin Lean Lim, *The Sex Sector: The Economic and Social Bases of Prostitution in Southeast Asia*, Genève, Organización Internacional del Trabajo, 1998. Compárese con Shyamala Nagaraj y Sit Rohani Yahya, *The Sex Sector: An Unenumerated Economy*, Penerbit Universiti Pertanian Malaysia, Kuala Lumpur, 1997.

[27] "Rampant Prostitution the Darker Side of Growing Tourism in Nepal", en *Asian Age*, 11 de noviembre de 1997, publicado de nuevo en *Ki Pukaar*, London, abril de 1998, p. 10.

[28] Alan Morris, *Bleakness and Light: Inner-City Transition in Hillbrow, Johannesburg*, Witwatersrand University Press, Johannesburg, 1999, pp. 258-63.

[29] M. Fisher, "Cunanan Fit the Pattern of 'Preppy Gigolo'", en *International Herald Tribune*, 26 de julio de 1997.

[30] Edmund White, *The Farewell Symphony*, Chatto & Windus, London, 1997, p. 245.

[31] François Vauglin, "La prostitution: HIV comme parcours exploratoire", en *Ex Aequo* (Paris), febrero de 1998, p. 8 (traducción mía).

[32] Shivananda Khan, "Through a Window Darkly: Men Who Sell Sex to Men in India and Bangladesh", en P. Aggleton, *Men Who Sell Sex, op. cit.*, p. 196.

[33] Véase Francine Pickup, "Deconstructing Trafficking in Women: The Example of Russia", en *Millennium* 27:4, 1998, pp. 995-1021; y Jo Dozema, "Loose Women or Lost Women?" investigación presentada en la convención de la International Sociological Association, Washington, D.C., febrero de 1999 (www.walnet.org/csis/papers/doezemaloose.html).

[34] La prostitución fue prohibida durante el gobierno autoritario de Sarit Thanarat en 1960. Permanece fuera de la ley bajo las previsiones de la Ley de Prevención y Supresión de la Prostitución (1996), la cual, a pesar de ser ampliamente desatendida, continúa estigmatizando y marginando a las trabajadoras sexuales. Véase Sukanya Hantrakul, "Legalize Prostitution to Save Victims", en *Nation* (Bangkok), 26 de marzo de 1999.

[35] Esta información proviene de un estudio realizado en 1996, en Jo Bindham y Jo Doezema, *Redefining Prostitution as Sex Work on the International Agenda*, Anti-Slavery International, London, 1997, pp. 25-27.

[36] Cecile Hoigard y Liv Finstad, *Backstreets: Prostitution, Money, and Love* (traducción de K. Hanson, N. Sipe y B. Wilson), Polity, Cambridge, 1992, p. 182.

[37] Ryan Bishop y Lillian Robinson, *Night Market: Sexual Cultures and the Thai Economic Miracle*, Routledge, New York, 1998, capítulo 8.

[38] "Improving the Lives of Tribal Sex Workers", International Family Health, informe anual, London, 1998, p. 12.

[39] Pek Siok Lian, *Mail Order Brides*, Drama Centre, Singapur, 1998. Véase Venny Villapan-

do, "The Business of Selling Mail-Order Brides", en Asian Women of California, ed., *Making Waves: An Anthology of Writings by and about Asian Women*, Beacon, Boston, 1989; Ara Wilson, "American Catalogues for Asian Brides", en J. Cole, ed., *Anthropology for the Nineties*, Free Press, New York, 1988, pp. 114-25.

[40] Cecille Sese, "The Dark Side Down Under", en *Observer* (University of the Philippines), junio-julio de 1998, p. 16.

[41] Julie Lewis, "The American Dream Heads to Russia for Love", en *Australian Weekend*, 7-8 de noviembre de 1998.

[42] Dennis Altman, *Defying Gravity*, Allen & Unwin, Sydney, 1997, p. 75.

[43] La literatura sobre el "debate porno" es enorme. Para varios puntos de vista feministas véase Andrea Dworkin, *Pornography: Men Possesing Women*, Perigee, New York, 1979; Linda Williams, *Hard Core: Power, Pleasure, and the "Frenzy of the Visible"*, University of California Press, Berkeley, 1989; Lynne Segal y Mary McIntosh, *Sex Exposed: Sexuality and the Pornography Debate*, Virago, London, 1992. Para una revisión de los debates sobre pornografía, véase Alan Soble, *Pornography: Marxism, Feminism, and the Future of Sexuality*, Yale University Press, New Haven, 1986; para una defensa específica de la pornografía homosexual, véase Stan Persky, *Autobiography of a Tatoo*, New Star, Vancouver, 1997.

[44] "Erotica or Smut?", en *The Economist*, 13 de febrero de 1999, p. 61.

[45] Laurence O'Toole, *Pornocopia*, Serpent's Tail, London, 1998, p. 128.

[46] Andrew Masterson, "Sex Circus: Sensuality Slides as Sales Soar", en *Sunday Age*, 22 de noviembre de 1998.

[47] Frank Rich, "What's the Point of This History? Sex! So Quit the Pontificating", en *International Herald Tribune*, 5 de febrero de 1998. Una historia que el siguiente año subió el valor de la industria hasta los 4,500 millones. Véase Christopher Reed, "Porn-Again to Hollywood", en *Bulletin* (Sydney), 16 de marzo de 1999.

[48] "Vivid Imagination: Technology and Entertainment Survey", en *The Economist*, 21 de noviembre de 1998, p. 15.

[49] Karl Taro Greenfeld, *Speed Tribes*, Harper, New York, 1994, pp. 88-89.

[50] Ian Buruma, *Behind the Mask*, Meridian, New York, 1984, pp. 55-63.

[51] "The Darker Side of Cuteness", en *The Economist*, 8 de mayo de 1999, p. 28. Compárese con Tim Larimer, "Japan's Shame", en *Time Magazine*, 19 de abril de 1999.

[52] "The Sex Industry", en *The Economist*, 14 de febrero de 1998, p. 23.

[53] "X-Rated Russian Channel Hooks Bangla", en *Asian Age*, 12 de agosto de 1999, reimpreso en *Pukaar* 27 (London), 1999, p. 9.

[54] David Hebditch y Nick Anning, *Porn Gold*, Faber & Faber, London, 1988, p. 2.

[55] *Ibíd.*, p. 35.

[56] Véase Barbara Ehrenreich, *The Hearts of Men: American Dreams and the Flight from Commitment*, Doubleday, New York, 1983, capítulo 3.

[57] Bernard Arcand, *The Jaguar and the Anteater* (traducción de Wayne Grady), McClelland & Stewart, Toronto, 1993, p. 168.

[58] Ray Eccleston, "The Respetable Pornographer", en *Weekend Australian*, sección de reseñas, 13-14 de marzo de 1999, pp. 6-8.

[59] Nina Munk, "Wall Street Follies", en *The New Yorker*, 12 de julio de 1999, pp. 25-26.

[60] Dorelies Kraakman, "Pornography in Western European Culture", en F. Eder, L. Hall y G. Hekma, eds., *Sexual Cultures in Europe*, Manchester University Press, Manchester, 1999, p. 117, nota 2.

[61] Véase Bruce Handy, "Ye Olde Smut Shoppe", en *Time Magazine*, 23 de febrero de 1998.

[62] David Hebditch y Nick Anning, *Porn Gold*, *op. cit.*, p. 193.

[63] Barbara Creed, "The Public Erotic and the Culture of Display", en *Australian Book Review*, noviembre de 1998, p. 28.

[64] Bill Thompson, *Soft Core*, Cassell, London, 1994, pp. 248-50.

[65] Véase "Porn Goes Mainstream", en *Time Magazine*, 5 de octubre de 1998.

[66] Para fines de 1999 un reportero aseguró que había un millón de "sex sites" en la World Wide Web, y diez mil nuevos que se unían cada semana (Gary Barker, "Boom in Sex Sites on Internet", en *Age* [Melbourne], 6 de noviembre de 1999.)

[67] "Inside the Dark Web" y "Behind IT", en *Weekend Australian*, 5-6 de diciembre de 1998, p. 12.

[68] James Willwerth y Mark Thompson, "Cooling off Hotseattle", en *Time Magazine*, 4 de octubre de 1999.

[69] Publicidad, *Sunday Times* (Singapore), 31 de enero de 1999.

[70] En 1997 casi 2,500 mujeres fueron registradas como "exotic dancers" en Toronto. Véase E. Maticka-Tyndale et al., "Social and Cultural Vulnerability to Sexual Transmitted Diseases: The Work of Exotic Dancers", en *Canadian Journal of Public Health* 90:1, 1999, pp. 19-22.

[71] "Small but Perfectly Formed", en *The Economist*, 3 de enero de 1998, p. 65.

[72] Thomas Boggs, *Tokyo Vanilla*, Gay Men's Press, London, 1998, p. 50.

POLÍTICAS SEXUALES Y RELACIONES INTERNACIONALES

[1] Los textos cruciales acerca del género y los derechos humanos en los noventa incluyen: Charlotte Bunch, "Women's Rights and Human Rigths: Towards a Re-vision of Human Rights", en *Human Rigths Quarterly* 12, 1990, pp. 486-98; Katerina Tomasevski, *Women and Human Rights*, Zed, London, 1993; R. Cook, ed., *Human Rigths of Women: National and International Perspectives*, University of Pennsylvania Press, Philadelphia, 1994; Maila Stivens, "Theoretical Perspectives on Human Rights and Gender Politics in the Asia Pacific", en A. M. Hilsdon, M. Macintyre, V. Mackie y M. Stivens, eds., *Human Rights and Gender Politics: Asia-Pacific Perspectives*, Routledge, London, 2000, pp. 1-36.

[2] Martha Macintyre, "Melanesian Women and Human Rights", en A. M. Hilsdon, M. Macintyre, V. Mackie y M. Stivens, eds., *ibíd.*, p. 147.

[3] Véase Margaret Keck y Kathryn Sikkink, *Activists Beyond Borders*, Cornell University Press, Ithaca, 1998, capítulo 5.

[4] George Hicks, *The Comfort Women: Japan's Brutal Regime of Enforced Prostitution in the Second World War*, Norton, New York, 1994.

[5] Cynthia Enloe, *The Morning After: Sexual Politics at the End of the Cold War*, University of California Press, Berkeley, 1993, p. 244. Este punto es desarrollado por Rosalind Petchesky, "Sexual Rigths", en R. Parker, R. Barbosa y P. Aggleton, eds., *Framing the Sexual Subject*, University of California Press, Berkeley, 2000, pp. 81-103.

278

[6] Boutros Boutros-Ghali, "Democracy, Development, and Human Rights for All", en *International Herald Tribune*, 10 de junio de 1993.

[7] Véase Alice Miller, Ann Janette Rosga y Meg Satterthwaite, "Health, Human Rights, and Lesbian Existence", en *Health and Human Rights* 1:4, 1995, p. 433.

[8] *The State of the World's Children* de 1995 de la UNICEF reportó que la violencia contra las mujeres es el crimen más común en el mundo. Véase Jan Jindy Pettman, *Wordling Women*, Allen & Unwin, Sydney, 1996, p. 187.

[9] Stuart Whitmore y Suvendrini Kakuchi, "Silent Screams", en *Asiaweek*, 9 de abril de 1999, p. 50.

[10] Véase Clive Archer, *International Organizations* (segunda edición), Routledge, London, 1992, capítulo 1.

[11] Véase A. M. Clark, E. Friedman y K. Hochstetler, "The Sovereign Limits of Global Civil Society", en *World Politics*, octubre de 1998, pp. 1-35. (Ellos proponen una cifra más alta, pero esto parece dudoso. Peter Waterman sugiere una asistencia de veinte mil a treinta mil: *Globalization, Social Movements, and the New Internationalism*, Cassell, London, 1998, p. 157.)

[12] El crecimiento en la actividad no gubernamental alrededor de los derechos humanos se discute en Jackie Smith y Ron Pagnucco, "Globalizing Human Rights: The Work of Transnational Human Rigths: NGOs", en *Human Rights Quarterly* 20:2, 1998, pp. 379-412. Véase también Manisha Desai, "From Vienna to Beijing", en Peter van Ness, *Debating Human Rigths*, Rutgers, London, 1999, pp. 184-96.

[13] DAWN empezó en 1984 y desde entonces ha participado activamente en la mayoría de las principales conferencias de las Naciones Unidas de la pasada década, así como publicando material importante acerca de la globalización y los derechos sexuales y reproductivos.

[14] Para ejemplos, véase Sasha Roseneil, "The Global Common", en A. Scott, ed., *The Limits of Globalization*, Routledge, New York, 1997, pp. 55-71; Ellen Dorsey, "The Global Women's Movement: Articulating a New Vision of Global Governance", en P. Diehl, ed., *The Politics of Global Governance*, Lynne Rienner, Boulder, 1997, pp. 335-59.

[15] R. Grosfoguel, F. Negron-Muntaner y C. Georas, "Beyond Nationalist and Colonialist Discourses", en Negron-Muntaner y Grosfoguel, *Puerto Rican Jam: Rethinking Colonialism and Nationalism*, University of Minnesota Press, Minneapolis, 1997, p 35, nota 53.

[16] Véase Miranda Morris, *The Pink Triangle: Struggle for Gay Law Reform in Tasmania*, University of New South Wales Press, Sydney, 1995; Tim Tenbensel, "International Human Rights Conventions and Australian Political Debates", en *Australian Journal of Political Science* 31:1, marzo de 1996, pp. 7-23; Carl Stychin, *A Nation by Rights*, Temple University Press, Philadelphia, 1998, pp. 164-84.

[17] Reportado en *Hankyurae*, 27 de noviembre de 1997 (información de la International Gay and Lesbian Human Rights Commission).

[18] Nancy Scheper-Hughes, "AIDS and the Social Body", en *Social Science and Medicine* 39:7, 1994, pp. 996-97.

[19] Véase, por ejemplo, Maxine Ankrah, "AIDS and the Social Side of Health", en *Social Science and Medicine* 32:9, 1991, p. 972.

[20] He tratado de manejar algunos de estos dilemas en relación con el VIH-sida con un colega sudafricano. Véase Mark Heywood y Dennis Altman, "Confronting Aids: Human Rights, Law, and Social Transformation", en *Health and Human Rights* 5:1, 2000.

[21] Derek Davies, antiguo editor de *Far Eastern Economic Review*, considera que recurrir al confucionismo como una corriente política actual fue una estrategia diseñada por Lee Kuan Yew y el doctor Mahathir apenas en 1987. Véase su "Neo-Confucianism Ploys Just a Cynical Abuse of Power", en *Weekend Australian*, 31 de diciembre de 1994, p. 16. Compárese con Ben Anderson, *The Spectre of Comparisons*, Verso, London, 1998, p. 17 nota 35.

[22] Kyi Kyi Hla en *Myanmar Perspectives*, 5:12, 1996, pp. 53-54 (publicación entregada a los visitantes de Myanmar).

[23] Tu Wei-ming, *Ways, Learning, and Politics*, IEAPE, Singapore, 1989. Hay una útil discusión en Ruth Macklin, *Against Relativism: Cultural Diversity and the Search for Ethical Universals in Medicine*, Oxford University Press, New York, 1999, pp. 228-33.

[24] Anwar Ibrahim, *The Asian Renaissance*, Times Books, Singapur, 1996, p. 28.

[25] Fauzi Abdullah et al., "Human Rights", en A. Milner y M. Quilty, eds., *Comparing Cultures*, Oxford University Press, Melbourne, 1997, p. 48.

[26] Ken Booth, "Human Wrongs and International Relations", en *International Affairs*, 71:1, 1995, p. 115.

[27] Saskia Sassen, "Towards a Feminist Analytics of the Global Economy", en *Indiana Journal of Global Studies* 4:1, 1996, p. 8.

[28] Para una revisión de este tema, véase Fred Halliday, "Gender and IR: Progress, Backlash, and Prospect", en *Millenium* 27:4, 1998, pp. 833-46.

[29] Véase D. Kulick y M. Wilson, eds., *Taboo: Sex, Identity, and Erotic Subjectivity in Anthropological Fieldwork*, Routledge, London, 1995.

[30] Véase Cynthia Enloe, *Bananas, Beaches, and Bases*, University of California Press, Berkeley, 1990. Véase también Katherine Moon, *Sex Among Allies. Military Prostitution in U.S.-Korea Relations*, Columbia University Press, New York, 1997; Saundra Sturdevant y Brenda Stolzfus, *Let the Good Times Roll*, New Press, New York, 1992; Richard Setlowe, *The Sexual Occupation of Japan*, HarperCollins, New York, 1999.

[31] Cynthia Enloe, *The Morning After: Sexual Politics at the End of the Cold War, op. cit.*, p. 253.

[32] Sara Ruddick, "Pacifying the Forces. Drafting Women in the Interests of Peace", en *Signs* 8:3, 1983, p. 477.

[33] Zillah Eisenstein, *Global Obscenities: Patriarchy, Capitalism, and the Lure of Cyberfantasy*, New York University Press, New York, 1998, p. 17.

[34] J. K. Gibson-Graham, "Queer(y)ing Globalization", en H. Nast y S. Pile, eds., *Places through the Body*, Routledge, London, 1998, pp. 23-41.

[35] Véase Lionel Tiger, *Men in Groups*, Random House, New York, 1969.

[36] Nancy Hartsock, *Money, Sex, and Power*, Longman, New York, 1983, p. 186. Thomas Dunn, uno de los pocos científicos de la política que desarrolla este tema, discute la mezcla masculina de sexo y poder en su obra *United States*, Cornell University Press, Ithaca, 1994, pp. 49-55.

[37] Adam Farrar, "War: Machining Male Desire", en Paul Patton y Ross Poole, *War/Masculinity*, Intervention Publications, Sydney, 1985, p. 68.

[38] Véase Jan Jindy Pettman, *Wordling Women, op. cit.*, pp. 92-95.

[39] Existe el inicio de este análisis en Neil García, "Knowledge, Sexuality, and the Nation State", en *Buddhi* 3:1 (Ateneo de Manila University), 1999, pp. 107-17.

[40] Mary Kaldor, *New and Old Wars*, Polity, Cambridge, 1999.

[41] Barbara Ehrenreich, *Blood Rites: Origins and History of the Passions of War*, Henry Holt, New York, 1997, p. 129.

[42] R. W. Connell, *Masculinities*, Allen & Unwin, Sydney, 1995, p. 10.

[43] Para una crítica foucaultiana compleja véase Ann Stoler, "Educating Desire in Colonial Southeast Asia: Foucault, Freud, and Imperial Sexualities", en Lenore Manderson y Margaret Jolly, eds., *Sites of Desire, Economies of Pleasure*, University of Chicago Press, Chicago, 1997, pp. 27-47.

[44] bell hooks, *Yearnings*, South End Press, Boston, 1990, p. 227.

[45] Sigmund Freud, "Psycho-analyitic Notes on an Autobiographical Account of a Case of Paranoia", en *Complete Works* (traducción de James Strachey), Hogarth, London, 1958, t. 12, p. 61.

[46] Varda Burstyn, *The Rites of Men*, University of Toronto Press, Toronto, 1999, p. 178.

[47] Véase Hal Cohen, "A Secret History of the Sexual Revolution: The Repression of Wilhelm Reich", en *Lingua Franca*, marzo de 1999, pp. 24-33.

[48] Por ejemplo, Guy Hocquenghem, *The Problem Is Not So Much Homosexual Desire as the Fear of Homosexuality*, Allison & Busby, London, 1978; Mario Mieli, *Homosexuality and Liberation*, Gay Men's Press, London, 1980; Dennis Altman, *Homosexual: Oppression and Liberation*, New York University Press, New York, 1994 (publicado originalmente en 1971); David Fernbach, *The Spiral Path*, Alyson, Boston, 1981.

[49] Cynthia Weber, "Something's Missing: Male Hysteria and the U.S. Invasion of Panama", en Zalewski y Parpart, *"Man" Question in International Relations, op. cit.*, p. 160.

[50] La religión organizada es un factor en los crímenes de odio en muchas partes del mundo. Por ejemplo, véase R. Kelly y J. Maghan, eds., *Hate Crime. The Global Politics of Polarization*, Southern Illinois University Press, Carbondale, 1998; aunque los editores fallaron en sintetizar la evidencia de sus colaboradores sobre la importancia de los odios religiosos.

[51] Joel Kovel, "The Crisis of Materialism", en Joel Kovel, *The Radical Spirit*, Free Association Books, London, 1988, p. 320.

[52] Tony Kushner, *Angels in America*, parte 1, Theater Communications Group, New York, 1993, p. 46.

[53] Una de las exploraciones más interesantes de la conexión entre la sexualidad y los espías de Cambridge se encuentra en John Banville, *The Untouchable*, Picador, London, 1997.

[54] Esta relación se explora, aunque de una manera un tanto confusa, en Klaus Theweleit, *Male Bodies: Psychoanalyzing the White Terror*, traducida por Erica Carter y Chris Turner, University of Minnesota Press, Minneapolis, 1989 (originalmente publicada en 1978).

[55] Citado en Robert Dreyfuss, "The Holy War on Gays", en *Rolling Stone*, 18 de marzo de 1999.

[56] George Orwell, *1984*, Penguin, Hardmondsworth, 1954, p. 109. Es interesante que Robin Morgan use esta misma cita en su introducción a *Sisterhood Is Global*, Anchor, New York, 1984, p. 14.

[57] Keumsoon Lee, "Gender and Security", en investigación presentada en la mesa redonda de Asia-Pacífico, Kuala Lumpur, junio de 1996, p. 8.

[58] Ricardo Llamas y Fela Vila, "Passion for Life: A History of the Lesbian and Gay Movement in Spain", en Adam, Duyvendak y Krouwel, *Global Emergence of Gay and Lesbian Politics, op. cit.*, p. 216.

[59] Véase Scott Long, *Public Scandals: Sexual Orientation and Criminal Law in Romania*, Human Rights Watch-International Gay and Lesbian Human Rights Commission, New York, 1998.

CUADRAR EL CÍRCULO: LA BATALLA POR LA MORALIDAD "TRADICIONAL"

[1] S. M. Lee, "Am I a Fuddy-Duddy?", en *New Paper*, Singapur, 1 de febrero de 1999.

[2] Véase Nancy Hatch Dupree, "Afghan Women Under the Taliban", en W. Maley, ed., *Fundamentalism Reborn?*, Hurst, London, 1999, pp. 145-66.

[3] Yuri Shevchenko, psiquiatra, citado en "Russians Protest Sex Education", en *Toronto Star*, 22 de noviembre de 1997, citado en *Naz*, abril de 1998.

[4] Sobre el "fundamentalismo masculino" véase R. W. Connell, "Masculinities and Globalization", en *Men and Masculinities* 1:1, julio de 1998, p. 17.

[5] Karen McCarthy Brown, "Fundamentalism and the Control of Women", en J. S. Hawley, ed., *Fundamentalism and Gender*, Oxford University Press, New York, 1994, p. 190.

[6] "A Fight for the Faithful", en *The Economist*, 8 de mayo de 1999, p. 48.

[7] V. S. Naipaul, *Beyond Belief: Islamic Excursions amongst the Converted Peoples*, Random House, New York, 1998, pp. 361-408.

[8] Thomas Friedman, "Time to Draft Fundamentalistsm into the New Israeli Century", en *International Herald Tribune*, 23 de junio de 1999.

[9] Carol Jenkins, "The Homosexual Context of Heterosexual Practice in Papua New Guinea", en P. Aggleton, ed., *Bisexualities and AIDS*, Taylor & Francis, London, 1996, p. 193.

[10] Lynn Freedman, "The Challenge of Fundamentalisms", en *Reproductive Health Matters* 8, 1996, p. 57.

[11] Véase C. Allison McIntosh y Jason Finkle, "The Cairo Conference on Population and Development: A New Paradigm?", en *Population and Development Review* 21:2, 1995, pp. 242-49.

[12] Véase Jane Mansbridge, *Why We Lost the ERA*, University of Chicago Press, Chicago, 1986.

[13] Frank Gibney, "The Kids Got in the Way", en *Time Magazine*, 23 de agosto de 1999. De acuerdo con este artículo, los sacerdotes de Phineas Priesthood son un grupo de individuos que ganan su membresía a través del asesinato o la mutilación de judíos, homosexuales o cualquiera que no sea "blanco".

[14] "Free at Last", en *The Economist*, 13 de junio de 1998, p. 72.

[15] Stanley Cohen, *Folk Devils and Moral Panics*, MacGibbon & Kee, London, 1972, p. 24. El término parece haber sido acuñado por el colega de Cohen, Jock Young. Véase Erich Goode y Nachman Ben-Yehuda, *Moral Panics*, Routledge, London, 1998, p. 12.

[16] Kenneth Thompson, *Moral Panics*, Routledge, London, 1998, pp. 140-42.

[17] Igor Kon, "Sexuality and Culture", en I. Kon y J. Riordan eds., *Sex and Russian Society*, Indiana University Press, Bloomington, 1993, pp. 35-44.

[18] Doezema, "Jo Dozema, "Loose Women or Lost Women?" investigación presentada en la convención de la International Sociological Association, Washington, D.C., febrero de 1999 (www.walnet.org/csis/papers/doezemaloose.html), p. 24.

[19] Véase Kenneth Plummer, "The Lesbian and Gay Movement in Britain", en Adam, Duyvendak y Krouwel, *Global Emergence of Gay and Lesbian Politics*, p. 143; David Evans, *Sexual Citizenship*, Routledge, London, 1993, capítulo 5.

[20] Véase Joel Krieger, *Reagan, Thatcher, and the Politics of Decline*, Polity, Cambridge, 1986; Thomas Ferguson y Joel Rogers, *Right Turn: the Decline of the Democrats and the Future of American Politics*, Hill & Wang, New York, 1986.

[21] George Gilder, *Wealth and Poverty*, Basic Books, New York, 1981; Charles Murray, *Losing Ground*, Basic Books, New York, 1984.

[22] Charles Murray, "The Comming White Underclass", en *The Wall Street Journal*, 29 de octubre de 1993, citado en Brendon O'Connor, "American Liberalism, Conservatism, and the Attack on Welfare", tesis de doctorado no publicada, Universidad de La Trobe, 1999.

[23] Ian Buruma, "Sex and Democracy in Taiwan", en *New York Review of Books*, 4 de febrero de 1999, p. 15.

[24] Ya en 1990 John O'Neill había identificado al sida como un "pánico potencialmente globalizador" ("AIDS as a potential globalizing panic", en *Theory, Culture, and Society* 7, 1990, p. 334.

[25] Sobre los puntos de vista japoneses del VIH-sida véase Sandra Buckley, "The Foreign Devil Returns", en Lenore Manderson y Margaret Jolly, eds., *Sites of Desire, Economies of Pleasure*, University of Chicago Press, Chicago, 1997, pp. 262-91.

[26] John Treat, *Great Mirrors Shattered*, Oxford University Press, Oxford, 1999.

[27] Stephanie Kane, *AIDS Alibis*, Temple University Press, Philadelphia, 1998, p. 170.

[28] "800 Suffering from AIDS in Pakistan", en versión de Internet de *The Dawn*, 20 de agosto de 1998 (www.dawn.com).

[29] Pueden encontrarse ejemplos en varios países, y han sido analizados para casos particulares en Canadá y Nueva Zelandia. Véase, por ejemplo, Ron Patterson, "'Softly, Softly': New Zealand Law Responds to AIDS", en P. Davis, ed., *Intimate Details and Vital Statistics: AIDS, Sexuality, and the Social Order in New Zealand*, Auckland University Press, Auckland, 1996, pp. 31-47.

[30] "When Fear and Fury Took Over", en *Hindu*, 11 de mayo de 1998 (www.webpage.com/hindu/daily).

[31] David Lamb, "Catholic Church Frowns Anti-AIDS Ads in Philippines", en *Los Angeles Times On Line*, 1 de febrero de 1999 (www.latimes.com).

[32] Una postal dirigida a la red SEA-AIDS identificó la fuente como una carta del *Indian Youth and Family Planning Programme Council Newsletter*, mayo de 1998 (véase www.owner-sea-aids@biznet.inet.co.th, 23 de junio de 1998). He leído afirmaciones, también sin sustento, de que "películas snuff son comunes en Europa".

[33] Supawadee Susanpoolthong, "Key Hurdle for Tough Bill on Child Prostitution", en *Bangkok Post*, 28 de marzo de 1996.

[34] "For Lust or Money", en *Far Eastern Economic Review*, 14 de diciembre de 1995, p. 23.

[35] John Zubrzycki, "Clarke: a Sex Odissey", en *Weekend Australian*, 7-8 de febrero de 1998.

[36] Richel Langit, "Pedophiles in RP Are Mostly Pinoys-Unicef", en *Manila Times*, 12 de agosto de 1998. Compárese con Maggie Black, "Home Truths", en *The New Internationalist*, febrero de 1994, pp. 11-13.

[37] Paul Daley, "Women's Sex Abuse of Boys Stirs Outcry", en *Age* (Melbourne), 6 de agosto de 1999.

[38] Véase Jeffrey Weeks, *Sexuality and Its Discontents*, Routledge & Kegan Paul, London, p. 224.

[39] J. R. Wood, *Report of the Royal Comission into the New South Wales Police Service*, Sydney, 1997.

[40] Hay mucha literatura sobre Jackson pero poca de ella se refiere a la cobertura de los medios fuera de Estados Unidos. Véase, por ejemplo, Stephen Hinerman, "(Don't) Leave Me Alone: Tabloid Narrative and the Michael Jackson Child-Abuse Scandal", J. Lull y S. Hinerman, eds., *Media Scandals*, Columbia University Press, New York, 1997, pp. 143-63.

[41] Scott Heim, *Mysterious Skin*, Harper, New York, 1996; Neal Drinnan, *Global Puppet*, Penguin, Melbourne, 1998; Matthew Stadler, *Allan Stein*, Grove, New York, 1999.

[42] Andrew Vachss, *Batman: The Ultimate Evil*, Warner, New York, 1995.

[43] Chris Gelken, "Row over Call to Boycott 'Paedophile' Playground", en *Pangaea*, 28 de febrero de 1997 (www.pangaea.org/street_children/asia/asiasex2.htm).

[44] A. M. Homes, *The End of Alice*, Simon & Schuster, New York, 1996.

[45] Steven Seidman, *Embattled Eros*, Routledge, New York, 1992, p. 212.

[46] Richard Hofstadter, *The Paranoid Style in American Politics*, Vintage, New York, 1967, p. 34.

[47] Compárese con Daniel Bell, *The Cultural Contradictions of Capitalism*, Basic Books, New York, 1976.

[48] Newt Gingrich, *To Renew America*, HarperCollins, New York, 1995, p. 78. (Éste es, por supuesto, el libro por el cual Gingrich recibió un enorme anticipo de una compañía de Murdoch, lo cual acarreó una queja por conflicto de intereses.) Agradezco a Brendon O'Connor por esta referencia.

[49] Véase la entrevista con Gilbert Herdt en Joseph Geraci, *Dares to Speak*, Men Gay Press, London, 1997.

[50] Sylvia Walby establece este punto al comparar Inglaterra con Estados Unidos en su "'Backlash' in Historical Context", en M. Kennedy, C. Lubeslska y V. Walsh, eds., *Making Connections*, Taylor & Francis, London, 1993, pp. 86-87.

[51] Barry Gilheany, "The State and the Discursive Construction of Abortion", en Randall y Waylen, *Gender, Politics, and the State*, pp. 58-79; Lisa Smith, "Abortion and Family Values: The X Case, Sexuality, and 'Irishness'", en D. Epstein y J. Sears, eds., *A Dangerous Knowing*, Cassell, London, 1999, pp. 195-209.

[52] Ya en la segunda década del siglo XIX, Alexis de Tocqueville señalaba la importancia de la religión en la cultura política estadunidense. Para una discusión sobre las raíces históricas de la religiosidad estadunidense véase John Butler, *Awash in a Sea of Faith*, Harvard University Press, Cambridge, 1990. Para una comparación con otras sociedades ricas, véase Steve Bruce, *Conservative Protestant Politics*, Oxford University Press, New York, 1998.

[53] Susan Faludi, *Backlash*, Vintage, New York, 1991, p. 14.

[54] Véase Didi Herman, *The Antigay Agenda*, University of Chicago Press, Chicago, 1997, pp. 194-200.

[55] Véase John D'Emilio y Estelle Freedman, *Intimate Matters: A History of Sexuality in America*, Harper & Row, New York, 1998, capítulo 15; Rosalind Petchesky, *Abortion and Woman's Choice*, Northeastern University Press, Boston, 1985; Barbara Ehrenreich, Elizabeth Hess y Gloria Jacobs, *Re-making Love*, Doubleday, New York, 1986, capítulo 5.

[56] Véase Sara Diamond, *Roads to Dominion*, Guilford, New York, 1995; Geoffrey Hodgson, *The World Turned Right Side Up*, Houghton Mifflin, New York, 1996.

[57] En 1989 la corte de Missouri mantuvo la prohibición del uso de dinero del Estado para "promover o aconsejar" a las mujeres en relación con abortos y prohibió a los empleados estatales u hospitales tomar parte en abortos que no fueran necesarios para salvar la vida de la madre (*Websters Versus Reproductive Health Services*, 1989).

[58] En realidad las bajas del ejército por comportamiento homosexual se incrementaron ba-

jo la administración de Clinton. Véase Tim Weiner, "Military Discharges of Homosexuals Soar", en *The New York Times,* 7 de abril de 1998.

[59] Hay ahora una gran cantidad de literatura sobre debates contemporáneos dentro del movimiento lésbico-gay. Véase, por ejemplo, Urvashi Vaid, *Virtual Equality,* Anchor, New York, 1995; Daniel Harris, *The Rise and Fall of Gay Culture,* Hyperion, New York, 1997; Jeffrey Escoffier, *American Homo,* University of California Press, Berkeley, 1998.

[60] Véase "Mad about the Boy", en *Time Magazine,* 16 de febrero de 1998.

[61] Roger Angell, "Lo Love, High Romance", en *The New Yorker,* 25 de agosto de 1997, pp. 156-59.

[62] Hay una revisión de algunos de los temas involucrados en Amitai Etzioni, *The Limits of Privacy,* Basic Books, New York, 1999, capítulo 2.

[63] Véase Douglas Sanders, "Getting Lesbian and Gay Issues on the International Human Rights Agenda", en *Human Rights Quarterly* 18, 1996, pp. 98-103.

[64] "The Christian Voter's Guide to the '99 Elections" previó la justificación para su punto de vista del libre mercado haciendo referencia a Proverbios 10:2-4, Mateo 25:14-27, y Tesalonicenses 3:10 (*Today: The Magazine for Christian Living,* mayo de 1999).

[65] Véase Stanley Johnson, *World Population and the United Nations,* Cambridge University Press, Cambridge, 1987, pp. 254-57.

[66] Para un debate acerca del "pánico sexual" véanse los varios artículos presentados en *Harvard Gay and Lesbian Review* 5:2, primavera de 1998; Caleb Crain, "Pleasures Principles", en *Lingua Franca,* octubre de 1997, pp. 26-37.

[67] Véase Ken Silverstein, "Still in Control", en *Mother Jones,* septiembre-octubre de 1999, p. 55.

[68] Paul Freston, "Brother Voted for Brother: The New Politics of Protestantism in Brazil", en V. Garrard-Burnett y D. Stoll, eds., *Rethinking Protestantism in Latin America,* Temple University Press, Philadelphia, 1993, en especial pp. 87-92.

[69] El de Martin es un argumento complejo y persuasivo. Véase David Martin, *Tongues of Fire,* Blackwell, Cambridge, 1990, en especial pp. 278-84. Para una declaración sobre el desarrollo del protestantismo indígena en América Latina, véase Jeff Haynes, *Religion in Global Politics,* Addison Wesley Longman, New York, 1998, pp. 51-61.

CONCLUSIÓN: ¿UNA POLÍTICA SEXUAL GLOBAL?

[1] Manuel Castells, *The Power of Identity,* Blackwell, Oxford, 1997, p. 268.

[2] R. W. Connell, *Masculinities,* Allen & Unwin, Sidney, 1995, p. 243.

[3] Esto no es verdad, por supuesto, para todo lo que se designa como "queer". Véanse, por ejemplo, algunas de las pistas en G. Ingram, A. M. Bouthilette y Y. Retter, *Queers in Space,* Bay Press, Seattle, 1997; y algunos de los pasos tentativos hacia una "homoeconomía" en M. Duberman, ed., *A Queer World,* New York University Press, New York, 1996.

[4] R. W. Connell, "Democracies of Pleasure: Thoughts on the Goals of Radicals Sexual Politics", en Linda Nicholson y Steven Seidman, *Social Postmodernism,* Cambridge University Press, Cambridge, 1995, p. 385.

[5] Lisa Duggan, "Making It Perfectly Queer", en *Socialist Review* 22:1, 1992, p. 26. Com-

párese con Tim Edwards, "Queer Fears Against the Cultural Turn", en *Sexualities* 4:1, 1998, pp. 471-84.

[6] Gilbert Herdt, *Guardians of the Flates*, McGraw Hill, New York, 1981; Gilbert Herdt, *The Sambia: Ritual and Gender in New Guinea*, Holt, Rinehart & Winston, New York, 1987.

[7] Una película acerca de la llegada de la música disco a Singapur en los setenta, primero realizada bajo el nombre de *Forever Fever* (1998), dirigida por Glen Goei.

[8] Matthew Stadler, *Allan Stein*, Grove Press, New York, 1999, p. 153.

[9] Dennis Altman, *Homosexual: Oppression and Liberation*, New York University Press, New York, 1994 (publicado originalmente en 1971), p. 86.

[10] Jeffrey Weeks, "The Rise and Fall of Permissiveness", en *Spectator* (London), 17 de marzo de 1979, p. 17.

[11] Julie Burchill, "Pleasure Principle", en *Era* (Melbourne), 6 de junio de 1998.

[12] Rita Mae Brown, "Queen for a Day: A Stranger in Paradise", en K. Jay y A. Young, eds., *Lavander Culture*, Jove, New York, 1979, pp. 69-76.

[13] Annie Sprinkle, "Post Porn Modernist Manifesto", citado por Linda Grant, *Sexing the Millenium*, Grove Press, New York, 1994, p. 244.

[14] J. C. Ballard, *Cocaine Nights*, Flamingo, London, 1997, p. 232.

[15] Lance Morrow, "The Madness of Crowds", en *Time Magazine*, 9 de agosto de 1999, p. 64.

[16] Elizabeth Jelin, "Engendering Human Rights", en E. Dore, ed., *Gender Politics in Latin America*, Monthly Review Press, New York, 1997, p. 76.

[17] Gary Dowsett y Peter Aggleton, "Young People and Risk-Taking in Sexual Relations", en *Sex and Youth: Contextual Factors Affecting Risk for HIV/AIDS*, UNAIDS, Genève, 1999, pp. 37-38.

[18] Véase Jeffrey Weeks, *Invented Moralities: Sexual Values in a Age of Uncertainty*, Polity, Cambridge, 1995; y los trabajos de R. W. Connell y Nancy Fraser anteriormente citados.

[19] Robin Morgan, introducción a *Sisterhood Is Global*, Anchor, New York, 1984, p. 34.

[20] Penny Andrews, "Violence against Women in South Africa", en *Temple Political and Civil Rights Law Review* 8:2, 1999, p. 436.

ÍNDICE ANALÍTICO

△

Sexo global,
escrito por Dennis Altman,
explica, con rigor pornográfico,
la manera en que la economía
internacional de mercado
expropió el placer y el deseo.
La edición de esta obra fue compuesta
en fuente newbaskerville y formada en 11:13.
Fue impresa en este mes de enero de 2006
en los talleres de Impresos y Encuadernaciones SIGAR,
que se localizan en la calzada de Tlalpan 1702,
colonia Country Club, en la ciudad de México, D.F.
La encuadernación de los ejemplares se hizo
en los mismos talleres.